Formação e rompimento de vínculos

O dilema das perdas na atualidade

ORGANIZADORA
Maria Helena Pereira Franco

FORMAÇÃO E ROMPIMENTO DE VÍNCULOS
O dilema das perdas na atualidade
Copyright © 2010 by autores
Direitos desta edição reservados por Summus Editorial

Editora executiva: **Soraia Bini Cury**
Editora assistente: **Salete Del Guerra**
Assistente editorial: **Carla Lento Faria**
Capa: **Teco de Souza**
Detalhe da imagem da capa: **lmlweb/Flickr –**
A Idade Madura, de Camille Claudel
Projeto gráfico e diagramação: **Crayon Editorial**

2ª reimpressão, 2022

Summus Editorial

Departamento editorial
Rua Itapicuru, 613 – 7º andar
05006-000 – São Paulo – SP
Fone: (11) 3872-3322
http://www.summus.com.br
e-mail: summus@summus.com.br

Atendimento ao consumidor
Summus Editorial
Fone: (11) 3865-9890

Vendas por atacado
Fone: (11) 3873-8638
e-mail: vendas@summus.com.br

Impresso no Brasil

Sumário

Prefácio 7

Apresentação 11

1. Por que estudar o luto na atualidade? 17
MARIA HELENA PEREIRA FRANCO

2. Os estudantes de medicina e o encontro
com a morte: dilemas e desafios 43
GEÓRGIA SIBELE NOGUEIRA DA SILVA
JOSÉ RICARDO DE CARVALHO MESQUITA AYRES

3. Equipe de saúde: vinculação grupal e vinculação terapêutica 73
TEREZA CRISTINA CAVALCANTI FERREIRA DE ARAUJO
MAÍRA RIBEIRO DE OLIVEIRA NEGROMONTE

4. Morte, equipe de saúde e formação profissional:
questões para atuação do psicólogo 101
ROBERTA ALBUQUERQUE FERREIRA
ELIZABETH QUEIROZ

5. Instrumento de avaliação do luto e suas funções terapêuticas:
a experiência em um serviço de pronto atendimento ao enlutado 123
AIRLE MIRANDA DE SOUZA
DANIELLE DO SOCORRO CASTRO MOURA
JANARI DA SILVA PEDROSO

6. A morte no contexto escolar: desafio na formação de educadores 145
MARIA JULIA KOVÁCS

7. O abrigamento precoce: vínculos iniciais e desenvolvimento infantil 169
GABRIELA GOLIN
SILVIA PEREIRA DA CRUZ BENETTI

8. Rompimento de vínculos, depressão em crianças
e possibilidades de intervenção   191
VERA REGINA RÖHNELT RAMIRES
SORAIA SCHWAN

9. A preservação dos vínculos parentais
no contexto da guarda compartilhada   215
MARIA LUCIA CAVALCANTI DE MELLO E SILVA
MARIA CRISTINA LOPES DE ALMEIDA AMAZONAS

10. Eu e os filhos da minha mulher: uma relação tão delicada...   239
ROSANE MANTILLA DE SOUZA
MARIA THEREZA DE ALENCAR LIMA

11. O velho e o novo na transformação dos
relacionamentos masculinos: *Don Juan de Marco*   265
DURVAL LUIZ DE FARIA

Prefácio

Amor e luto, vínculo e perda são duas faces da mesma moeda: não se pode ter uma sem ter a outra. O luto é o custo do amor, e a única maneira de evitar a dor do luto é evitar o amor. No entanto, a maioria de nós prefere pagar esse preço a viver uma vida sem afeto. Grande parte dos seres humanos passa pela dor do luto sem danos psicológicos duradouros, podendo mesmo amadurecer em consequência dele. No entanto, existem vários problemas nesse percurso, de modo que uma minoria viverá um sofrimento com consequências indesejáveis para sua saúde física e mental.

Nos últimos anos, muito se aprendeu sobre a natureza dos vínculos humanos e sobre os problemas e oportunidades que eles originam. Tive o privilégio de ter sido orientado por três líderes cujo trabalho nos serve de inspiração: John Bowlby, que muito justamente é conhecido como o pai da teoria do apego; Mary Aisnworth, cujo teste da situação estranha (estudo sistemático sobre separações breves entre crianças pequenas e suas mães) abriu a porta para o estudo científico dos padrões de apego seguro e inseguro aos pais; e Cicely Saunders, que criou um modelo de cuidados físicos, psicológicos, sociais e espirituais que removeu o estigma da morte e trouxe paz, no final da vida, para pacientes e suas famílias no mundo todo.

Esses mestres me guiaram – e a muitos outros – no aprendizado sobre amor e perda. Com Bowlby, participei das descober-

PREFÁCIO

tas dos padrões problemáticos do luto após a morte e na resposta à questão: "Por que algumas pessoas passam pelo processo de luto e dele emergem mais fortes e mais sábias, enquanto outras sofrem problemas psicológicos por muito tempo?" Cicely Saunders, no *St. Christopher's Hospice*, deu-me a oportunidade de realizar a primeira pesquisa com amostra aleatória sobre a eficácia de intervenções necessárias para pessoas cujo luto não estivesse se encaminhando para a resolução. Os padrões de apego descritos por Ainsworth possibilitaram-me desenvolver uma medida retrospectiva para os apegos infantis, a fim de prever a vulnerabilidade ao luto anos mais tarde.

Ao longo das últimas décadas, muitos clínicos e pesquisadores contribuíram para aumentar esse conhecimento. Gradualmente, as peças do quebra-cabeça do amor e da perda estão sendo montadas e é estimulante saber que esse trabalho agora vem se desenvolvendo em muitos outros centros de estudo no mundo todo. Ele é uma contribuição para aliviar imenso sofrimento.

Uma pessoa cujo trabalho conquistou meu respeito é Maria Helena Pereira Franco. O Laboratório de Estudos e Intervenções sobre o Luto da Pontifícia Universidade Católica de São Paulo (PUC-SP), fundado por ela, é importante centro de pesquisa e serviços na área. Maria Helena traduziu dois dos meus livros para o português[1] e foi graças a ela que obtive o privilégio e o prazer de ir ao Brasil em várias ocasiões, o que me permitiu conhecer muitos dos jovens psicólogos e terapeutas que têm dado continuidade a esse trabalho pioneiro no país. Durante minhas visitas ao Brasil, fiquei impressionado com o entusiasmo, o compromisso e a capacidade de acolhimento dos muitos estudantes e profissionais que fazem um trabalho bastante promissor.

Este livro nos dá uma visão da amplitude de problemas causados pela relação amor e perda e serve de base à vasta gama de

---

1. *Luto – Estudos sobre a perda na vida adulta* (Summus, 1998); *Amor e perda – As raízes do luto e suas complicações* (Summus, 2009).

FORMAÇÃO E ROMPIMENTO DE VÍNCULOS

profissionais para quem os conhecimentos nesse campo são muito valiosos. Ele aborda problemas relacionados com a morte e o curso do luto; dificuldades decorrentes da separação de filhos e pais e da separação de parceiros em razão de divórcio; questões presentes na relação terapeuta-paciente, pais-filhos, indivíduos-grupos. Assim, oferece informação e conhecimento a estudantes de medicina e médicos, enfermeiros e assistentes sociais, professores e pais, psicólogos, psiquiatras e muitos outros. Todas essas pessoas cuidam de outras pessoas e se importam com elas. O valor do cuidado que oferecem está na sua qualidade, e essa é uma forma de relação de amor.

COLIN MURRAY PARKES

Apresentação

ESTE LIVRO É UM DOS RESULTADOS de um trabalho coletivo, iniciado em 2006, em Florianópolis, quando um grupo de psicólogos com interesses convergentes se reuniu pela primeira vez, em torno de uma proposta que poderia ter sido vaga o suficiente para dispersá-los: formação e rompimento de vínculos. No entanto, vemos que o grupo permaneceu trabalhando, mesmo com os movimentos naturais, inerentes a todo sistema vivo, de entrada e saída de seus membros. Essa primeira reunião coincidiu com o início dos trabalhos sobre o tema formação e rompimento de vínculos, pela Associação Nacional de Pesquisa e Pós-graduação em Psicologia (Anpepp) e gestou este livro, que ainda foi discutido e criado ao longo de dois outros encontros presenciais, em Natal, 2008, e em Fortaleza, 2010. Os encontros virtuais, facilitados pelos recursos da informática, foram inúmeros, o que nos fez muitas vezes pensar como era possível as pessoas se comunicarem antes do surgimento da rede mundial de computadores.

Aqui estão representadas sete universidades, de cinco estados brasileiros, além de Brasília, DF. Vínculos formados e rompidos; este grupo de psicólogos e professores universitários encontrou espaço para trazer suas ideias, perguntas, dúvidas e certezas sobre os temas aos quais se dedicam e que os aproximaram.

Encontramos aparente divisão entre os temas abordados, que poderiam ser agrupados em dois eixos: o de relações no âmbito da família e o dos serviços de saúde e formação de pessoal para essa área. A divisão, portanto, é apenas mais um ponto que possibilita ao grupo desenhar com maior precisão seu perfil. A nota de fundo, o fio condutor, é que a leitura nos leva a identificar a contemporaneidade dos temas apresentados. Formar e romper vínculos faz parte da identidade humana, não se restringe a um único contexto, mas interage com os diferentes contextos que permitem sua expressão. Buscamos esse resultado em nosso trabalho cotidiano e também que essa atitude estivesse presente neste livro.

Vamos acompanhar, então, a sequência apresentada.

Inicialmente, o capítulo que coloca as razões para estudo do luto, *Por que estudar o luto na atualidade?*, relata uma evolução no cuidado com o tema objeto de pesquisas e o traz para os dias de hoje, excetuando duas condições que devem ser tratadas em separado, dada sua complexidade, ou seja: luto infantil e luto em decorrência de situações de violência. A teoria do apego fundamenta sua proposição, ao mesmo tempo em que não a limita, pois permite conhecer olhares variados e questionadores, em resposta a novas demandas que atraem os pesquisadores, como, por exemplo, a discussão sobre a validade de introduzir o conceito de luto complicado na nova edição do DSM-V, a ser publicada em 2013.

O capítulo sobre a experiência dos estudantes de medicina ao defrontarem com a morte de seus pacientes, *Os estudantes de medicina e o encontro com a morte: dilemas e desafios*, desnuda a realidade de uma formação ainda distorcida pela proposta de negar a morte como possibilidade e como experiência a ser vivida também pelo médico, não somente pelo ser que morre ou pela sua família. A prescrição para o não envolvimento do médico, além de artificial, atua antipedagogicamente, ao privar o profissional em formação de uma experiência com excelentes possibilidades de crescimento, para lidar com os vínculos formados com seu paciente e entendê-los como uma atualização de experiências primárias de apego. Os autores ouviram com atenção o relato dos

FORMAÇÃO E ROMPIMENTO DE VÍNCULOS

futuros profissionais e identificaram o quanto uma escolha pela medicina traz um ideal que pode naufragar nos primeiros contatos com a realidade.

No terceiro capítulo, *Equipe de saúde: vinculação grupal e vinculação terapêutica*, é discutida a relação que se cria entre os que cuidam e aqueles que recebem os cuidados, com destaque para o grupo de cuidadores, a partir da perspectiva de que cuidados de saúde requerem uma ação multidisciplinar. A definição de saúde, de acordo com a Organização Mundial de Saúde, implica essa postura de superar limites de campo de conhecimento, para que se crie um campo comunicacional e relacional fluente entre as diferenças, em benefício dos atores desse cenário complexo. Essa é a tônica da discussão desse capítulo, que a amplia para identificar possibilidades de relação.

Em uma sequência natural, o quarto capítulo, *Morte, equipe de saúde e formação profissional: questões para atuação do psicólogo*, nos leva a refletir sobre a atuação do psicólogo a partir de sua formação para atuar considerando as possibilidades de interação multiprofissional, em contexto de saúde e doença, sobretudo diante da possibilidade de morte de seu paciente. As fronteiras entre os campos do saber e da atuação são mostradas e discutidas, de modo que os formadores de profissionais de psicologia, como as autoras desse capítulo, possam transitar em terrenos conhecidos e também ousar ampliar ou flexibilizar essas fronteiras, em nome da multiprofissionalidade que não ponha a perder as especificidades de um campo de ação.

A experiência de um grupo da Universidade Federal do Pará em oferecer cuidados a enlutados está apresentada no capítulo *Instrumento de avaliação do luto e suas funções terapêuticas: a experiência em um serviço de pronto-atendimento ao enlutado*. Fundamentado em pesquisas, destaca-se a necessidade de desenvolver instrumentos de avaliação que sejam feitos especificamente para pessoas que tenham sofrido perdas ou vivenciado uma situação de crise. Vale destacar o fundamento na proposição de

APRESENTAÇÃO

entender luto a partir do modelo biopsicossocial, o que se revela na composição do instrumento e na forma de avaliar as respostas. A utilidade desse instrumento está ainda por ser mensurada, pois se abrem possibilidades de aplicação em diversas situações, que são exploradas no capítulo.

Outro campo de interesse para estudos sobre formação e rompimento de vínculos está no ambiente escolar, mais especificamente na formação dos educadores, assunto abordado no capítulo *A morte no contexto escolar: desafio na formação de educadores*. Sabemos quanto o tema da morte era entendido como tabu no século XX, e ainda o é neste século. A autora aborda exatamente essa questão paradoxal na formação do educador, que deveria ser um agente de transformação, por definição, mas se encontra restrito quando se trata de lidar com uma experiência, um conceito e um valor intrinsecamente relacionado à morte.

Em um sentido estreitamente relacionado à proposta do tema que discutimos e estudamos, o capítulo *O abrigamento precoce: vínculos iniciais e desenvolvimento infantil* trabalha com a ideia de que é possível e desejável que o desenvolvimento infantil aconteça pelas vias da saúde, mesmo em condições adversas, como é o caso de crianças que têm os vínculos rompidos com a família de origem, independentemente do motivo. Sabemos quanto as condições de vida na atualidade não são favoráveis à manutenção de condições de saúde na vida familiar e que a instituição família é uma caixa de ressonância da sociedade. Se entendermos também que a família tem a função de transmitir os valores da cultura e garantir a sobrevivência da espécie, buscamos os mecanismos da sociedade para a promoção da saúde ou, ao menos, para o controle de danos. Nesse capítulo, os efeitos de uma experiência de abrigamento precoce são discutidos, com vistas a entender o que promovem e a oferecer condições gerais de cuidados às crianças nesses locais.

Como um aprofundamento do anterior, porém voltado para a condição em que esses mecanismos da sociedade falham, o capítulo *Rompimento de vínculos, depressão em crianças e possibilidades de intervenção* apresenta importante discussão sobre técnicas de intervenção para lidar com um problema de extrema gravidade, ou seja: o desamparo em crianças privadas de sua base segura para crescer com saúde. Fazendo uso da vertente psicanalítica da teoria do apego, esse capítulo traz as reflexões necessárias para que sejam discutidas as intervenções realizadas, não somente no âmbito do domínio da técnica, mas também da fundamentação que dê substrato à ação.

Considerando-se as transformações pelas quais passa a família contemporânea, o capítulo *A preservação dos vínculos parentais no contexto da guarda compartilhada* aborda uma situação ainda recente em nosso país, que é a guarda compartilhada. Nele, psicólogos e também juristas e profissionais que lidam com famílias, sob diversas perspectivas, têm oportunidade de conhecer mais sobre pontos de suporte na vida cotidiana para que uma decisão, mesmo que amparada juridicamente, se traduza em formas de relacionamento saudáveis.

Ainda com foco nas experiências familiares da atualidade, no capítulo *Eu e os filhos da minha mulher: uma relação tão delicada...*, somos levados a refletir sobre implicações no cotidiano de famílias depois que termina a lua de mel, com disputas de autoridade, crises de lealdade e outros problemas que podem vir mascarados de dificuldades de relacionamento com as novas figuras que passam a fazer parte dessa família. As autoras deram voz aos atores desse cenário, de maneira que possibilitasse a compreensão dos fatores que tornam essa relação tão delicada e, ao mesmo tempo, tão necessária para a manutenção de pilares de saúde e desenvolvimento.

Por fim, o capítulo *O velho e o novo na transformação dos relacionamentos masculinos: Don Juan de Marco* leva o leitor a refletir sobre estereótipos de gênero, a partir de uma visão junguiana. Falar de apego adulto, de como os homens se vinculam, implica falar de arquétipos e do contexto em que essa

APRESENTAÇÃO

masculinidade se expressa, e o filme que serviu de pano de fundo para a discussão aqui apresentada possibilitou que o tema fosse abordado com profundidade e sensibilidade. Este livro representa, portanto, uma finalização e um início. Ele encerra um tempo de formação de um grupo que nasceu, cresceu, teve as crises esperadas do desenvolvimento e construiu seus vínculos, de maneira que profissionais com interesses em comum pudessem construir um legado para que outros o ampliem, qual seja, seus estudos e suas pesquisas. É um início, porque de nossas reuniões nascem ideias, projetos que esperamos e desejamos poder realizar e assim dar andamento ao ciclo da vida.

MARIA HELENA PEREIRA FRANCO

1. Por que estudar o luto na atualidade?

MARIA HELENA PEREIRA FRANCO

NO INÍCIO DE MEUS ESTUDOS SOBRE LUTO, em meados da década de 1980, tive a felicidade de ir à Inglaterra em busca de material de leitura para fundamentar minhas pesquisas. Não fui por acaso àquele país, muitos motivos eu tinha para voltar a Londres e lá permanecer. Além de uma antiga paixão pela cidade, lá haviam sido realizados estudos importantes aos quais me dedicava desde os tempos de graduação em Psicologia. Falo mais especificamente do trabalho de John Bowlby na formulação da teoria do apego e da continuidade desse trabalho na Clínica Tavistock, onde estudei e para onde retornei algumas vezes e cuja importância valorizo a cada dia em meu trabalho. Em uma dessas estadas em Londres, conheci o trabalho de Colin Murray Parkes, que trabalhara com Bowlby na Tavistock e vinha ativamente desenvolvendo pesquisas e formas de cuidados dirigidos a pessoas enlutadas, no *St. Christopher´s Hospice*, em Londres. Nessa época, iniciei um contato com ele que se tornou amizade, e me proporciona um constante aprendizado.

A partir dessas experiências, quando avalio o percurso em busca do conhecimento sobre o processo de formação e rompimento de vínculos com a ênfase que escolhi dar, ou seja, o luto, percebo que o tema ainda provoca em mim o desejo de me aprofundar mais, de desvendar aplicações possíveis e necessárias para esse conhecimento, juntamente com as perguntas que naturalmente emergem de uma prática atenta perante as situações de luto. Por esses motivos, inicio este capítulo com uma pergunta muito ampla, sem dúvida, mas ciente e desejosa de que ela possa gerar outras. Essa pergunta diz respeito às razões para o estudo do luto, que vão da necessidade de construir conhecimento com base no que se sabe sobre ele, considerando os desafios que emergem nesse campo, até a preocupação com aquele que poderá se beneficiar dele. O estudo deve também proporcionar uma visão de futuro, para o mundo que os indicadores atuais nos apresentam.

Na tentativa de responder a essa pergunta, farei uma breve passagem pela história dos estudos sobre o luto, chegando até os significados que o mundo contemporâneo deu ao fenômeno. Abordarei os estudos como fundamentos para você se compreender – inclusive com novas direções, que veem ao encontro de algumas indagações emergentes do nosso mundo que oferece possibilidades tão diversificadas na relação com a realidade –, para que entenda o luto, bem como, tratarei de parte do complexo processo de formação e rompimento de vínculos.

Tenho participado, desde 1997, de um grupo internacional que se reúne periodicamente e discute questões relativas à morte, ao morrer e ao luto, nas mais diversas perspectivas. O grupo é o *International Work Group on Death, Dying and Bereavement* (www.iwgddb.org) e me proporciona a oportunidade única da interlocução com pesquisadores e clínicos de diferentes origens e formações, no formato de grupos de trabalho, sobre temas de escolha dos participantes. Inicialmente, por cinco reuniões, participei do grupo que discutia luto complicado, e, recentemente, nas duas últimas reuniões, participei do grupo que discutia pesquisa em luto. A mudança de foco de interesse se justifica pelas necessidades que encontro no trabalho acadêmico e na prática clínica, e a exposição a diferentes olhares para o fenômeno. No grupo do luto complicado, discutimos a permanência da ideia de fases sucessivas no processo; a duração previsível; as diferenças culturais; as diferenças de gênero; os modelos teóricos para a compreensão, entre outros temas. No grupo da pesquisa em luto, foram tratadas questões éticas e políticas referentes a essa pesquisa, bem como sobre os benefícios esperados e obtidos pelas pesquisas, a par com questões metodológicas.

Dessa experiência, ficam algumas poucas certezas e, em maior número, indagações. E não é assim que aprendemos? Aprendi que o tema é inesgotável exatamente pela sua constante atualização, se for estudado por aqueles que são sensíveis às demandas do mundo em que vivem. Aprendi que uma fundamentação teórica como proposição é indispensável, porém, é necessário também que o pesquisador seja flexível para se deixar desafiar por novas indagações, sem sair da posição ética, presente sempre que se tratar de pesquisa e intervenção com seres humanos. As muitas indagações surgem, talvez não nesses encontros com meus pares, mas sim do que levo tendo eles como base, na prática cotidiana, nas minhas pesquisas e na orientação de alunos que pesquisam sobre luto, nos meus atendimentos clínicos e nas supervisões que dou para psicólogos que querem aprender esse ofício de atender em psicoterapia as pessoas enlutadas, nos atendimentos psicológicos em situações de emergência que realizo e na escolha e no treinamento de psicólogos para essa atividade.

Apresento, portanto, essas questões, algumas ampliadas e outras reduzidas, com o intuito de colocar no cenário os tantos temas relacionados ao estudo do luto, em uma visão advinda das experiências contemporâneas. Destaco que, a respeito das questões relativas ao luto decorrente especificamente de situações de violência ou de mortes em massa, optei por não me aprofundar, embora reconheça a importância do tema, como potencial gerador de tipos traumáticos de luto. Sabidamente, o aumento da violência provoca a necessidade de ampliar estudos nessa área, pelo aumento da demanda de cuidados e na incidência de distúrbios psiquiátricos decorrentes do trauma. Abre-se uma discussão se o transtorno de estresse pós-traumático (Tept) necessariamente acompanha o luto e se luto traumático, pela perda inesperada e violenta, assim como o luto complicado necessariamente serão traumáticos. No entanto, entendo que essa discussão é de tal envergadura, que preferi abordá-la separadamente. A mesma posição, e pelas mesmas razões, adotei em relação ao luto infantil, uma vez que sua especificidade requer estudos e considerações detalhadas o suficiente para merecer estudo à parte.

Até as duas últimas décadas do século XX, os estudos sobre o luto falavam em uma necessidade de desligamento emocional da pessoa falecida, com ênfase na expressão dos sentimentos (Freud, 1917/1953; Bowlby, 1979, 1980). Por muito tempo, o luto foi associado à doença mental, como Parkes (1965) apresentou em um de seus primeiros estudos, com pacientes psiquiátricos enlutados – desenvolveu pesquisa sobre o assunto –, e Schmale (1958) também, em uma clara aproximação do luto com a depressão. Além disso, Parkes (1975) se interessou por pesquisar os resultados do luto, vemos essa preocupação em estudos e intervenções de diversos autores, porém, por outra perspectiva. Raphael (1983) falou sobre a anatomia do luto, em uma referência familiar com o pensamento médico. Essa concepção tem sido sistematicamente revista, inclusive pela mesma pesquisadora (Raphael, 2008). Também Parkes (2008) a discute, em um estudo detalhado baseado na teoria do apego, para explicar as diferenças nas respostas de luto.

Hoje, encontramos pesquisadores que apontam para outras possibilidades. Estudamos o luto a partir de uma perspectiva de construção de significado (Nadeau, 1998; Neimeyer, 2001), bem como encontramos aqueles que trabalham com a possibilidade de manter vínculos contínuos, em oposição à necessidade de desligamento da pessoa falecida, questionando sua função no processo de luto saudável (Klass, Silverman e Nickman, 1996; Klass e Walter, 2001). Isso representa, sem dúvida, uma mudança de paradigma: de um padrão genérico, normativo, da medicalização para a subjetividade, pela experiência psicológica. Questionamos a definição de luto complicado, para discutir sobre a adequação de sua inserção na próxima edição do *Diagnostic and Statistic Manual of Mental Disorders (DSM-V)*, a ser publicada em maio de 2013, em acordo com a proposta tradicional em discussão sobre fases do luto (Rubin, Malkinson e Witztum, 2008; Maciejewski, Zhang, Block e Prigerson, 2007; Prigerson, Vanderwerker e Maciejewski, 2008; Boelen e Prigerson, 2007). Questionamos também a eficácia dos tratamentos oferecidos a pessoas enlutadas (Jordan e Neimeyer, 2003; Wagner, Knaevelsrud e Maercker, 2004; Shear *et al.*, 2005; McIntyre e Hogwood, 2006; Malkinson, 2007) na busca de um refinamento que contemple não apenas aspectos científicos de uma boa prática terapêutica, mas também os econômicos, cuja premência nos dias atuais não pode ser esquecida.

Portanto, o estudo do luto pode ser empreendido por diversos olhares, como os da psiquiatria, da psicanálise, da psicologia, da sociologia, da antropologia, da etologia. O luto pode ser entendido e trabalhado com base em múltiplas referências. Acima de tudo, entendo que estudar o luto parte necessariamente de um posicionamento diante da realidade, pois é desse fenômeno que se trata: formar e romper vínculos na atualidade.

Esse panorama foi apresentado com o intuito de abrir o leque de visões sobre o tema do luto.

BREVE HISTÓRICO DOS ESTUDOS SOBRE O LUTO

EM 1917, QUANDO FREUD publicou *Luto e melancolia*, a partir de suas observações clínicas durante a Primeira Guerra Mundial, ele comparou pesar e melancolia e considerou que o luto como causa de depressão tende a se manifestar em relações ambivalentes. Como suas análises foram feitas naquele período histórico, ele teve a possibilidade de identificar muitos sintomas psiquiátricos ou transtornos pós-traumáticos, de modo que essa obra tornou-se uma referência fundamental para o estudo do luto.

Antes dele, porém, o luto já estivera no foco de atenção, como Parkes (1998, 2001) relata e passo a sumarizar. No século XVII, mais precisamente em 1621, Robert Burton publicou *The anatomy of melancholie*, em que entendia que o pesar gerado por uma perda era tanto sintoma como causa principal da melancolia, hoje definida como depressão clínica. Nos séculos XVII e XVIII, o luto era considerado causa de morte e prescreviam-se medicações para quem fosse diagnosticado com luto patológico. Em 1835, Benjamin Rush, médico americano, receitava ópio para enlutados e vemos com ele, pela primeira vez, a denominação de coração partido para a condição que levava indivíduos enlutados à morte por problemas cardíacos.

Essas primeiras visões a respeito do luto tiveram grande influência sobre a conceituação do processo, sobretudo na ênfase colocada nos aspectos emocionais e fisiológicos, o que acarretou até tempos recentes o que considero uma espécie de miopia, por ter deixado de considerar componentes sociais, culturais e espirituais na totalidade do fenômeno e ter contribuído, em grande parte, para sua patologização.

Parkes (1998, 2001) também dá destaque à publicação datada de 1872, de Charles Darwin, *The expression of emotions in man and animals*, na qual o autor chama a atenção para o fato de que muitas espécies animais – sobretudo os mamíferos – choram quando separadas daqueles aos quais estão vinculadas, enquanto para os seres humanos há regras para essa experiência. Introduz-se, então, a questão da relação natureza–cultura, na compreensão da vivência e da expressão do pesar por uma perda. Quando, décadas mais tarde, em 1940/1950, John Bowlby desenvolveu a teoria do apego (1980, 1990, 1998), os conhecimentos advindos da etologia lhe foram de grande valia para que pudesse dar sentido ao comportamento animal presente e expresso nesse relato de Darwin.

Foi exatamente no cenário da Segunda Guerra Mundial que novas visões sobre luto se apresentaram. Em 1941, Kardiner publicou *Traumatic neuroses of war*, obra na qual aborda o sofrimento daqueles expostos a situações contínuas de risco de vida, com consequências para a saúde como um todo. Em 1944, Lindemann descreveu uma situação de luto agudo, com sua definição de luto normal, destacando os efeitos indesejáveis da repressão do luto. Foi ele quem primeiro falou sobre luto antecipatório, a partir da experiência das esposas dos soldados convocados para o campo de batalha, quando comparada ao foco de seu artigo sobre luto agudo. Desde essa época, contamos com a valiosa contribuição de John Bowlby e a teoria do apego para a compreensão dos processos de formação e rompimento de vínculos. John Bowlby, nascido na Inglaterra, em 1907, estudava medicina na Universidade de Cambridge, quando passou a se interessar pela psicologia do desenvolvimento, que já lhe apontava os caminhos que seguiria, particularmente voltados para as questões de separação parcial e total entre bebê e mãe. Quando terminou a faculdade de medicina, aprofundou os estudos em psiquiatria infantil e psicoterapia e, posteriormente, desenvolveu suas ideias sobre a influência da família no desenvolvimento infantil. Aceito na Sociedade Britânica de Psicanálise, sua analista foi Joan Rivière, amiga de Melanie Klein, de quem tinha muita influência. Ao longo desse período, Bowlby entendeu que a psicanálise colocava excessiva ênfase no mundo de fantasia da criança e pouca nos eventos do mundo externo. Mais tarde, essas ideias se tornariam centrais na teoria do apego (Bowlby, 1980, 1990, 1998). Bowlby se deteve longamente sobre a questão dos efeitos adversos da separação entre bebês e mães. As teorias psicanalíticas sobre relações objetais que foram apresentadas por Winnicott (2000), por exemplo, coincidiam com as ideias de Bowlby em muitos pontos, mas suas teorias sobre a relação pais-bebê desenvolveram-se de maneira independente. Quando terminou sua função no exército, em 1945, no final da Segunda Guerra Mundial, Bowlby tornou-se chefe do Departamento de Crianças, na Clínica Tavistock, em Londres. Para destacar a importância da relação pais-filhos, imediatamente mudou o nome do Departamento para Filhos e Pais.

Diferentemente de muitos psicanalistas de sua época, Bowlby estava muito interessado em identificar padrões de interação familiar, tanto no desenvolvimento saudável como no patológico. As atribuições do chefe do Departamento de Crianças e Pais incluíam administrar a clínica, realizar treinamento e fazer pesquisa. Para o dissabor de Bowlby, muito do trabalho clínico do departamento era realizado por profissionais com orientação kleiniana, que não consideravam relevante sua ênfase nos padrões de relações familiares. Por causa de sua postura teórica e da ênfase que colocava na etologia, Bowlby não podia usar os casos clínicos do departamento para a pesquisa que queria realizar, o que o levou a fundar uma unidade de pesquisa, externa ao trabalho clínico da Tavistock, onde pôde empreender estudos voltados para a formulação da teoria do apego, que, como sabemos hoje, é o trabalho conjunto desenvolvido por ele e Mary Ainsworth, americana, educada no Canadá. John Bowlby, a partir dos conceitos da etologia, da cibernética e da psicanálise, formulou os princípios básicos da teoria que apresentou uma nova maneira de pensar sobre o vínculo do bebê à sua mãe – ou substituta – e sobre o que o afeta quando ocorre separação ou privação. Mary Ainsworth (Ainsworth *et al.*, 1978) não somente traduziu os pontos básicos da teoria do apego para achados empíricos como também permitiu a ampliação da teoria em si. Suas duas maiores contribuições teóricas foram a compreensão sobre as diferenças individuais nas relações de apego e o conceito de cuidador como base segura.

Bretherton (1993) relata a parceria de ambos e um pouco da biografia de Mary Salter Ainsworth, nascida em Glendale, Ohio, e graduada em psicologia na Universidade de Toronto. Assim que se graduou, teve a influência de William Blatz, autor da teoria da segurança, que foi seu orientador em seus estudos para o doutorado, e o ajudou a ampliar essa teoria. Mary Ainsworth obteve seu título de doutora em 1939 e a colaboração com Blatz teve importante impacto em suas contribuições para a teoria do apego. Um dos principais pontos de sustentação da teoria da segurança afirma que bebês e crianças pequenas precisam desenvolver dependência segura de seus pais, antes de se lançarem a situações não familiares, nas quais terão de contar apenas consigo. A dependência segura oferece a base para aprender as habilidades e desenvolver o conhecimento que torna possível depender, com confiança, em si e obter emancipação segura dos pais. Na verdade, a dependência segura dos pais deveria ser gradualmente suplantada pela dependência madura, segura nos pares e, eventualmente, em um parceiro heterossexual. A independência segura é considerada uma impossibilidade. Em sua tese, Mary Ainsworth abordou essa questão a partir da proposição de que a segurança familiar nos estágios iniciais é do tipo dependente e forma a base na qual o indivíduo pode fortalecer-se gradualmente, desenvolvendo novas habilidades e interesses em outros campos. Quando falta a segurança familiar, falta ao indivíduo o que poderia ser chamado de uma base segura a partir da qual ele se desenvolve. Quando Mary Ainsworth se aproximou de Bowlby, já tinha claros os pressupostos do que queria desenvolver e aplicou as teorias de Bowlby ao estudo das interações mãe-bebê em nativos de Gana. A autora fez uma distinção muito importante entre força do apego e segurança do apego e deduziu que uma maneira de estudar o apego era observar os efeitos da separação. Quando retornou aos Estados Unidos, havia desenvolvido um método sistemático de observar e classificar os padrões de apego entre mães e bebês, ao qual denominou de teste da situação estranha. Neste, mães e crianças em seu segundo ano de vida são observadas através de um espelho unidirecional antes, durante e depois de um curto período de separação da mãe, em uma sala desconhecida. Ainsworth *et al.* (1978) detalharam os padrões de apego a partir de um padrão de apego seguro e dois padrões de apego inseguro: ansioso/ambivalente e evitador. Posteriormente, Mary Main, por meio de suas pesquisas (Main e Goldwyn, 1984; Main e Hesse, 1990; Main e Solomon, 1990), acrescentou um terceiro padrão de apego inseguro, o desorganizado/desorientado. Cada padrão de apego é associado a um padrão específico de cuidado parental.

Parkes (2009) explica com clareza a funcionalidade de cada um dos padrões de apego, tanto pela experiência da mãe como pela da criança e descreve como esses fundamentos estarão presentes na vivência do luto, fazendo referência a estudos longitudinais. Mikulincer (2008), considerando a teoria do apego para entender o processo de luto de adultos, destacou a diferença entre a criança e o adulto enlutado que, para ele, reside em poder reorganizar-se e não em se desligar da figura de apego perdida. Isso é obtido por uma superativação do sistema de apego, juntamente com uma desativação deste, como recursos adaptativos que permitem integração do passado ao presente. Ambos, Parkes e Mikulincer, fundamentam-se na teoria do apego e nos padrões de apego como descritos por Bowlby e Ainsworth para suas considerações acerca do processo de luto e fazem menção à importância de pesquisas longitudinais sobre o assunto. Marrone (2001) e Hagman (2001) contribuíram para rever a relação entre a psicanálise e a teoria do apego, de forma que não ficasse uma compreensão de incompatibilidade entre elas. Esse resultado será possível quando se pensar a psicanálise em suas possibilidades voltadas para as relações existentes entre o indivíduo e o meio não como excludentes e sim como complementares e não lineares.

Nas últimas décadas, pesquisadores e clínicos (Prigerson; Vanderwerker, Maciejewisky, 2008; Raphael, 2008; Neimeyer; Hogan; Laurie, 2008; Hansson e Stroebe, 2007; Parkes, 1998, 2006, 2008, 2009; Stroebe, 2008; Neimeyer e Hogan, 2001; Stroebe *et al.*, 2001; Parkes, Laungani e Young, 1997; Boss, 2006) dedicaram-se a aprofundar esses temas, o que lhes possibilitou contribuir com avanços nas pesquisas, tendo em mente necessidades trazidas pela realidade contemporânea. No Brasil se tem pesquisado e escrito sobre luto (Bromberg, 1995, 1998; Bromberg, Kovács, Carvalho e Carvalho, 1996; Casellato, 2005; Fonseca e

Fonseca, 2002; Fonseca, 2004; Franco, 2002, 2003 e 2008; Franco e Mazorra, 2007; Mazorra e Tinoco, 2005), sobretudo a partir do Laboratório de Estudos e Intervenções sobre o Luto (LELu), da PUC-SP, fundado por mim em 1996, com destaque para questões conceituais e para aplicações terapêuticas. Os temas que são de interesse dos pesquisadores contemporâneos respondem às condições de vida na atualidade. Podemos destacar, por exemplo, o envelhecimento da população, as imposições econômicas na prestação de serviços de saúde que requerem eficácia e avaliação desses serviços, o aumento das situações de morte em massa, seja por acidente ou por atos de terrorismo, que são geradoras de experiências de difícil elaboração pelos enlutados, causadas pela incerteza (por não ser possível a identificação e/ou reconhecimento do corpo) fator que impede a realização dos rituais organizadores da tradição cultural, pelos intensos sentimentos de raiva, horror, choque, somados a uma experiência de luto na comunidade, não apenas restrito ao âmbito familiar ou social mais próximo. Por esses motivos, sabemos que nas últimas décadas os focos de interesse no estudo do luto têm sido ampliados, para incluir questões sobre distinção entre o luto considerado normal e o complicado (Rando, 1993); predição de risco (Raphael, 2008); prevenção e tratamento (Worden, 1993; Shear *et al.*, 2005; Rando, 1986, 2000); formas de intervenções em luto, (Rando, 1986; Wagner, Knaevelsrud, Maercker, 2006; McIntyre e Hogwood, 2006); diferenças culturais (Shapiro, 1996); diferenças de gênero e de idade (Schatz, B. D.,1986, Schatz, W. H.,1986); luto traumático, em consequência das mortes em massa (Raphael, 2008); psicopatologia e fenomenologia do luto (Bonanno, 2008); perdas não reconhecidas, entendidas a partir de uma quebra na empatia (Casellato, 2005); resiliência individual e grupal (Walsh, 1998; Stroebe, 2008); perdas ambíguas (Boss, 2006); papel dos cuidadores e seu risco de *burnout* (Worden, 2000). Assim, estudar o luto significa mergulhar em algumas das questões a seguir.

SOBRE O LUTO NORMAL, PELA PERSPECTIVA DO TEMPO PARA SUA A VIVÊNCIA

ESTE TEMA SE DESDOBRA EM MUITOS OUTROS. A definição de luto normal e de luto complicado e, consequentemente, de um tempo previsto para sua duração requer uma revisão dos posicionamentos tradicionais sobre as fases pelas quais o luto deveria passar, paralelamente, à ideia de que este implica a transformação radical do vínculo com o morto, de maneira a promover o desligamento deste e a possibilidade de envolver-se em novos vínculos (Bowlby, 1997, 1998). Esse modelo de fases ainda encontra respaldo na aceitação da ideia de que existem modos bons e maus de viver o luto (Worden, 2000), posição que vem sendo cada vez mais questionada, sobretudo quando se coloca o conceito de resiliência no cenário, como um componente importante para a compreensão de diferenças individuais (Bonanno, 2008; Boss, 2006; Stroebe, 2008; Walsh, 1998).

Pode-se, então, estudar o luto a partir de uma distinção entre o que foi considerado normal e o que foi complicado nesse processo e, assim, trabalhar com predição de risco à saúde mental, em consequência de condições complicadoras do luto. Os chamados "fatores de risco", que colocam a pessoa em um enquadramento em torno de cada um deles, poderiam ser mais bem percebidos pela lente da cultura na qual essa pessoa vive. Uma apreciação da relatividade cultural da emoção também ajuda a explicar as sutis diferenças transculturais na expressão e na experiência da perda e do luto (Parkes, Laungani e Young, 1997). Portanto, modelos do luto refletem nossas representações sociais correntes sobre vida e morte (Grainger, 1998) e podem ser efêmeros (Parkes, 1998).

Vemos, então, que o tempo não é a única medida a ser considerada quando estudamos luto ou quando deparamos com uma pessoa enlutada que requer cuidados de alguma ordem. Forte tendência atual busca reaprender o mundo, por meio de construir e encontrar significados para o luto, em um processo divorciado daquele de levar em conta as fases previstas para o luto. Embora continue sendo um processo, ele é vivido na sua singularidade, assim como foi singular a relação rompida que o precedeu. É um processo que permite revisões na identidade, nas relações sociais, nas relações com o morto e no sistema de crenças (Gillies e Neimeyer, 2006; Neimeyer, 2001).

Os estudos sobre luto normal refletem uma observação fragmentada do luto, além das questões metodológicas presentes em estudos desse tipo. Há poucos estudos longitudinais e essa carência compromete a compreensão do andamento do processo de luto. Por outro lado, os estudos sobre predição de risco focalizam diferentes reações e estilos de enfrentamento, colocando o enlutado como vítima e sobrevivente, ao mesmo tempo em que se inicia a discussão do conceito de resiliência no enfrentamento do luto (Boss, 2006; Stroebe, 2008; Walsh, 1998).

Outro aspecto a ser considerado, quando nos perguntamos sobre os parâmetros de normalidade do luto, está nas repercussões na saúde do enlutado, até mesmo para que se façam distinções claras entre as possibilidades patogênicas do luto, uma indistinta definição de luto associado à depressão ou se as primeiras definições do luto como doença ainda se sustentam, diante de estudos que fazem uso de neuroimagem e outros recursos da tecnologia (Boelen e Prigerson, 2007; Chen, Gill, Prigerson, 2005; Gundel et al., 2003). Freed e Mann (2007) efetuaram um trabalho muito importante, na busca de uma separação conceitual entre tristeza e depressão, examinando a neurobiologia da tristeza e tentando identificar se essa emoção é encontrada predominantemente em uma das fases do luto. A importância desse estudo está no destaque que dá à tristeza como uma emoção estudada de maneira superficial no luto, uma vez que há grande preocupação em identificar a presença de depressão ou de estados depressivos.

Há evidências na literatura que nos mostram que a saúde da pessoa enlutada, no geral, está em risco quando comparada a pessoas não enlutadas (Stroebe *et al.*, 2001; Stroebe e Stroebe, 1987; Lannen *et al.*, 2008), mas eu gostaria de destacar questões metodológicas relativas a pesquisar pessoas enlutadas, notadamente envolvidas com a ética de pesquisa, que podem colocar em discussão esse tipo de trabalho.

Ou seja, falar em tempo previsto para um luto normal significa que estamos desconsiderando aspectos relevantes para a compreensão do fenômeno e utilizamos uma visão restrita e restritiva sobre ele.

A ATENÇÃO OFERECIDA A PESSOAS ENLUTADAS
EM DIFERENTES CONDIÇÕES E SITUAÇÕES

Essas condições incluem cuidados paliativos, diferenças culturais, luto na família, técnicas de intervenção, que também estão no foco do interesse de muitos pesquisadores.

Em cuidados paliativos – entendidos como aqueles oferecidos ao paciente e à sua família, objetivando atenção individualizada à unidade de cuidados, busca da excelência no controle dos sintomas e prevenção do sofrimento, em trabalho harmônico e convergente – o foco da atenção não é a doença a ser curada/controlada, mas o doente, entendido como um ser biográfico, ativo, com direito à informação e à autonomia plena para as decisões a respeito de seu tratamento (Dunlop e Hockley, 1990; Rodrigues, 2004; Maciel, 2008), de acordo com a definição da Organização Mundial de Saúde, publicada em 2002. Nessa definição estão os cuidados ao luto, durante a doença e após a morte.

Worden (2000) aborda a importância de serem oferecidos os cuidados necessários e adequados à pessoa que se encontra próxima da morte, essa preocupação já se encontrava em publicações de Parkes, Relf e Couldrick (1996), Bowers *et al.* (1994) e Sutcliffe, Tufnell e Cornish (1998), Davies (2000) e Bromberg (1994 e 1998).

FORMAÇÃO E ROMPIMENTO DE VÍNCULOS

Rando (1986, 2000) estudou amplamente o conceito de luto antecipatório, como a vivência do paciente na proximidade de sua morte ou até mesmo do paciente e sua família, a partir do diagnóstico de uma doença que coloca sua vida em risco. Seus seguidores, como Pine (1986), destacam a necessidade de que se tenha uma proposta clara do que esperar e oferecer a essa unidade de cuidados, para que seja uma forma de prevenção ao luto complicado. Outros pesquisadores desenvolveram trabalhos e construções teóricas sobre a função do luto antecipatório como parte integrante dos cuidados paliativos, como Fonseca e Fonseca (2002), Fonseca (2004), Franco (2002, 2008).

O luto, vivido do ponto de vista da cultura, implica uma percepção que leve em conta as diferenças e a sua razão de ser (Parkes, Laungani e Young, 1997; Rosenblatt, 2008, Shapiro, 2006). Há enormes diferenças entre as culturas a respeito de como, quando, e até mesmo se o luto deve ser expresso, sentido, comunicado e entendido. A perspectiva ocidental tende a valorizar a expressão emocional do luto, com implicações que desconsideram a cultura. Um bom exemplo disso está na avaliação do luto, sob uma perspectiva de gênero, que leva o estudioso superficial a considerar que os homens não vivem o que é definido como luto saudável, pelo fato de não expressarem suas emoções, esquecendo-se da tradição de dizer aos homens que eles devem ser operativos e não intuitivos. Sobre a diferença cultural presente na vivência do luto, fica evidente como os olhares da sociologia e da antropologia nos ajudam a compreender a amplitude desse tema.

Portanto, para avaliar o que é normal para cada cultura, é necessário subjetivar a experiência do luto que é, por sua vez, multideterminada.

Walsh e McGoldrick (1988, 1995), Walsh (1998), Raphael (1983 e 2008), Bowen (1991), Kissane e Bloch (2002), Kissane e Lichtenthal (2008) se destacam pelos estudos sobre como o luto é vivenciado pela família, em suas diferentes configurações.

O fato de termos uma lente de aumento para as vivências da família diante de um luto, e não apenas de indivíduos enlutados, apresenta-nos uma perspectiva de grande valor, uma vez que desdobra situações presentes na vida diária e desafiadas pelas mudanças do mundo contemporâneo. Shapiro (1994 e 1996) já chamava a atenção para o fato de ser o luto um assunto de família e também um assunto que comportava a diversidade cultural.

Pincus (1989), em obra corajosa, expôs sua experiência como viúva para tratar do luto em família, pela vertente da psicanálise, o que acrescentou ao que já se construiu por outros olhares teóricos e permitiu, então, que se reforçasse a proposta de que o luto deve ser considerado considerando diferentes visões.

NOVAS VERTENTES PARA O LUTO

NESTE CAPÍTULO, não poderia deixar de abordar as novas maneiras de pensar sobre o luto, que vêm sendo estudadas e debatidas na atualidade. A primeira que abordo é a concepção de luto como um processo de construção de significado, como afirmam Neimeyer (2001), Gillies e Neimeyer (2006) e Walsh (1998).

Nadeau (1997), tendo pesquisado famílias enlutadas, não concorda com o uso do termo "reconstrução" por considerá-lo limitante, uma vez que se refere a reconstruir algo já existente e por encontrar significados novos nas famílias que ela atende em sua prática clínica. A autora define "significado" como representações cognitivas, mantidas na mente de cada membro da família, mas construídas interativamente dentro da família, ao mesmo tempo em que são influenciadas pela sociedade, pela cultura e pelo período histórico. Apresenta algumas categorias de significados, como: falta de sentido; morte injusta; significados filosóficos; existência ou não de vida após a morte; significados religiosos; natureza da morte; atitude do doente em relação à morte; mudanças na família; lições aprendidas e verdades vividas.

Falar em construção de significados no luto sugere que sejam feitas revisões na identidade, nas relações sociais, nas relações com o morto e no sistema de crenças.

Outra concepção abordada neste capítulo diz respeito aos chamados vínculos contínuos, ideia que tem seu expoente no pensamento de Klass, Silverman e Nickman (1996) e Klass e Walter (2001). Eles trouxeram importante contribuição ao ressaltar entre os clínicos o valor das intervenções que vão além do foco exclusivo no afastamento do falecido, para buscar um vínculo contínuo, saudável, e ter este como objetivo central na terapia do luto, proposição que tem a concordância de Neimeyer (2001). Sabemos que grandes ajustamentos são necessários na adaptação à morte de uma pessoa significativa, entre eles está a mudança na natureza da relação com o falecido. Esses ajustamentos levam tempo, o que implica um período de desequilíbrio no processo de construção de uma nova vida. Ao se referir ao luto como uma transição psicossocial, Parkes (1998) apontou como a morte de um ente querido requer que o enlutado se reajuste ao seu mundo presumido ao aceitar a morte.

No entanto, a literatura sobre vínculos contínuos pode ser criticada por entendê-los como invariavelmente adaptativos e por não levar em conta as condições nas quais eles podem não ser adaptativos. O tempo decorrido desde a morte pode ser um fator que determina se o vínculo contínuo indica um ajustamento bem-sucedido. Uma abordagem mais construtiva para determinar a adaptabilidade de um vínculo contínuo está em tentar identificar o que pode ser continuado e o que precisa ser abandonado, e não simplesmente continuar ou romper o vínculo. Isso envolve a reconstrução da relação com o falecido.

Rando (1993) identificou o desenvolvimento de uma nova relação com o falecido como uma forma de acomodação do luto e apontou o desenvolvimento de uma nova relação saudável com o falecido em oposição a abandonar o apego como componente de uma adaptação bem-sucedida. A questão central está em determinar o que é uma conexão apropriada, o que para a autora depende de duas condições: o reconhecimento completo de que a pessoa está morta e suas implicações e que o vínculo contínuo não interfira no fato de refazer a vida.

É essencial definir e operacionalizar o vínculo contínuo, de modo que se capture a complexidade da relação com a adaptação ao luto, considerando-se a visão bowlbiana de fases do luto ou não. Só assim será possível compreender totalmente sua função no ajustamento à morte de um ente querido.

Outra abordagem que quero desenvolver aqui diz respeito ao modelo do processo dual do luto, a partir de Stroebe e Schut (1999, 2001), modelo que oferece uma estrutura analítica para entender como as pessoas se adaptam à perda de alguém significativo. A chamada elaboração do luto, como proposta por Freud (1917), indica que as pessoas precisam confrontar suas perdas, passar por cima dos eventos anteriores e focalizar nas memórias, objetivando o desligamento da pessoa falecida. Recentemente, foram levantadas questões sobre a teoria (Field, 2008; Stroebe e Schut, 1999 e 2001) e falhas ao verificá-la empiricamente (Stroebe, Stroebe e Hansson, 1993), que levaram pesquisadores do luto a perceber limitações inerentes às hipóteses sobre a elaboração deste. Mesmo considerando que a elaboração do luto seja vista como parte integral para o processo, outros processos precisam ser levados em conta. Assim, embora o modelo do processo dual incorpore o princípio do trabalho de luto, ele se estende identificando dois movimentos: orientação para a perda e orientação para a restauração/reparação. O fundamento está na constatação de que pessoas enlutadas não somente enfrentam a perda da pessoa amada, como também têm de fazer grandes ajustamentos em sua vida, como consequências secundárias à morte. É importante ressaltar que esse movimento ocorre por oscilações (como um processo regulatório necessário), não é linear e não acontece simultaneamente nos dois âmbitos, o enfrentamento ou é orientado para a restauração/reparação ou para a perda.

FORMAÇÃO E ROMPIMENTO DE VÍNCULOS

Por fim, como um novo modelo de compreensão dos fenômenos presentes no processo de luto (Stroebe, 2008; Stroebe e Schut, 1999 e 2001), o modelo do processo dual tem encontrado fundamento não só na pesquisa como na prática clínica. Propõe uma revisão nas concepções teóricas sobre o processo do luto ao identificar dois tipos de fatores estressores – orientados para a perda e para a restauração – e ao considerar a existência de um processo dinâmico e regulador do enfrentamento, pela oscilação por meio da qual o enlutado pode às vezes confrontar, às vezes evitar as diferentes tarefas do luto. Esse modelo propõe que o enfrentamento adaptativo é composto de confrontação/evitação da perda, juntamente com necessidades de restauração.

PESQUISA COM SERES HUMANOS ENLUTADOS

AO LONGO DESTE CAPÍTULO, abordei algumas das dificuldades encontradas na pesquisa com seres humanos enlutados e sei que uma pergunta permeou minhas afirmações: está o enlutado em condição de maior vulnerabilidade, para que sejam requeridos cuidados especiais quando ele é participante de um estudo sobre sua experiência? Como pesquisadora do tema, considero que algumas situações respondem que sim, o enlutado está em condição de maior vulnerabilidade, como, por exemplo, quando pesquisamos uma população não clínica, sem termos informação sobre os riscos que a participação na pesquisa pode desencadear. Os comitês de ética em pesquisa observam esses cuidados de maneira genérica, mas há indicadores claros dos cuidados que se fazem necessários.

Parkes (1995) chamou a atenção para a postura cuidadosa que se espera do pesquisador, sobretudo para tornar o participante ciente de sua possibilidade de deixar a pesquisa e receber cuidados, caso sua participação tenha desencadeado lembranças ou revivências de situações dolorosas. Cook e Bosley (1995) e Cook (2001) entendem que o enlutado que participa de uma pesquisa pode ter uma experiência de sofrimento, mas também terapêutica, chamando a atenção para que esse segundo ponto também seja levado em conta, quando o pesquisador for desenvolver seu método.

Por outro lado, Beck e Konnert (2007) ocuparam-se de investigar, com participantes enlutados de pesquisa sobre sua experiência, os efeitos dessa participação e constataram que, sendo respeitados os cuidados fundamentais de ética em pesquisa com seres humanos e levando-se em conta aspectos específicos da população enlutada, foco do estudo, a experiência tem efeitos terapêuticos em maior escala do que seus potenciais riscos.

Neimeyer e Hogan (2001) ocuparam-se de discutir vantagens, desvantagens e possibilidades advindas da escolha de um método quantitativo ou qualitativo para pesquisas com luto. Shear *et al.* (2005) realizaram estudos clínicos para avaliar a eficácia de métodos terapêuticos de tratamento de luto complicado.

Dessa forma, levando em conta tudo que apresentei anteriormente e também o que verifico em minhas pesquisas (Bromberg, 1994 e 1998), posso afirmar que os cuidados são necessários e certamente podem inviabilizar a realização de pesquisas que não os considerem quando da elaboração do método a ser empregado.

Para finalizar, após rever este capítulo e reconsiderar o que ele abordou e o que foi excluído, resta-me oferecer ao leitor a possibilidade de ampliar seus conhecimentos sobre luto, optando pela abordagem que lhe faça sentido do ponto de vista cognitivo, filosófico, científico e que se proponha a aplicar seus estudos com propriedade e ética, pensando nos beneficiários do trabalho. Considero que, desde que iniciei este trabalho, vivi mudanças significativas na busca de autoconhecimento e de atualização, o que faz de mim um ser humano com qualidades de superação e significado. Espero contribuir com o leitor nesse processo.

REFERÊNCIAS BIBLIOGRÁFICAS

AINSWORTH, M. D. S. *et al. Patterns of Attachment: a psychological study of the strange situation.* Hillsdale: Lawrence Erlbaum, 1978.

BECK, A. M.; KONNERT, C. A. "Ethical issues in the study of bereavement: the opinions of bereaved adults". *Death studies,* Filadélfia, v. 31, n. 9, p. 783--95, 2007.

BOELEN, P. A.; PRIGERSON, H. G. "The influence of symptoms of prolonged grief disorder, depression, and anxiety on quality of life among bereaved adults. A prospective study". *European Archives of Psychiatry and Clinical Neuroscience,* v. 8, n. 257, 2007.

BONANNO, G. *Resilience, recovery, and chronic grief: mapping individual differences after loss.* Palestra apresentada no VIII Congresso Internacional sobre Luto na Sociedade Contemporânea. Melbourne, 2008.

Boss, P. *Loss, trauma and resilience; therapeutic work with ambiguous loss.* Nova York: W. W. Norton, 2006.

BOWEN, M. "Family reaction to death". In: WALSH, F.; MCGOLDRICK, M. (orgs.). *Living beyond loss:* death in the family. Nova York: Norton, 1991.

BOWERS, M. K. *et al. Counseling the dying.* Nova Jersey: Jason Aronson, 1994.

BOWLBY, J. *Apego: a natureza do vínculo.* São Paulo: Martins Fontes, 1990.

_____. *Formação e rompimento de vínculos afetivos.* São Paulo: Martins Fontes, 1997.

_____. *Loss, sadness and depression.* Nova York: Basic Books, 1980.

_____. *Separação: angústia e raiva.* São Paulo: Martins Fontes, 1998.

BRETHERTON, I. "The roots and growing points of attachment theory". In: PARKES, C. M.; STEVENSON-HINDE, J; MARRIS, P. (orgs.). *Attachment across the life cycle.* Londres: Routledge, 1993. p. 9-32.

BROMBERG, M. H. P. F. *A psicoterapia em situações de perdas e luto.* Campinas: Editorial Psy II, 1994.

_____. "Luto: a morte do outro em si". In: BROMBERG, M. H. P. F. *et al.* (orgs.) *Vida e morte: laços da existência.* São Paulo: Casa do Psicólogo, 1996. p. 99-122.

_____. "Cuidados paliativos para paciente com câncer: uma proposta integrada para equipe, pacientes e família". In: CARVALHO, M. M. J. (org.), *Psico-oncologia no Brasil: resgatando o viver.* São Paulo: Summus, 1998. p.186-231.

CASELLATO, G. (org.). *Dor silenciosa ou dor silenciada? Perdas e lutos não reconhecidos por enlutados e sociedade.* Campinas: Livro Pleno, 2005.

CHEN, J. A.; GILL, T. M.; PRIGERSON, H. G. "Health behaviors associated with better quality of life for old bereaved persons". *Journal of Palliative Medicine,* v. 8, n. 1, p. 96-106, fev. 2005.

COOK, A. S. "The dynamics of ethical decision making in bereavement research". In: STROEBE, M. *et al.* (ed.). *Handbook of bereavement research: consequences, coping and care.* Washington: American Psychological Association, 2001. p. 119-42.

Cook, A. S.; Bosley, G. "The experience of participating in bereavement research: stressful or therapeutic?" *Death studies*, Filadélfia, v. 19, n. 2, p. 157-70, 1995.

Davies, B. "Anticipatory mourning and the transition of fading away". In: Rando, T. A. *Clinical dimensions of anticipatory mourning; theory and practice in working with the dying, their loved ones, and their caregivers*. Ilinóis: Research Press, 2000.

Dunlop, R. J.; Hockley, J. M. *Terminal care support teams – the hospital –hospice interface*. Oxford: Oxford University Press, 1990.

Fonseca, J. P. *Luto antecipatório*. Campinas: Livro Pleno, 2004. 183p.

Fonseca, J. P.; Fonseca, M. I. *Estudos avançados sobre o luto*. Campinas: Livro Pleno, 2002.

_____. "Luto antecipatório". In: Franco, M. H. P. "Cuidados paliativos e o luto no contexto hospitalar". *O mundo da saúde*, v. 27, n. 1, p. 182-84, 2003.

_____. "Luto em cuidados paliativos". In: Oliveira, R. A. *Cuidado paliativo*. São Paulo: Cremesp. 2008.

Franco, M. H. P.; Mazorra, L. "Criança e luto: vivências fantasmáticas diante da morte do genitor". *Estudos de Psicologia*, Campinas, v. 2, n. 4, p. 503-11, 2007.

Freed, P. J.; Mann, J. J. "Sadness and loss: Toward a neurobiopsychosocial model". *Am J Psychiatry* n. 164, p. 1, jan. 2007.

Freud, S. (1953). "Mourning and melancholia". *The Standard Edition of the Complete Psychological Works of Sigmund Freud*. Londres: Hogard (original publicado em 1917).

Gillies, J.; Neimeyer, R. "Loss, grief and the search for significance: toward a model of meaning reconstruction in bereavement". *Journal of Constructivist Psychology*, v. 19, p. 31-65, 2006.

Grainger, R. *The social symbolism of grief and mourning*. Londres: Jessica Kingsley, 1998.

Grebstein, L. C. "Family therapy after a child's death". In: Rando, T. A. (ed.). *Parental loss of a child*. Champaign: Research Press, 1986.

Gundel, H. *et al.* "Functional neuroanatomy of grief: an FMRI study. *Am J Psychiatry*, n. 160, p. 1946-53, nov. 2003.

Hagman, G. "Beyond decathesis: toward a new psychoanalytic understanding and treatment of mourning". In: Neimeyer, R. (org.). *Meaning reconstruction and the experience of loss*. Washington: American Psychological Association, 2001.

Hansson, R.; Stroebe, M. *Bereavement in later life*. Washington: American Psychological Association, 2007.

Jordan, J. R.; Neimeyer, R. A. "Does grief counseling work?" *Death Studies*, v. 27, n. 9, p. 765-86, nov. 2003.

Kardiner, A. *The traumatic neuroses of war*. Nova York: Hoeber, 1941.

Kissane, D. W.; Bloch, S. *Family focused grief therapy: a model of family--centered care during palliative care and bereavement*. Buckingham/Filadélfia: Open University Press, 2002.

KISSANE, D. W.; LICHTENTHAL, W. G. "Family focus grief therapy; from palliative care into bereavement". In: STROEBE, M. S. *et al. Handbook of Bereavement Research and Practice; advances in theory and intervention*. Washington: American Psychological Association, 2008.

KLASS, D.; SILVERMAN, P.; NICKMAN, S. *Continuing bonds – new understandings of grief*. Nova York: Taylor e Francis, 1996.

KLASS, D.; WALTER, T. "Processes of grieving: how bonds are continued". In: NEIMEYER, R. (ed.) *Meaning reconstruction and the experience of loss*. Washington: American Psychological Association, 2001.

LANNEN, P. K. *et al.* "Unresolved grief in a national sample of bereaved parents: impaired mental and physical health 4 to 9 years later". *Journal of Clinical Oncology*, v. 26, n. 36, p. 5870-76, dez. 2008.

LINDEMANN, E. "Symptomatology and a management of acute grief". *American Journal of Psychiatry*, v. 101, p. 141-8, 1944.

MACIEJEWSKI, P. K.; BLOCK S. D.; PRIGERSON H. G. "An empirical examination of the stage theory of grief". *JAMA*, Chicago, v. 297, n. 7, p. 716-23, 2007.

MACIEL, M. G. S. "Definições e princípios". In: OLIVEIRA, R. A. *Cuidado paliativo*. São Paulo: Cremesp, 2008. p. 15-32.

MAIN, M.; GOLDWYN, R. *Adult Attachment Scoring and Classificatory System*. Berkeley: University of California, 1984.

MAIN, M.; HESSE, E. "Parents' unresolved traumatic experiences are related to infant disorganized attachment status: is frightened and/or frightening parental behavior the linking mechanism?" In: GREENBERG, M. T.; CICCHETTI, D.; CUMMINGS, M. (orgs.) *Attachment in the Preschool Years*. Chicago: University of Chicago Press, 1990. p. 121-60.

MAIN, M., SOLOMON. J. "Procedures for identifying infants as disorganized disoriented during the Ainsworth Strange Situation". In: GREENBERG, M. T. CICCHETTI, D.; CUMMINGS, E. M. (eds.) *Attachment in the preschool years*. Chicago: University of Chicago Press, 1990. p. 121-60.

MALKINSON, R. *Cognitive grief therapy: construting a rational meaning to life following loss*. Nova York: Norton, 2007.

MARRONE, M. *La teoría del apego: un enfoque actual*. Madri: Psimática, 2001.

MAZORRA, L.; TINOCO, V. (orgs.). *Luto na infância. Intervenções psicológicas em diferentes contextos*. Campinas: Livro Pleno, 2005.

MCINTYRE, B.; HOGWOOD, J. "Play, stop and eject: creating film strip stories with bereaved young people". *Bereavement care*, v. 25, n. 3, p. 41-3, 2006.

MIKULINCER, M. *An attachment perspective on resilient and complicated grief reactions*. Palestra apresentada no VIII Congresso Internacional sobre Luto na Sociedade Contemporânea. Melbourne, jul. 2008.

NADEAU, J. W. *Families making sense of death (understanding families)*. Thousand Oaks: Sage Publications, 1998.

NEIMEYER, R. A. *Meaning reconstruction & the experience of loss*. Washington: American Psychological Association, 2001.

NEIMEYER, R.; HOGAN, N. S. "Quantitative or qualitative? Measurement issues in the study of grief". In: STROEBE M. *et al. Handbook of bereavement research: consequences, coping and care.* Washington: American Psychological Association, 2001. p. 89-118.

NEIMEYER, R.; HOGAN, N.; LAURIE, A. "The measurement of grief: psychometric considerations in the assessment of reactions to bereavement". In: STROEBE, M. S. *et al. Handbook of bereavement research and practice; advances in theory and intervention.* Washington: American Psychological Association, 2008.

PARKES, C. M. "Bereavement and mental illness. A clinical study of the grief of bereaved psychiatric patients". *British Journal Medical Psychology,* v. 38, p. 1-26, 1965.

_____. "Determinants of outcome following bereavement". *Omega,* Londres, v. 6, p. 303-23, 1975.

_____. Guidelines for conducting ethical bereavement research. *Death Studies,* v. 19, p. 171-81, 1995.

_____. *Luto. Estudos sobre a perda na vida adulta.* São Paulo: Summus, 1998.

_____. "A historical overview of the scientific study of bereavement". In: STROEBE, M. *et al. Handbook of bereavement research: consequences, coping and care.* Washington: American Psychological Association, 2001. p. 25-45.

_____. *Amor e perda. As raízes do luto e suas complicações.* São Paulo: Summus, 2009.

PARKES, C. M.; RELF, M.; COUDRICK, A. *Counselling in terminal care and bereavement.* Leicester: B. P. S. Books, 1996.

PARKES, C. M.; LAUNGANI, P.; YOUNG, B. *Death and bereavement across cultures.* Londres: Routledge. 1997.

PARKES, C. M.; MARKUS, A. *Coping with loss; helping patients and their families.* Londres: B.M.J. Books. 1998.

PINE, V. "An agenda for anticipation of bereavement". In: RANDO, T. *Loss and anticipatory grief.* Massachusetts/Toronto: Lexington Books, 1986.

PINCUS, L. *A família e a morte – como enfrentar o luto.* Rio de Janeiro: Paz e Terra, 1989.

PRIGERSON, H. G. *Time will tell: pathways to prolonged grief, pathways to acceptance.* Palestra apresentada no VIII Congresso Internacional sobre Luto na Sociedade Contemporânea. Melbourne, 2008.

PRIGERSON, H. G.; VANDERWERKER, L. C.; MACIEJEWISKY, P. K. "A case for Inclusion of Prolonged Grief in DSM-V". In: STROEBE, M. S. *et al. Handbook of bereavement research and practice; advances in theory and intervention.* Washington: American Psychological Association, 2008.

RANDO, T. *Loss and anticipatory grief.* Massachusetts/Toronto: Lexington Books, 1986.

_____. *Treatment of Complicated Mourning.* Champaign: Research Press, 1993.

_____. *Clinical dimensions of anticipatory mourning; theory and practice in working with the dying, their loved ones, and their caregivers.* Ilinóis: Research Press, 2000.

RAPHAEL, B. *The anatomy of bereavement.* Nova York: Basic Books, 1983.

_____. *New anatomies and evolving science: grief and bereavement in the 21st century.* Palestra apresentada no VIII Congresso Internacional sobre Luto na Sociedade Contemporânea. Melbourne, 2008.

RODRIGUES, I. G. *Cuidados paliativos; análise de conceito.* 2004. Dissertação. (Mestrado em Enfermagem) – Universidade de São Paulo, Ribeirão Preto, São Paulo.

ROSENBLATT, P. C. Grief across cultures: a review and research agenda. In: STROEBE, M. S. *et al. Handbook of Bereavement Research and Practice; advances in theory and intervention.* Washington: American Psychological Association, 2008.

RUBIN, S. S.; MALKINSON, R.; WITZTUM, E. "Clinical aspects of a DSM complicated grief diagnosis: challenges, dilemmas and opportunities". In: STROEBE, M. S. *et al. Handbook of Bereavement Research and Practice; advances in theory and intervention.* Washington: American Psychological Association, 2008.

SCHATZ, B. D. "Grief of mothers". In: RANDO, T. A. (ed.). *Parental loss of a child.* Champaign: Research Press, 1986.

_____. "Grief of fathers". In: RANDO, T. A. (ed.). *Parental loss of a child.* Champaign: Research Press, 1986.

SHEAR, K. *et al.* "Treatment of complicated grief a randomized controlled trial". *Jama,* v. 293, n. 21, 2601, Jun., 2005.

SCHMALE JR., A. H. "Relationship of separation and depression to disease I: A report on a hospitalized medical population". *Psychosomatic Medicine,* v. 20, n. 4, p. 259-77, 1958.

SHAPIRO, E. R. *Grief as a family process; developmental approach to clinical practice.* Nova York: The Guilford Press, 1994.

_____. "Family bereavement and cultural diversity: a social developmental perspective". *Family Process,* v. 35, n. 3, p. 313-32, 1996.

STROEBE, M. *From vulnerability to resilience: is the pendulum swing in bereavement research justified?* Palestra apresentada no VII Congresso Internacional sobre Luto na Sociedade Contemporânea. Melbourne, jul. 2008.

STROEBE, M.; SCHUT, H. "The dual process model of bereavement: rationale and description". *Death studies,* v. 23, p. 197-224, 1999.

STROEBE, M.; SCHUT, H. "Meaning making in the dual process model of coping with bereavement". In: NEIMEYER, R. (ed.). *Meaning reconstruction and the experience of loss.* Washington: American Psychological Association, 2001.

STROEBE, M. S.; STROEBE, W.; HANSSON, R. O. *Handbook of bereavement; theory, research and intervention.* Cambridge: Cambridge University Press, 1993.

STROEBE, M. S. *et al. Handbook of bereavement research. Consequences, coping and care.* Washington: American Psychological Association, 2001.

_____. *Handbook of bereavement research and practice advances in theory and intervention.* Washington: American Psychological Association, 2008.

STROEBE, M.; SCHUT, H. "Meaning making in the dual process model of coping with bereavement". In: NEIMEYER, R. (org.). *Meaning reconstruction and the experience of loss*. Washington: American Psychological Association, 2001.

STROEBE, W.; STROEBE, M. S. *Bereavement and health; the psychological and physical consequences of partner loss*. Nova Rochelle: Cambridge University Press, 1987.

SUTCLIFFE, P.; TUFNELL, G.; CORNISH, U. *Working with the dying and bereaved*. Nova York: Macmillan Press, 1998.

WAGNER, B.; KNAEVELSRUD, C.; MAERCKER, A. "Internet-based cognitive--behavioral therapy for complicated grief: a randomized controlled trial". *Death Studies*, v. 30, n. 5, jun. 2006, p. 429-53. WALSH, F. *Strengthening family resilience*. Nova York: Guilford Press, 1998.

WALSH, F.; MCGOLDRICK, M. "Loss in the family life cycle". In: FALICOV, C. J. (org.). *Family transitions: continuity and change over the life cycle*. Nova York: Guilford Press, 1988.

WALSH, F.; MCGOLDRICK, M. (orgs.) *Living beyond loss; death in the family*. Nova York: W.W. Norton, 1995.

WINNICOTT, D. W. *Da pediatria à psicanálise: obras escolhidas*. Rio de Janeiro: Imago, 2000.

WORDEN, W. J. *Grief counseling and therapy: a handbook for the mental health practitioner*. Londres: Routledge, 1993.

_____. "Towards an appropriate death". In: RANDO, T. A. *Clinical dimensions of anticipatory mourning; theory and practice in working with the dying, their loved ones, and their caregivers*. Ilinóis: Research Press, 2000. p.267-77.

2. Os estudantes de medicina e o encontro com a morte: dilemas e desafios

GEÓRGIA SIBELE NOGUEIRA DA SILVA
JOSÉ RICARDO DE CARVALHO MESQUITA AYRES

> De tão longe, não se escuta.
>
> Não se escuta e não se entende.
>
> CECÍLIA MEIRELES

DISTÂNCIA DE QUÊ? Distância por quê? Uma distância imposta para conhecer o real, que culmina com o distanciar-se também das pessoas, das situações concretas que nos atingem, dos afetos, das dores, das relações interpessoais, dos nossos pacientes, da morte, da vida.

O mundo ocidental moderno fez a opção de distanciar-se, de isolar a razão dos afetos na produção do conhecimento. Tal separação é resultado da crença de que a verdade está além do sujeito que a produz. Luz (1988) afirma que a racionalidade científica moderna postula a razão e o método científico como norma fundamental para obtenção do conhecimento ou, de maneira mais geral, como o modo de produção da verdade, nos quatro séculos de sua construção. Uma razão guiada pela observação repetida, tecnificada. É essa razão que institui a natureza como objetividade e exterioridade ao homem, como materialidade a ser apreendida e explicada, que se constrói no século XVII como "revolução científica".

A prática em saúde, ao radicalizar a incorporação da racionalidade científica às suas técnicas, respondeu com o modelo biomédico vigente, que se refere à aplicação do pensar cartesiano à medicina. Com Descartes vamos ter a visão de uma natureza ordenada e rigorosa, em que o mundo fora dividido entre mundo da ciência e dos fatos objetivos, claros (*"idea"*/entes suprassensíveis) e mundo dos sentidos, da subjetividade, obscuro ("*physis*"/ entes sensíveis). Nesse sentido, houve um deslocamento epistemológico e clínico da medicina moderna, com a transferência do saber sobre o doente para o saber sobre a doença. A milenar arte de curar doentes é colonizada pelas ciências das patologias, fortalecidas nas primeiras décadas do século XIX com o surgimento de uma nova forma de pensar e agir médicos: a clínica. A vida passa a ser vista por meio da anatomia e da morte (necropsia), sem conteúdos subjetivos. As doenças são classificadas e catalogadas em sintomas. As descobertas da microbiologia e o aparato tecnológico crescente se aliam, transformando a doença em uma entidade. A partir de então, no final do século XX, a doença é buscada cada vez mais na intimidade microestrutural dos tecidos, em nível celular e molecular, e menos na subjetividade do doente (Luz, 1988; Camargo Jr., 1992; Schraiber, 1993).

É conhecido o fato de que a formação médica tem-se preocupado ativamente com os novos, eficazes e elaborados procedimentos técnicos de manutenção da vida humana. Contudo, no que diz respeito ao enfrentamento da situação de sofrimento existencial do paciente que se encontra nos limites entre a vida e a morte, parece faltar a devida orientação ao estudante de medicina e ao médico. Muitas vezes, este se afasta, sente-se falho e frustrado diante da sua ocorrência. Essa reação é compreensível, tendo em vista que, dentro da ênfase tecnocientificista, volta-se o foco para o estudo de agente/doença, remédio/cura, e a morte nesse contexto simboliza apenas o fracasso (Falcão e Lino, 2004).

Sem dúvida, são inegáveis os benefícios da medicina tecnocientífica, mas, unilateralizada como recurso diagnóstico e terapêutico, ela pode ficar mutilada. A evitação do contato humano elimina o reconhecimento do sofrer do outro por meio da palavra. A dor é medida e medicada, mas não é reconhecida em seu significado, pois a palavra fica reduzida a meras informações na anamnese. Diante de um cenário assim, radicaliza-se o distanciamento e a desumanização da prática médica.

Humanizar é entendido aqui como "garantir à palavra sua dignidade ética", ou seja, possibilitar que o sofrimento, a dor e o prazer possam ser expressos pelos sujeitos em palavras e reconhecidos pelo outro (Ministério da Saúde, 2000), uma vez que "as coisas do mundo só se tornam humanas quando passam pelo diálogo com os semelhantes" (Betts, 2003). Nos últimos anos, foi se desenvolvendo uma grande área de reflexão e pensamento, denominada "Humanidades Médicas", que pretende explorar como a experiência humana lida com outras experiências de pacientes, médicos, saúde, doença e sofrimento (Caprara, 2002), tornando-as presença comum nas décadas de 1980 e 1990 (Pereira, 2004). As "Humanidades Médicas" dirigem seu olhar para a humanização da assistência. Objetivam não somente melhorar a relação médico-paciente e as capacidades comunicacionais dos médicos, mas também aprofundar a narrativa do paciente e procurar novas formas de promoção de bem-estar, reduzindo o impacto da doença e do sofrimento. Têm sido também eleitas, ainda que timidamente, como um espaço para se discutir o enfrentamento da morte de um paciente em suas questões simbólicas e existenciais.

A reflexão sobre os diferentes aspectos envolvidos no ensino da morte no âmbito da formação médica e de outros profissionais de saúde tem sido estimulada por alguns autores, como Concone (1983), Boemer (1986), Zaidhaft (1990), Klafke (1991), Rappaport (1993), Viana e Piccelli (1998); Coelho (2001); Kovács (2003); Falcão e Lino (2004); Silva (2004, 2006), Sadala e Silva (2008); Marta *et al.* (2009). Contudo, é inegável que as escolas médicas ainda enfrentam dificuldades para assumir o compromisso com essa temática.

Este capítulo pretende somar-se às vozes dos que se debruçam sobre o lugar da morte e do morrer no ensino médico. Parte de algumas das muitas reflexões sinalizadas ao término de uma tese que se propôs a dialogar sobre o lugar da morte no processo de construção do "ser médico" com estudantes e residentes de medicina da Universidade Federal do Rio Grande do Norte-UFRN (2004-2006). Recorremos à Hermenêutica Gadameriana e à teoria da Ação Comunicativa de Habermas para o tratamento das narrativas, objetivando compreender o processo de construção do "ser médico" e sua relação com a morte, desenvolvida ao longo do processo de formação acadêmica (do primeiro ano até a residência). Para isso, buscou-se identificar e interpretar as pretensões e as condições de validade dos discursos dos estudantes quanto aos valores (esfera normativa – o que é correto), às crenças (esfera proposicional – o que é verdadeiro) e às suas posições e interações como sujeitos (esfera expressiva – o que é autêntico) acerca do ensino médico. No âmbito deste capítulo, o que está em foco são as experiências de alunos e residentes em relação ao exercício do papel do médico no processo de morte de um paciente ao longo da formação médica. À luz das concepções que eles compartilham sobre esse enfrentamento e das orientações assimiladas no ensino médico, como acontecem as interações intersubjetivas perante a morte de um paciente? São coerentes com o ideal almejado por eles?[1]

As vozes de estudantes e residentes indicaram, por um lado, seus desejos e o percurso de suas dificuldades no encontro com a morte e, por outro, algumas pistas capazes de pavimentar novos caminhos no lidar com a dor que envolve a morte na prática médica. Tão perto e tão longe estão seus dilemas e desafios, assim como a morte.

DO CADÁVER, AO PRIMEIRO PACIENTE, À MORTE: A PRESCRIÇÃO DO NÃO VINCULAR-SE

> É triste ver o homem por dentro:
> tudo arrumado, cerrado, dobrado
> como objetos num armário.
> A alma não.
> CECÍLIA MEIRELES

---

1. Para detalhes sobre as características e a construção do grupo de sujeitos participantes da pesquisa, remetemos ao trabalho original, cf. Silva (2006).

FORMAÇÃO E ROMPIMENTO DE VÍNCULOS

NAS AULAS DE ANATOMIA, a morte biológica abre as portas à investigação científica, revela que a verdade da doença deve ser buscada na intimidade dos tecidos mortos, sem voz e identidade, sem contato humano ou, melhor, buscando despir-se deste por meio da evitação de qualquer sinal de humanidade do cadáver ou do estudante (ao insinuar ou revelar seus sentimentos). Começa nesse momento o processo de expropriação dos sentimentos, de negação de aspectos existenciais e simbólicos da morte. O distanciamento dos aspectos afetivos, da subjetividade, é a estratégia adotada para obter o conhecimento objetivo, "claro e distinto".

Temos na fala dos estudantes a ilustração da aquisição de um conhecimento diferenciador, que começa a demarcar a entrada no "mundo dos médicos", por meio da exigência de comportamentos "adequados", cujo ritual de iniciação começa nas aulas de anatomia.

No primeiro momento você reflete um pouquinho, você olha assim, ali é um braço, é uma perna, uma cabeça que foi de alguém, quem deveria ser essa pessoa? Daí a gente entra, olha o rosto que lembra mais, *não pode se envolver com isso, aí com o tempo a gente se acostuma mais, sabe que tem o lado bom e o lado ruim, o lado bom é você se acostumar um pouco porque você precisa trabalhar com aquilo,* mas o lado *ruim é que você vai se tornando mais frio pra lidar com as coisas, né, pra lidar com essas questões difíceis, aí, vai ficando mais frio e começa a ver o ser humano não como ser humano, mas como uma máquina. Depois você vê o paciente também como um objeto de estudo, uma máquina que tem o coração batendo* [...]. (Fragmento de entrevista – Felipe, 4º ano/8º período)

Foucault (1987) já havia ensinado que podemos observar os excessivos conteúdos de natureza anatomofisiológica e os rituais acadêmicos cotidianos conformando o futuro profissional em saúde, adequando-o para esquadrinhar, seccionar, observar pontualmente e moldar indivíduos a ser medicalizados, ou seja, saberes que promovem, em conjunto, a separação do olhar técnico-especializado, com sua ação discursiva sobre a doença, das demais dimensões da experiência humana. Concomitantemente, contribuem para a construção dos corpos médicos disciplinados. O saber médico acaba por ser concebido como independente do corpo que os produz, superior ao restante da vivência humana, bem como é preparado para se dirigir a órgãos e tecidos em si, absolutizados e isolados de uma história pessoal, de uma cultura e de relações político-sociais.

Os entrevistados de nossa pesquisa revelam que para ser bem-sucedidos na etapa que constitui a primeira prova para "ser médico" é preciso enfrentar solitariamente os sofrimentos iniciais ao lidar com os cadáveres.

> [...] Você tá com 16 anos de idade, e você nunca viu um morto. Eu nunca tinha visto um morto. Ninguém tem a reação na hora, pelo menos tenta disfarçar, *não pega bem porque você é aluno de medicina*, tem que aguentar. Mas aí, além desse momento, *quando você disseca o dorso, passou o estresse... Até que você tem que virar o cadáver...* Aí é outro estresse, cadê que eu conseguia dissecar o cadáver olhando pra cara dele? Uma angústia... eu não consigo... *Eu passei uma semana eu acho, botando um pano no rosto do cadáver, pra conseguir dissecar o abdômen.* Até que você com o tempo vai se adaptando... *não pode ficar a vida inteira cobrindo o cadáver.* (Fragmento de entrevista – Cecília, 5º ano/10º período)

Os estudantes assimilam a estratégia institucional (peças anatômicas) e inventam uma estratégia pessoal para impedir que a identidade do morto ou sua humanidade se insinue – a evitação da face. O que se procura, no primeiro contato, é eliminar qualquer vestígio humano do cadáver, pois este faria lembrar a transitoriedade da vida, o que poderia ser angustiante. Aquele cadáver que estava para ser dissecado simbolizava a vida em seu ponto final; representava alguém que respirava, trabalhava e ria. Em uma palavra, representava alguém que vivia, como viviam os

FORMAÇÃO E ROMPIMENTO DE VÍNCULOS

estudantes que estavam à sua frente e que um dia viriam a morrer (Quintana *et al.*, 2002).

O defrontar-se com o cadáver, além de iniciar os alunos no desenvolvimento de mecanismos de defesa, poderá levá-los à radicalização do distanciamento e, aos poucos, o cadáver pode tornar-se objeto de "brincadeiras", algumas até mesmo erotizadas (Marta *et al.*, 2009), e de ensaios lúdicos de exercício do poder:

> Por seu desamparo e passividade, o cadáver permite aos alunos experimentar a sensação de poder absoluto. A relação mantida com o cadáver é registrada e se torna a relação ideal, que será buscada anos depois no encontro com os pacientes. (Zaidhaft, 1990, p. 143)

A anatomia, falando no respeito genérico e desmitificando a morte, erige um dos pilares da visão médica da morte: a presença da morte como ocorrência biológica, enquanto fim de um processo vital e início de uma série de fenômenos e de novos processos vitais, sem menção nem lugar para os conteúdos simbólicos, existenciais. Promove-se o início do mecanismo dissociativo, que começa entre peças e corpos anatômicos, doente e doença e, muitas vezes no futuro, entre médicos e pacientes. Um constante aprendizado de negação da morte, da dor, da capacidade de envolver-se, de vincular-se.

"Tem de aguentar", "vai ser médico, não pode sofrer", "se cada paciente que morrer você ficar sofrendo larga a medicina", "é apenas um objeto de estudo, um cadáver, não é uma vida, você acostuma logo", são alguns dos discursos que devem ser introjetados na prática.

A introjeção desses discursos vai configurando a primeira proposição a ser assimilada pelos estudantes como verdade: "não pode envolver-se com o cadáver" e "não pode envolver-se *muito* com o paciente".

Com respeito a seu horizonte normativo, nos discursos, os entrevistados revelam a intenção de ser bons médicos, entenden-

49

do bom médico como bom técnico e profissional humano na doença e na morte. Identificados com o papel de salvador, os estudantes querem curar, convivendo, por vezes, com o desejo de cuidar. Nessa direção, citam outros papéis, além da evitação da morte, como: promover qualidade de morte, estabelecendo uma comunicação qualificada com o paciente e a família, conseguir acompanhar o paciente até sua morte e ter equilíbrio emocional para continuar a rotina de trabalho após a morte de um paciente. Entretanto, sua formação os insere em um contexto cultural que interdita o tema morte, que não inclui o preparo para ela no processo ensino-aprendizagem.

As reflexões de Elias (2001) permitem compreender essa interdição como parte do processo civilizador moderno, que, aliado às conquistas do iluminismo científico, criou socialmente a solidão dos moribundos. Enfraqueceu os rituais públicos em torno da morte, por meio da sua desmitologização (Gadamer, 1993) e sua consequente medicalização pela medicina, o que, por sua vez, nos remete também à reticência e falta de espontaneidade com a expressão dos sentimentos. Por que não dizer, com a indisponibilidade para envolvimento com o outro. Os pilares de sustentação dessa interdição, apesar de fortes, convivem com o discurso da humanização da formação médica. Os estudantes demonstram sensibilidade e desejo de participar da possível re-humanização do processo de morte nas instituições de saúde, que implica a res-situação do sujeito em seu processo de morrer e em condições institucionais/profissionais para isso (Kovács, 2003).

Esse discurso é recorrente em muitas instituições de ensino e objeto de atenção de algumas reformas curriculares baseadas nas Diretrizes Curriculares Nacionais do Curso de Graduação em Medicina, homologadas pelo Conselho Nacional de Educação / Câmara de Educação Superior / Resolução CNE/ CES n. 4, de 7 de novembro de 2001. Mencionadas diretrizes oficializaram o acompanhamento do processo de morte como uma habilidade a ser desenvolvida no ensino médico. No entan-

FORMAÇÃO E ROMPIMENTO DE VÍNCULOS

to, a primeira proposição que precisam assimilar como verdadeira para o saber-fazer médico é a prescrição: "não pode se envolver!", ou ainda uma relativização para: "não pode se envolver muito". Os estudantes transitam entre essa conformação e o horizonte acenado pela proposta de humanização da assistência e re-humanização da morte que vai de encontro aos ideais almejados por eles.

Nessa direção desponta a proposição do "ter de comunicar a notícia ruim". Se eles não aprendem como se envolver com equilíbrio, como vão conseguir conversar com seus pacientes sobre sofrimento e morte? De um lado, querem ser médicos técnicos e humanos no lidar com a doença e a morte, mas precisam perseguir as proposições determinantes: *"Não pode se envolver muito!"* e *"Tem de comunicar a notícia ruim!"*. Consumadas na expressão "Tem de se acostumar!". O argumento utilizado para a defesa da primeira proposição, "Não pode se envolver muito!", é a evitação do sofrimento do estudante, desde o cadáver, ao primeiro paciente, à morte. É preciso distanciar-se da subjetividade do corpo morto, depois do paciente vivo, para que os sentimentos não surjam; e, se surgirem, a ordem é disfarçá-los, reprimi-los, conforme observamos no fragmento de entrevista transcrito a seguir:

> [...] acho que não pode se envolver mesmo. *A gente escuta que se se envolver vai sofrer e não vai aguentar*, mas também tem os professores que dizem que tem que dar bem a notícia ruim, tem que saber se relacionar com todos os pacientes, inclusive o terminal, mas quem ensina o quê? Melhor prevenir e se distanciar. *A gente começou a aprender a disfarçar lá na anatomia, né?*
> (Fragmento de entrevista – Rodrigo, 2º ano/4º período)

Já o depoimento da aluna do 4º ano questiona a racionalidade de um modelo morfofuncional que se relaciona com a parte do corpo doente, ou órgão (antiga peça anatômica), e defende a qualidade do envolvimento como recurso para não objetificar a pessoa doente. Aproxima seu discurso da perspectiva de um cui-

51

dado integral, humanizado, que implica vincular-se à pessoa doente, aprender a estabelecer bons vínculos e lidar com as emoções desse processo.

> [...] o envolvimento ajuda a desenvolver uma boa relação, porque na hora que não tem um envolvimento desses, porque se você tá cuidando de uma pessoa você se envolve, se você estiver lidando com um fígado você não vai se envolver com um fígado, eu vejo desse jeito, *na hora que você não se envolve com o paciente de jeito nenhum, você tá tratando só de um fígado doente e pronto, o fígado não tem família, sentimentos.* Tem que aprender a ter um envolvimento com equilíbrio. (Fragmento de entrevista – Fernanda, 4º ano/8º período)

Sendo o vínculo um investimento afetivo, quanto maior for esse investimento, maior será a energia necessária para esse desligamento (Kovács, 2002). Ademais, a formação vincular pode acontecer dirigida a objetos, sentimentos e ideias (Bion, 1991), como bem traduziu a fala anterior da estudante: "[...] na hora que você não se envolve com o paciente de jeito nenhum, você tá tratando só de um fígado doente e pronto [...]". No entanto, negar a vinculação, ou evitá-la, não elimina os ruídos em torno de um envolvimento emocional. O distanciamento não garante que o futuro médico vai ficar imune a ser tocado pela vida, pelo adoecimento, pelo sofrimento e pela morte de seu paciente e, consequentemente, eliminar a possibilidade de lidar com suas emoções. Ao contrário, pode tornar essa assunção iatrogênica, se ele não aprender a lidar com as emoções, se não desenvolver competências, habilidades emocionais, comunicativas (Souza, 2001; Koifman, 2001; Charon, 2001, Sadala e Silva, 2008; Marta *et al.*, 2009) para atingir o *envolvimento com equilíbrio.*

Vejamos o trecho da entrevista:

Entrevistadora: Como você aprende a desenvolver esse equilíbrio no envolvimento? O curso ajuda?

Fernanda 4º ano/8º período: *Se der sorte de pegar um bom exemplo, mas é muito de professor pra professor, é uma coisa sempre muito pessoal isso. Tem gente que a gente descarta e tem gente que a gente segue*, assim... é isso que eu tenho feito, tem professores que passam uma coisa, e eu falo que coisa bonita; quero fazer assim. *Se eu vou conseguir é outra coisa. Deus me proteja!* No caso do paciente que vai morrer, fica tudo mais difícil, quero conseguir aprender.

O "ocultamento da morte", na grande maioria dos currículos médicos, e o difícil lugar das Humanidades Médicas na formação médica se devem, em parte, ao fato de ainda serem legitimados, como saberes verdadeiros, apenas os saberes biológicos. O não reconhecimento do desenvolvimento dessa habilidade como uma competência do ensino médico é evidente nas falas. Qualquer semelhança com o que diz o poeta não é coincidência: *"o acaso* ['se der sorte pegar um bom exemplo' ou 'Deus me proteja!'] *vai me proteger enquanto eu* [e a formação médica] *andar distraído"*[2]. Nesse roteiro, o distanciamento, a busca constante por não vincular-se, será o mecanismo de proteção a ser utilizado e perseguido cotidianamente. Mas nos lembra um residente:

Não deve se envolver. Acho que o ideal seria o relacionamento ser apenas profissional mesmo, que a partir do momento que criar amizade, acho que isso aí não é bom não, apesar de às vezes acontecer, mesmo sem querer, acontece. (Fragmento da entrevista, Rodrigo, residente 2)

O depoimento do residente ao retratar o temor do sofrer junto acentua o fato de que, por mais que o médico tente se "des-subjetivar", a fim de se proteger do sofrimento de seu paciente, do seu "toque"; apesar de buscar se vacinar da morte se habituando a ela, não é psicologicamente viável o tempo todo o afastamento

---

2. SÉRGIO BRITO (TITÃS), "Epitáfio". In: *A melhor banda de todos os tempos da última semana*, Sony BMG. p2001. 1 CD. Faixa 6 (2 min 56 s).

da própria subjetividade e da intersubjetividade provocada no contato com outro.

O medo do sofrimento emocional do paciente pode promover o distanciamento e a consequente não realização de muitas das concepções desejadas por eles ante a morte de um paciente. Para o sofrimento físico eles têm ferramentas para lidar, são bem treinados, mas faltam-lhes recursos para lidar, e até para acreditar, na eficácia do próprio potencial simbólico de que eles dispõem. Tais dados são corroborados em pesquisas recentes de Sadala e Silva (2008), Falcão e Mendonça (2009).

A MORTE ENCENADA – ENTRE A PRESCRIÇÃO E OS PARADOXOS DA PRÁTICA

> Senhoras e Senhores,
> trago boas-novas.
> Eu vi a cara da morte
> e ela estava viva.
> Eu vi a cara da morte
> Cazuza

O ENCONTRO DOS ESTUDANTES de medicina com o futuro morto, com a morte viva, revela as dificuldades para tomar as atitudes desejadas para o enfrentamento desse processo. Os conflitos e os paradoxos entre as concepções desejadas para esse enfrentamento e os pressupostos assimilados em torno da prescrição do distanciamento (verdades aceitas) ganham expressão nas interações intersubjetivas concretamente vividas; ali, corpo, alma, alegrias e dores se apresentam e dividem a cena. Suas narrativas ilustram uma vivência em que a ambiguidade é a tônica – precisam e querem ser "suficientemente frios" e "suficientemente humanos" no seu saber-fazer.

Conforme destacado, o tema morte é evitado, pouco abordado no ensino médico; bem como a experiência com a morte de um

FORMAÇÃO E ROMPIMENTO DE VÍNCULOS

paciente, quando acontece, ocorre nos últimos anos do curso, ou algum aluno a presencia de forma acidental. No caso de nossa pesquisa, a maioria dos alunos até a residência não havia acompanhado o processo de morte de um paciente. Somente a partir do 5º ano, começamos a encontrar esses relatos. Portanto, apenas no internato e na residência surgem as primeiras experiências de fato com a morte de um paciente. É quando se deparam com o fato de que não possuem controle sobre o processo de vida e morte de seus pacientes, para alguns a fantasia do poder de cura começa a cair (Coelho, 2001). Nesse momento, alia-se a insuficiência teórica à ausência de especialistas que os ajudem a enfrentar seus preconceitos diante da morte e do morrer (Rhodes-Kropf, J. *et al.*, 2005). Fato é que raramente os estudantes estão investidos no papel profissional que deverão futuramente desempenhar em situações do morrer e da morte; por conseguinte, a angústia emergirá somente em situações-limite (Marta *et al.*, 2009, p. 407).

Em nosso estudo, utilizamos o recurso da construção de "cenas" para a elaboração das narrativas dos entrevistados sobre o encontro com a morte de um paciente, possibilitando assim que este fosse imaginado, refletido, ensaiado ou relatado quando vivenciado/encenado. A confecção de "cenas" é um recurso metodológico que possibilita *insights* de novos repertórios, a partir de uma experiência antecipada, por meio de dramatizações e visualizações (com relato verbal e escrito posterior à cena). No caso em questão, os participantes construíram cenas em que eles estavam atendendo um paciente em seu processo de morte. Agrupamos os discursos obtidos nas entrevistas e as narrativas das "cenas" que configuram a relação entre a representação de sentimentos, desejos e dificuldades no encontro (vivenciado ou imaginado) com a morte do paciente – expressão subjetiva – e a correspondente concepção ou papel idealizado para lidar com esse processo, sinteticamente representado no quadro a seguir.

A expressão subjetiva no encontro com a morte do paciente	O papel do médico diante da morte do paciente
A dor de não salvar – a impotência	**Evitar a chegada da morte** (Concepção 1)
Da dificuldade de comunicar--se e envolver-se	**Qualidade de morte** (Concepção 2) **Comunicação qualificada com a família** (Concepção 3)
Desejos e dificuldades do "estar junto"	Ficar até o fim (Concepção 4)
O "acostumar-se" e a solidão do sentir	**Seguir a rotina após a morte** (Concepção 5)

A DOR DE NÃO SALVAR – EVITAR A CHEGADA DA MORTE (CONCEPÇÃO 1)

Quando não é mais possível evitar a chegada da morte, frustração, derrota e impotência são os sentimentos de estudantes e médicos. A essa dor alia-se o sentimento de responsabilidade pelo destino do paciente e, em alguns momentos, estudantes e médicos demonstram ser afetados pela tristeza, que vai variar de acordo com o vínculo estabelecido, idade do paciente e circunstância da morte.

Herdeiros de um processo de mitificação social e institucional da figura do médico como salvador; é apenas diante da morte de um paciente, dos limites de sua atuação, que eles poderão se encontrar com a dor de não ser Deus, sendo obrigados a encarar que não são onipotentes, como, por vezes, se iludem no percurso de sua formação. Quanto mais o médico se identificar com essa imagem de pessoa infalível, de "senhor da vida e da morte", mais sentirá a morte do paciente como derrota. A morte representará seu fracasso, como aponta o seguinte discurso:

FORMAÇÃO E ROMPIMENTO DE VÍNCULOS

Claro que sempre vai ter *um pouco de frustração, né, de você não ter podido consertar aquilo;* de que, embora você tenha feito todos os esforços possíveis, não teve como. (Fragmento de entrevista – Paulo, 1º ano/2º período)

Na fala a seguir, o entrevistado revisita o lugar de impotente introjetado pela grande maioria, agregando valor ao papel de cuidar daquele que sofre como parte importante de seu ofício médico, portanto, como uma potência a ser valorizada. Em suas palavras:

Acho que *o sentimento pior que tem é o de impotência,* no caso do paciente com câncer, né? Você sabe que ele tá piorando e não pode fazer muita coisa, então é um sentimento de impotência diante do paciente. [...]. *O que é mais gratificante pra mim é a cura.* Infelizmente, muitas vezes não é o que acontece, e a função do médico não é exatamente curar, muitas vezes é aliviar, né? Dar conforto ao paciente. Eu acho que a cura é o máximo que você encontra, né? Principalmente na minha área de cirurgia que lida muito com isso, você tem a opção de muitas vezes num procedimento cirúrgico você curar um paciente. *Mas você descobre no dia a dia que não é Deus, que não é onipotente, sabe! E o melhor é que descubra cedo pra não ficar como uns se achando. E ai você vai valorizar o que você fez para ajudar o paciente que também é seu papel.* (Fragmento de entrevista – Rafael, Residente 2)

Martins (2004, p. 26) ensina que "Onipotência, no entanto, não é potência nem se opõe à impotência. Ao contrário, onipotência é defesa contra a ameaça de impotência, mas, reativa, mantém esta da qual se quer livrar. Ambas, portanto, impotência e sua máscara, a onipotência, se opõem à potência".

As gratificações e as dificuldades encontradas por estudantes e residentes para concretizar, na prática médica, o que *também é seu papel,* apresentam-se bem demarcadas nas interações com o processo de morte de um paciente representadas nas expressões subjetivas que abordaremos a partir de agora. Em outras palavras, diante da impossibilidade de evitar a morte (concepção 1); como concretizar as concepções desejadas: qualidade de morte (concepção 2); comunicação qualificada com a família (concepção 3); ficar até o fim (concepção 4) e seguir a rotina após o óbito (concepção 5)?

DA DIFICULDADE DE ENVOLVER-SE OU COMUNICAR-SE – QUALIDADE DE MORTE (CONCEPÇÃO 2) / COMUNICAÇÃO QUALIFICADA COM A FAMÍLIA (CONCEPÇÃO 3)

Nossos jovens aprendizes retratam o dia a dia dessas interações como um encontro com as dificuldades em comunicar-se e envolver-se com a dor do outro.

> Não quero dar a notícia. É um momento muito difícil para qualquer ser humano enfrentar que vai morrer. Mas, ao mesmo tempo, sei que é importante falar a verdade, confortar, mas como vou aprender a fazer? (Fragmento de entrevista – Fernanda, 4º ano/8º período)

Mais que enfrentar e aceitar os limites de sua profissão, significa enfrentar os sentimentos que a possibilidade de morrer provoca nos pacientes e neles mesmos como seres humanos que são. O estudante aprende sob forte coerção discursiva que deve isolar as emoções para conquistar a condição de médico, deve exorcizar o sentir e o pensar na morte. "Assim ele aprende a impedir a conscientização da própria mortalidade" (Castro, 2004, p. 41).

Entretanto, alunos e residentes entrevistados trazem o desejo de promover qualidade de morte a seus pacientes, entendendo como tal a capacidade de proporcionar, além do conforto físico, o estabelecimento de uma comunicação clara e transparente com o paciente e sua família e a de confortá-los. Para isso precisam alcançar o *envolvimento equilibrado*. É interessante assinalar que a maneira encontrada por eles para "resolver", em parte, como se defender do sofrimento do paciente sem ser *frios*, traduz-se em narrativas nas quais pacientes e familiares, apesar do sofrimento e da tristeza, estão calmos, serenos, sem elementos de desespero, aceitando a morte. Constroem "cenas" com mais dores físicas e menos dores emocionais, pois desse modo

FORMAÇÃO E ROMPIMENTO DE VÍNCULOS

seria mais fácil para eles lidar com o paciente à morte, uma vez que o grande medo é não saber lidar com as reações emocionais do paciente e de sua família. A comunicação clara e transparente que eles desejam realizar, sem dúvida, estaria mais presente nas cenas reais se os pacientes sempre tivessem, como descreve Ariès (1977, p. 177), "a elegância e a coragem de serem discretos", assim como seus familiares.

Nossos aprendizes dos primeiros anos (1º e 2º), pontuando o desejo e a dificuldade de facilitar a realização da qualidade de morte, referem-se ao conforto emocional e à comunicação verdadeira, sem mencionar ainda o conforto físico. Na mesma direção, seguem as narrativas dos alunos do 3º ano. Eles descrevem com mais detalhes o quadro da doença, incluem a preocupação com o conforto físico (alívio de dores e sedação) e acentuam a comunicação qualificada com a família. As "cenas" dos alunos do 4º, do 5º e do 6º anos expõem de forma mais explícita os conflitos e os medos de não conseguirem alcançar o modelo idealizado no acompanhamento do processo de morte de um paciente.

Em nossos resultados, esses estudantes demonstraram a citada intensidade conflitiva, desde o período que antecede o internato até o internato propriamente dito. Concordamos com o argumento de Souza (2001, p. 89), quando diz: "Pensamos que essa demanda refere-se à experiência de desamparo pelo confronto com o sofrimento e a morte de seus primeiros pacientes [...] esses alunos são assim convocados a participar do exercício da função médica que não depende apenas dos conhecimentos calcados na racionalidade anatomoclínica".

A narrativa a seguir exemplifica as dificuldades, os anseios e os caminhos imaginados por estudantes dos períodos citados para poder falar sobre o fim.

Paciente no leito, eu ao lado, família do lado de fora da sala. Minhas preocupações seriam de esclarecer bem o caso para o paciente, se ele quiser saber, (*comunicação clara*) explicar o que ainda pode ser feito, se ele sente dor, (*conforto físico*) quem ele quer que esteja próximo, o que fazer pra ele se sentir mais confortável (músicas, presença de amigos, ficar só, fotografias. (*conforto emocional/desejos*). Eu me sentiria preocupada, com uma responsabilidade talvez maior do que eu possa arcar (*dúvidas se consegue realizar suas concepções*), preocupada em como conversar com a família, saber responder todas as suas perguntas, como demonstrar solidariedade, não ser superficial. (*dúvidas - comunicação qualificada com a família*). Logo, eu ficaria ao lado do paciente, pegaria na mão, perguntaria como ele estava, se ele tem alguma pergunta a fazer, se ele quer que eu traga alguém como acompanhante (*disposições humanísticas/comunicação qualificada*). Sairia, falaria com a família (esposa, irmãos), pediria para um deles entrar e, tendo estudado detalhadamente o caso, explicaria para o familiar interessado os detalhes técnicos de forma simples (*comunicação qualificada com a família*). Sairia dali pensando se dei as informações de maneira clara sem ser rude, com a cabeça pesada. (Fragmento de cena – Clara, 5º ano/10º período)

Os conflitos vivenciados na "cena" se referem a como se envolver e como comunicar a proximidade da morte. Falar significa falar a alguém. A palavra quer ser palavra que vai ao encontro de alguém. Isso, porém, não significa apenas que a coisa em questão referida pela palavra se apresente diante de mim, mas que se apresente também àquele a quem falo (Gadamer, 1993).

Os conflitos vivenciados por estudantes e médicos, diante de ter de dar a notícia ruim, não dizem respeito apenas a conflitos solucionáveis (ainda que parcialmente) a partir do plano biomédico, mas da singularidade existencial daquele indivíduo e seus familiares. Este é o aspecto em que eles se encontram desamparados, não preparados. Consiste em grande desafio inserir na realidade da pressa, do tempo, das rotinas e do ritmo a escuta e a acolhida que as notícias ruins requerem para sua transmissão (Kóvacs, 2003, p. 118). Diante delas, é comum o temor das reações dos pacientes por parte dos médicos. Como recorda Pereira (2005, p. 173), "frente às notícias ruins, aspectos do paciente morrem. Sejam planos, projetos, aspiração, convicções, certezas, dúvidas ou posições sociais".

Por outro lado, uma comunicação também possui o efeito de requerer providências por parte dos pacientes. É por meio de um diálogo aberto que se pode falar e ouvir sobre o tratamento, sobre medidas de prolongamento da vida e desejos a serem atendidos antes da morte. O paciente vai poder lidar com suas situações inacabadas, rever suas prioridades, participar das decisões de sua própria vida e morte, como ocorreu nas "cenas". Fosse por meio de uma comunicação mais direta, como na cena de Clara: "[...] *explicar o que ainda pode ser feito... quem ele quer que esteja próximo...*". Falar sobre morte diante do agravamento do quadro realizado na confecção das "cenas" impele a construção ou o resgate do espaço privilegiado de um encontro terapêutico entre médicos e pacientes capaz de possibilitar a compreensão da real demanda do paciente; implica a busca por um espaço relacional que trate o assistido como sujeito. Para isso, outro tipo de saber é acessado (Ayres, 2009). Trata-se de uma sabedoria prática, conceito derivado da sabedoria aristotélica. Para Aristóteles, a ética é um saber prático, o que equivale a dizer que se trata de um conhecimento daquilo que só existe como consequência de nossa ação e, portanto, depende de nós. Esse tipo de saber prudente (*phoronesis*) e ético, que foi protagonizado nas "cenas" criadas pelos estudantes, partiu de um elemento central para sua ocorrência, a escuta, um tipo de escuta, cuja qualidade não significa uma valoração de boa ou ruim, mas a natureza do que se quer, do que se pode escutar. Ou seja, depende do reconhecimento, por parte do horizonte normativo que guia nossos estudantes, da importância da dimensão existencial do paciente. Se o horizonte for somente o da racionalidade instrumental, os médicos poderão ter sua escuta orientada para as dores físicas e, consequentemente, promoverão o conforto físico. Em algumas situações, eles poderão sedar o paciente sob esse pretexto, eliminando a expressão do sofrimento existencial que, nesse caso, representaria um ruído que poderia contaminá-lo.

Corroboramos Souza (2001, p. 89), quando assinala: "Se tomamos o conhecimento das doenças como o único e necessário saber para o exercício da medicina, isso limitará e inibirá o médico e seus aprendizes de viver de modo criativo a tensão doente/doença inerente à clínica, lançando mão de sua humanidade comum que enlaça médicos e pacientes".

Dessa forma, a distância entre intenção e gesto no proporcionar qualidade de morte aos pacientes, mais que um paradoxo, poderá vir a ser uma regra.

DESEJOS E DIFICULDADES DO "ESTAR JUNTO" – FICAR ATÉ O FIM (CONCEPÇÃO 4)

Ficar até o fim significa não evitar estar presente quando o processo de morrer se apresenta; significa, principalmente, permanecer dispensando cuidados físicos e emocionais. Ser capaz de acatar a potência presente no "estar junto" diante de um paciente à morte. Ser capaz de vincular-se e enfrentar as etapas do luto diante da perda que se anuncia e quando ela mostra a cara.

Apenas os alunos do 1º, 2º e 3º ano citaram, na elaboração das cenas, a presença do médico no momento da morte do paciente, como nos trechos a seguir:

> [...] *faz-se um esquema de sedação ao paciente, para que ele não sofra de padecimentos, e o médico aguarda, à beira do leito, assegurando que aquele indivíduo tenha, no mínimo, uma boa morte...* (Fragmento de cena – Tibério, 3º ano/5º período)

Na "cena" citada, o médico fica até o fim. Ele acompanha todo o processo de sofrimento e as despedidas com o paciente e sua família, cujo desfecho ocorre calmamente, por meio de um sono profundo e de sedação. São as "mortes tranquilas", que causariam menos abalo ou emoção nos médicos.

Os estudantes do 4º ao 6º ano descrevem um acompanhamento próximo e de qualidade como desejam oferecer, entretanto, os

FORMAÇÃO E ROMPIMENTO DE VÍNCULOS

pacientes não morrem na cena, nem eles (os médicos) estão presentes. Vejamos alguns fragmentos:

[...] Hoje ele provavelmente morrerá, *e terei de apoiar sua família, mesmo também estando triste.* (Fragmento de cena – Cecília, 5º ano/10º período)

[...] Logo, eu ficaria ao lado do paciente, pegaria na mão, perguntaria como ele estava, se ele tem alguma pergunta a fazer, se ele quer que eu traga alguém como acompanhante. Sairia, falaria com a família (esposa, irmãos), pediria para um deles entrar e tendo estudado detalhadamente o caso explicaria para o familiar interessado os detalhes técnicos de forma simples. *Sairia dali pensando se dei as informações de maneira clara sem ser rude, com a cabeça pesada.* (Fragmento de cena – Clara, 5º ano/10º período)

Ainda relatando no passado, como fez Cecília, ou no futuro, como Clara, as estudantes que durante as entrevistas afirmavam, respectivamente, "tenho medo de não conseguir" e "é um paciente que você não consegue ficar ao lado, às vezes tem de chamar um psicólogo", elas concretizam o papel desejado de estar junto no enfrentamento do processo de morte, mas não estariam no momento da morte.

Já os residentes não se referem à morte do paciente, nem à possível presença do médico nesse momento. Evitar olhar a face da morte foi a estratégia aprendida nas aulas de anatomia. Afinal, nossa imagem aparece espelhada naquilo que vemos. O início do envolvimento com o outro e sua dor, ou a fuga destes, acontece no encontro "face a face" dos humanos. O rosto do outro é enigma, mistério e também imediata responsabilidade (Lévinas, 1993).

O "ACOSTUMAR-SE" E A SOLIDÃO DO "SENTIR" – SEGUIR A ROTINA APÓS O ÓBITO (CONCEPÇÃO 5)

Nossos estudantes afirmam que querem, após proporcionar qualidade de morte aos seus pacientes, seguir a rotina sem paralisar diante da dor pela perda de seu paciente. As ilustrações dos primeiros anos enfatizam o alcance do papel. Para isso, excluem qualquer sinal de dúvida do como fazer ou sinais de um possível sofrimento pessoal.

> [...] Enfim ela faleceu, a família que estava presente demonstra sofrimento, *declaro minhas condolências e sigo para o encontro com meu próximo paciente. E então retorno ao trabalho, pois tudo isso já faz parte dele.* (Fragmento de cena – Tibério - 3º ano/5º período)

A partir do 4º ano, as dúvidas são expostas claramente, o questionamento relativo ao debruçar-se sobre o acontecimento ou seguir rapidamente para a rotina é realizado, como ilustra o próximo fragmento:

> [...] *E eu? Como fico a partir daí? Paro um pouco e sento no banco para pensar, vou fazer um lanche ou simplesmente vou ao próximo paciente?* Acho que a cada dia vou ter de aprender um pouquinho mais, até saber bem o que fazer. Bem, e a vida continua... (Fragmento de cena – Fernanda, 4º ano/8º período)

É corriqueiro, durante a formação médica, o estímulo a não parar para pensar na morte. Castro (2004) enfatiza que "a proibição de pensar profundamente em seu paciente se acompanha quase insensivelmente de um não poder sentir e pensar em si mesmo". Os residentes, por sua vez, não fazem questionamento quanto a essa concepção. Um deles descreve, no fim da cena, que ficou triste e diz: "Estou perto de sair, me despeço do paciente, da família e saio do quarto...". O outro (residente 2) termina sua cena explicando sua conduta técnica à família. As reticências do primeiro e o silêncio do segundo quanto ao que vão fazer depois da morte do paciente parecem indicar que se acostumaram. O residente 1 diz: "estou aprendendo a cada dia como lidar, como me acostumar" e o residente 2 "faz parte da profissão, não tenho problema com isso, a gente já sabia que ia lidar com morte".

Bonet (1999) assinalou que o trabalho médico é marcado por ambiguidade em relação àquilo que os médicos devem saber e ao que sentem ao fazer; o saber e o sentir seriam a expressão de uma tensão estruturante que se encontra presente no interior da prática médica. Durante os anos de formação, o aprendizado do médico para manejar essa tensão é ir gradativamente excluindo da prática cotidiana as manifestações relacionadas à subjetividade, ao emocional. Entretanto, é importante destacar que as exposições de sentimentos dos estudantes do 4º ao 6º ano sinalizam a sensibilidade para a ressignificação do tão falado acostumar-se. Elas refletem sobre o que significa "ter de se acostumar". A fala de uma das estudantes exemplifica:

A morte de um paciente vai ser sempre ruim, mas a gente tem de se acostumar. Sei que eu quero fazer mais do que isso, mais do que me acostumar, quero saber ficar junto dele, fazer a minha parte. Não sei se vou conseguir. A gente aprende meio na marra, depende de cada um. *Não dá pra contar com nenhum colega ou professor, cada um fica na sua redoma.* Quando você encontra um bom professor aí é diferente, você fica menos só. (Fragmento de entrevista – Cecília, 5º ano/10º período)

"Acostumar-se" com doença, sofrimento e morte pode significar aprender a lidar com as emoções, e não apenas tentar eliminá-las. Seria mobilizar uma estrutura defensiva que permita a diferenciação da dor do outro sem cortar o laço de identificação com o paciente, para isso eles precisariam aprender a enfrentar as dores provenientes, por vezes, de um luto que eles não são autorizados a sentir (Franco, 2002). O fato é que nesse processo de "acostumar-se" com o lidar com a morte, estudantes e médicos também se acostumam a conviver com o sentimento de solidão diante do enfrentamento do sofrer do outro e do seu. Estamos diante dos dilemas dos estudantes e dos grandes desafios para cuidar da dor interditada dos estudantes, residentes e médicos (professores ou não) em relação a um não saber-fazer e a um não saber como ensinar.

CUIDAR DA DOR DO CUIDADOR

> A voz é rouca e dorida e a distância tão penosa.
> Quem sofre já não se espanta: cala e chora.
>
> CECÍLIA MEIRELES

NÃO É APENAS A VOZ do paciente que cala e chora a distância imposta pelo pensar instrumental que invadiu a prática médica. Os estudantes de medicina e os médicos são impedidos, pelo horizonte morfofuncional que legitima essas práticas, de expressar e escutar a dimensão da intersubjetividade, de se aproximar do sofrer humano; são ensinados a calar a dor do outro e a sua. Alguns autores, entre eles, Millan *et al.* (1999), Nogueira--Martins (1994), Sadala e Silva (2008); Marta *et al,*(2009) alertam para a necessidade de cuidar do sofrimento desses profissionais, quando destacam em suas pesquisas o alto índice de alcoolistas entre médicos e o uso exacerbado de psicotrópicos para anestesiar suas dores, bem como o sofrimento relatado pelos estudantes durante a formação médica. Da mesma forma, sintomas depressivos e altas taxas de suicídio são frequentes durante o curso de formação médica. A solidão diante das dificuldades para enfrentar a dor de não salvar, de não saber dar a notícia ruim, de não saber confortar, nem ficar ao lado do paciente à morte são etapas vivenciadas que, se não forem acolhidas, provocam um percurso de grande vulnerabilidade ao desenvolvimento de mecanismos rígidos de defesa e de distanciamento do outro e de si mesmo, bem como de adoecimento físico e/ou emocional.

FORMAÇÃO E ROMPIMENTO DE VÍNCULOS

A dificuldade de inclusão do preparo para lidar com a morte na formação acadêmica não é, portanto, apenas um efeito acidental do ensino médico, mas implica questões epistemológicas que estão na base da própria racionalidade da biomedicina, que, no dizer de Canguilhem (1977) é a dificuldade de aprender a lidar com a dor, o sofrimento e a morte. As tentativas de superação de um discurso/prática na formação médica, que no lidar com a doença e a morte de um paciente seja capaz de lidar de forma não cindida com as dimensões: médico-paciente, razão-emoção, técnica-cuidado, vida-morte, passa necessariamente pelo reconhecimento da incompletude do modelo médico ao exercer sua função diante do caso singular e, especialmente, diante do acompanhamento do processo de morte.

As críticas a esse modelo de formação estão em ritmo crescente e várias iniciativas educacionais que despontam em torno das chamadas humanidades médicas, visando explorar o autoconhecimento e antecipar situações que auxiliem na expressão dos afetos experimentados pelos alunos, fazem parte do repertório de objetivos que norteiam as metodologias ativas, não apenas a Aprendizagem Baseada em Problemas (ABP) como um todo, mas a utilização de grupos de reflexão e consulta conjunta, por exemplo. Assim como têm surgido, diante da necessidade de discutir o tema morte nas escolas médicas, propostas de criação de cursos para educadores, sempre conduzidas por estratégias como cinema, psicodrama, role--playing, workshops, todas buscando retirar a impessoalidade do tema, desenvolver competências comunicativas e encorajar o lidar com os próprios sentimentos (Nogueira da Silva e Ayres, 2010).

Torna-se imprescindível a revisão do olhar distante para que possa haver menos paradoxos entre as verdades dos discursos e a prática das interações de estudantes e residentes. Trata-se da reprodução de uma equação saber/poder, que limita a transmissão do saber ao valor pragmático da eficácia da ação, resolvendo a tensão doente/doença pela negação do doente. A ampliação do horizonte normativo exige também um esforço de reconstrução dirigido à esfera proposicional, entender que a aproximação da realidade nos leva a ampliar o olhar para além das ideias claras e distintas do pensar cartesiano e da crença no fundamento último; implica acatar a incerteza; compreender que a verdade não é encontrada só na certeza do verificável, mas também nos espaços da intersubjetividade sempre em construção.

A morte sempre retornará para nos ensinar que, na sua presença, o poder da ciência sucumbe, o encontro com o outro se torna inevitável ou duramente evitável, se insistirmos em colocar um muro tecnológico para separar os sujeitos.

Abraçamos as palavras de Hennezel (2001, p. 42), quando diz:

> É importante abrir espaços de cuidados aos profissionais que tratam de pessoas no fim da vida, no deserto afetivo que se constitui dentro dos hospitais. Permitir que cada um possa sair da negação, do silêncio, da ilusão de onipotência, para falar sobre o que está vivendo e o que o comove. É fundamental que os profissionais percebam: que não estão sós nessa empreitada, que não precisam submergir na sua aflição; adquirir a distância sobre o que não podem resolver e se aproximar do que podem cuidar.

Essa reflexão pontua a urgência do desafio de cuidar da dor dos cuidadores, construindo espaços de acolhimento, desde os primeiros anos da formação, empreendendo esforços para a assunção do ensino formal teórico/prático da tanatologia nos currículos de graduação em medicina. Condição imprescindível para que estudantes e médicos possam cuidar de forma humana das dores de seus pacientes e também enfrentar o medo da intimidade que esse tipo de encontro desperta.

Por fim, defendemos que a mesma medicina que se apoiou na morte biológica para fundamentar sua prática em conhecimentos científicos pode se apoiar no enfrentamento dos conteúdos simbólicos e existenciais da morte para resgatar o humano que há em nós, e na medicina. A morte, no geral, não é escolha, é destino; é condição de quem está vivo. Para aceitar a morte, aprender a lidar com ela, é preciso estar vivo. Vivo implica compadecer-se, envolver-se com o outro e com o seu sofrer. Quanto mais negamos a morte mais fazemos escapar a vida, a alma dentro de nós.

A arte é quem diz melhor:

> Esse é o trato:
> A dor de hoje é parte da felicidade de outrora.
>
> PERSONAGEM DO FILME *TERRA NAS SOMBRAS*

REFERÊNCIAS BIBLIOGRÁFICAS

ARIÈS, P. *História da morte no Ocidente*. Rio de Janeiro: Francisco Alves, 1977.

AYRES, J. R. C. M. *Cuidado: trabalho e interação nas práticas de saúde*. Rio de Janeiro: Cepesc/IMS-UERJ/Abrasco, 2009.

BETTS, J. *Considerações sobre o que é humanizar*. 2003. Disponível em <http//: www.portalhumaniza.org.br/ph/texto.asp?id=37>. Acesso em: 6 de abr. 2010.

BOEMER, M. *A morte e o morrer*. 2. ed. São Paulo: Cortez, 1986.

BION, W. R. *Aprender com a experiência*. Rio de Janeiro: Imago, 1991.

BONET, O. "O saber e o sentir. Uma etnografia da aprendizagem da biomedicina". *Revista Physis*, Rio de Janeiro, v. 9, n. 1, p. 123-50, 1999.

CAMARGO JR, K. R. "(Ir) racionalidade médica: os paradoxos da clínica". *Revista Physis*, Rio de Janeiro, v. 2, n. 1, 1992.

CANGUILHEM, G. *O normal e o patológico*. 3. ed. Rio de Janeiro: Forense Universitária, 1977.

CAPRARA, A. "Uma abordagem hermenêutica da relação saúde-doença". *Cadernos de Saúde Pública*, Rio de Janeiro, v. 19, n. 4, p. 923-31, 2002.

CASELATTO, G. (org). *Dor silenciosa ou dor silenciada?* São Paulo: Livro Pleno, 2005.

CASTRO, F. C. "Os temores na formação e prática da medicina: aspectos psicológicos". *Rev. Bras. Educ. Méd.*, Rio de Janeiro, v. 28, n. 1, p. 38-45, 2004.

CEMBRANELLI, F. *Um projeto de humanização*: para que, para quem. Disponível em <http//:www.porthumaniza.com.br>. Acesso em: 10 de abr. 2010.

CHARON, R. "Narrative medicine: form, function, and ethics". *Annals of Internal Medicine*, v. 134, n.1, p. 83-87, 2001.

COELHO, M. O. Relação médico-paciente e a morte. 2001. Tese (Doutorado), Pontifícia Universidade Católica de São Paulo, São Paulo, São Paulo.

CONCONE, M. H. "O vestibular da anatomia". In: MARTINS J. C. *A morte e os mortos na sociedade brasileira*. São Paulo: Hucitec, 1983.

CONSELHO NACIONAL DE EDUCAÇÃO. Diretrizes Curriculares Nacionais do Curso de Graduação em Medicina. Câmara de Educação Superior/ Resolução CNE/CES n. 4, 7 de novembro de 2001, Brasília, 2001.

ELIAS, N. *A solidão dos moribundos*. Rio de Janeiro: Jorge Zahar, 2001.

FALCÃO, E. B. M; LINO, G. G. S. "O paciente morre: eis a questão". *Revista Brasileira de Educação Médica*, Rio de Janeiro, v. 28, p. 106-18, 2004.

FALCÃO, E.B.M.; MENDONÇA, S.B. "Formação médica, ciência e atendimento ao paciente que morre: uma herança em questão". *Revista Brasileira de Educação Médica*, Rio de Janeiro, v. 33, n. 33, p. 364-373, 2009.

FOUCAULT M. *O nascimento da clínica*. Rio de Janeiro: Forense Universitária, 1987.

FRANCO, M. H. P. (org.). *Estudos avançados sobre o luto*. São Paulo: Livro Pleno, 2002.

GADAMER H. G. *O mistério da saúde: o cuidado da saúde e arte na medicina*. Lisboa: Edições 70, 1993.

HABERMAS, J. *Racionalidade e comunicação*. Lisboa: Edições 70, 1996.

HENNEZEL, M. Nós não nos despedimos. Lisboa: Editorial Notícias, 2001.

KLAFKE, T. E. "O médico lidando com a morte: aspectos da relação médico--paciente terminal em cancerologia". In: CASSORLA, R. M. S. *Da morte: estudos brasileiros*. Campinas: Papirus, 1991. p. 25-49.

KOIFMAN, L. "O modelo biomédico e a reformulação do currículo médico da Universidade Federal Fluminense". *História, ciências, saúde – Manguinhos*, v. 8, n. 1, p. 48-70, 2001.

KOVÁCS, M. J. *Morte e desenvolvimento humano*. São Paulo: Casa do Psicólogo, 2002.

KOVÁCS, M. J. *Educação para morte. Temas e reflexões*. São Paulo: Casa do Psicólogo, 2003.

KÜBLER, R. E. *Sobre a morte e o morrer*. São Paulo: Edart, 1969.

LÉVINAS, E. *Humanismo do outro homem*. Petrópolis: Vozes, 1993.

LUZ, M. T. *Natural, racional, social*. São Paulo: Campus, 1988.

MARTA, G. N. et al. "O estudante de medicina e o médico recém-formado frente à morte e o morrer". *Revista Brasileira de Educação Médica*, Rio de Janeiro, v. 33, n. 3, p. 405-416, 2009.

MARTINS, A. "Biopolítica: o poder médico e a autonomia do paciente em uma nova concepção de saúde". *Interface – Comunicação, Saúde, Educação*, Botucatu, v. 8, n. 14, p. 21-32, 2004.

MILLAN L. R. et al. "Alguns aspectos psicológicos ligados à formação médica". In: MILLAN L. R. e cols. *O universo psicológico do futuro médico: vocação, vicissitudes e perspectivas*. São Paulo: Casa do Psicólogo, 1999.

MINISTÉRIO DA SAÚDE (MS). *Programa Nacional de Humanização da Assistência Hospitalar*. Brasília, (Mimeo), 2000.

NOGUEIRA-MARTINS L. A. *O stress psicológico em medicina*. 1994. Tese

FORMAÇÃO E ROMPIMENTO DE VÍNCULOS

(Doutorado) – Escola Paulista de Medicina, São Paulo, São Paulo.

NOGUEIRA DA SILVA, G. S.; AYRES, J. R. C. M. O encontro com a morte: à procura do mestre Quíron na formação médica. *Revista Brasileira de Educação Médica*, Rio de Janeiro, 2010 (prelo).

PARKES, C. M. *Luto: estudos sobre a perda na vida adulta*. São Paulo: Summus, 1998.

PEREIRA O. P; ALMEIDA T. M. C. "A formação médica segundo uma pedagogia da resistência". *Interface - Comunicação, Saúde, Educação*, Botucatu, v. 16, n. 9, p. 69-79, 2005.

QUINTANA A. M. *et al.* "O preparo para lidar com a morte na formação do profissional de medicina". *Revista Brasileira de Educação Médica*, Rio de Janeiro, v. 26, n. 3, p. 204-10, 2002.

RAPPAPORT, W.; WITZKE, D. Education about death and dying during the clinical years of medical school. *Surg*, v. 113, n. 2, p. 163-5, 1993.

RHODES-KROPF J. *et al.* "This is just too awful; I just can't believe I experienced that..." medical students' reactions to their "most memorable" patient death. *Acad. Med.* v. 80, n. 7, p. 634-40, 2005.

SADALA, M. L. A.; SILVA, M. P. "Cuidar de pacientes em fase terminal: a experiência de alunos de medicina". *Interface - Comunicação, Saúde, Educação*, v. 12, n. 24, p. 7-21, 2008.

SCHRAIBER, L. B. *O médico e seu trabalho – os limites da liberdade*. São Paulo: Hucitec, 1993.

SEALE, C. *Constructing death – the sociology of dying and bereavement*. Cambridge: Cambridge University Press; 1998.

SILVA G. S. N. "A racionalidade médica ocidental e a negação da morte, do riso, do demasiadamente humano". In: ANGERAMI-CAMON (org.). *Atualidades em Psicologia da Saúde*. São Paulo: Pioneira Thomson Learning, 2004.

_____. *A construção do "ser médico" e a morte: significados e implicações para a humanização do cuidado*. 2006. Tese (Doutorado em Medicina Preventiva) – Universidade de São Paulo, São Paulo, São Paulo.

SOUZA, A. N. "Formação médica, racionalidade e experiência". *Ciência e Saúde Coletiva*, v. 6, n. 1, p. 87-96, 2001.

VIANNA, A.; PICCELLI, H. "O estudante, o médico e o professor de medicina perante a morte e o paciente terminal". *Revista da Associação Médica Brasileira*, v. 44, n. 1. São Paulo, jan/mar, 1998. In: <http//:www.scielo.br> Acesso em: ago. de 2007.

ZAIDHAFT, S. *Morte e formação médica*. Rio de Janeiro: Francisco Alves, 1990.

3. Equipe de saúde: vinculação grupal e vinculação terapêutica

TEREZA CRISTINA CAVALCANTI FERREIRA DE ARAUJO
MAÍRA RIBEIRO DE OLIVEIRA NEGROMONTE

INTRODUÇÃO

EM SAÚDE, O TRABALHO em equipe é preconizado há muitas décadas. De fato, a Organização Mundial da Saúde (OMS) recomenda a estruturação e o funcionamento de equipes pluridisciplinares e, no Brasil, o Conselho Federal de Psicologia durante a 8ª Conferência Nacional de Saúde, em 1986, já defendia a instauração de equipes multiprofissionais, visando à redução de custos e o bem-estar dos usuários (Araujo, 2009; Boelen, 1982 *apud* Araujo, 1988; Campos, 1992). Contudo, de modo geral, a atuação em equipe envolve múltiplos desafios e vicissitudes, persistindo forte dissociação entre o discurso e a prática – efetiva e eficaz – do trabalho em grupo. Vale lembrar que as organizações de saúde são fortemente hierarquizadas e centralizadas, o que costuma obstaculizar, de um lado, a implementação do modelo de intervenção interdisciplinar e, de outro, a oferta de atenção integral aos pacientes. Assim, tendo em vista a relevância do tema, abordaremos a vinculação grupal e a vinculação terapêutica da equipe de saúde, norteando nossas reflexões pelo conceito de "Ilusão Grupal" de Didier Anzieu. Inicialmente, vamos propor uma breve delimitação conceitual acerca da equipe no contexto de saúde, salientando seus impasses. Em seguida, traçaremos um panorama dos estudos, reportando recente pesquisa com equipes especializadas no tratamento da dor para fundamentar nossas perspectivas na prática assistencial. Mais adiante, apresentaremos a proposta de Didier Anzieu, importante teórico das relações grupais, e discutiremos a vinculação grupal e a vinculação terapêutica da equipe de saúde.

EQUIPE DE SAÚDE: DELIMITAÇÃO CONCEITUAL, IMPASSES E PERSPECTIVAS

No ATUAL MUNDO PROFISSIONAL, e em especial na saúde, a necessidade de trabalhar em grupo é incontornável, mas contraditoriamente impossibilitada por razões de natureza técnica, como a hiperespecialização crescente dos cuidados; de natureza organizacional, como a compartimentalização das unidades de cuidado; e de natureza psicológica, como o sofrimento do cuidador e da sua instituição. Para Kaës (1991), o sofrimento institucional exige o desenvolvimento de mecanismos de defesa, enfrentamento e adaptação entre seus membros, que, ao falhar, colocam em risco o vínculo sujeito-instituição. Esse sofrimento paralisa o psiquismo do sujeito e se estende às suas interações. Em *O mal-estar da civilização moderna e a experiência transicional*, Kaës (1987) defende a importância dos grupos humanos como suporte psicológico para os indivíduos diante da crise da nossa modernidade.

Se a experiência psicológica do trabalho em grupo proporciona vantagens para o profissional, para o paciente, para a organização e para a instituição de saúde, não são poucos os desafios interpostos em todos esses níveis. Entre outros dilemas, o projeto interdisciplinar do grupo de trabalho comporta o risco ideológico de busca nostálgica de uma unidade perdida, funcionando à maneira de um mito, que, ao pretender resolver simbolicamente as antinomias da sociedade moderna, pode escamotear a realidade social, solapando as metas almejadas no plano pessoal e coletivo (Araujo, 1988; Kaës, 1991). Em saúde, isso será tanto mais

FORMAÇÃO E ROMPIMENTO DE VÍNCULOS

preocupante se o discurso em prol do trabalho de equipe se resumir à história de vários personagens narcísicos ou à omissão alternada daqueles que deveriam atuar (Chartier, 1984).

De acordo com a compreensão de vários autores, a psicologia da saúde constitui campo interdisciplinar de saber e ação. A partir dessa ótica, a produção de conhecimentos teóricos, metodológicos e técnicos sobre a equipe multiprofissional – e por meio dela – coloca-se como condição essencial para o desenvolvimento da própria área (Spink, 1992 *apud* Campos, 1992; Marks *et al*, 2000; Straub, 2005).

Frequentemente, os conceitos de pluridisciplinaridade, interdisciplinaridade e transdisciplinaridade são mencionados em referência ao trabalho de equipe em saúde. Publicações de natureza diversa fazem uso frequente dessas noções. Desde obras de cunho essencialmente teórico, passando por artigos de pesquisas e até mesmo textos oficiais, são muitas as evocações ao espírito interdisciplinar. Todavia, uma análise mais cuidadosa revela que, na maior parte dos casos, inexiste fundamentação consistente, prevalecendo uma confusão sobre essas noções comumente usadas de modo equivalente (Araujo, 1988; Castellan e Araujo, 1988).

Resumidamente, é possível ressaltar que a pluridisciplinaridade corresponde à justaposição de disciplinas mais ou menos correlatas, existindo convergência de diferentes disciplinas para a análise de um mesmo objeto, sem haver necessidade de síntese entre os diferentes pontos de vista. Entre as limitações dessa modalidade, constata-se o detalhamento excessivo de alguns aspectos do objeto, perdendo-se a visão global inicialmente tencionada. Ou, então, determinado ponto de vista pode ser indevidamente subestimado ou superestimado, distorcendo novamente o real. Já a multidisciplinaridade representa a justaposição entre disciplinas sem relação aparente. Nos dias de hoje, isso é algo dificilmente reconhecível, pois são incontáveis as relações exploradas entre os campos do conhecimento, o que condena a expressão ao desuso. De qualquer modo, ambas se definem pela ausência de alguma síntese (Araujo, 1988).

A interdisciplinaridade pressupõe a ideia de interação e a intenção de operar uma síntese, cada disciplina contribui com seus próprios métodos e esquemas conceituais. Nesse caso, é imprescindível um retorno às bases fundamentais das disciplinas, do mesmo modo que os métodos de investigação devem ser transformados em problemáticas de pesquisa. Alguns teóricos detiveram-se mais atentamente sobre o fenômeno da interdisciplinaridade e assim conseguiram identificar diferentes modalidades: linear, estrutural e restritiva; heterogênea, auxiliar, complementar, unificadora e pseudointerdiscipilinaridade (Araujo, 1988).

Quanto à transdisciplinaridade, existiria o desenvolvimento de uma axiomática comum a um conjunto de disciplinas, com a prévia adoção dos mesmos conceitos de base ou elementos de um método. A proposta transdisciplinar seria arriscada na medida em que evoluísse para uma metalinguagem – ou uma metaciência – hegemônica, encobrindo diferenças (Araujo, 1988).

Evidentemente, as questões epistemológicas e metodológicas envolvidas na distinção dos três conceitos são de grande complexidade, pois esses termos designariam as etapas dificilmente dissociáveis de um processo. Assim, o recurso a diferentes disciplinas no âmbito de uma pesquisa ou de um trabalho pluridisciplinares conduziria à descoberta de um espaço comum de reflexão e de ação, isto é, a uma zona interdisciplinar na qual os avanços ultrapassariam, progressivamente, o campo restrito de cada ciência e se inscreveriam no saber transdisciplinar. É importante mencionar que, para diversos teóricos, a práxis é a concretização da interdisciplinaridade, uma vez que opera e regula a síntese entre os discursos vigentes. Nesse sentido, o estudo de campo sobre equipes de saúde torna-se imprescindível para ampliar a compreensão a respeito da estrutura, do modo de funcionamento e das vicissitudes desses grupos humanos naturais (Araujo, 1988).

EQUIPE DE SAÚDE E EQUIPE PSICOTERAPÊUTICA: SEMELHANÇAS E DIFERENÇAS

EM GERAL, UMA EQUIPE se distingue de outros agrupamentos sociais. Ela se define, antes de tudo, pelas relações face a face entre um pequeno número de integrantes com papéis complementares designados, os quais compartilham um projeto comum e realizam ações organizadas (Anzieu e Martin, 1982; Mucchielli, 1980). Reconhecidas essas características, a equipe se aproxima de outros grupos primários, como a família. Em alguns casos pode, inclusive, ter longa duração e ser composta por indivíduos em diferentes etapas de desenvolvimento (trabalhadores muito jovens recém-ingressados e outros idosos em etapa de pré--aposentadoria), mas essas relações não são exatamente marcadas por diferenças entre gerações, apesar das filiações construídas em determinadas equipes (Anzieu e Martin, 1982).

Outra distinção importante, no caso da equipe de saúde, deve-se ao seu contexto organizacional e institucional estabelecido majoritariamente, ainda hoje, em instituições hospitalares. Essa particularidade circunscreve as relações entre os membros de um serviço e, por vezes, impõe ações desse porte e abrangência, que inviabilizam o efetivo trabalho em equipe (Boelen, 1982 *apud* Araujo, 1988).

Também é preciso diferenciar equipe de saúde e equipe psicoterapêutica. Parte significativa das teorias psicológicas sobre grupos foi elaborada a partir de grupos constituídos com fins experimentais e de grupos psicoterápicos. Estudos com grupos de trabalho naturais foram raramente conduzidos. Assim, pouco se conhece sobre equipes formadas na assistência em saúde, cuja função terapêutica é diferenciada, quando comparada a de grupos psicoterápicos. Em oposição ao setor da saúde mental, a equipe de saúde, tal como consideramos neste capítulo, é parcialmente escolhida pelo usuário. Demanda e necessidades dos pacientes se manifestam na esfera corporal, mas requerem múltiplas intervenções distintas e, ao mesmo tempo integradas, uma vez que se referem ao cuidado e ao acompanhamento de uma pessoa que sofre no curso de sua existência (Araujo, 1988).

Segundo Schofield e Amodeo (1999), é necessário considerar tamanho e composição das equipes, tipo de liderança, escopo do trabalho, padrões de comunicação e interação, modalidades de contato com o paciente e etapa do atendimento realizado pelo grupo. Hackman (1987) alerta que a efetividade do trabalho de equipe depende do nível de esforço coletivo despendido, quantidade de conhecimentos e habilidades exigidos e grau de desempenho atingido.

Assim como outros grupos, equipes nascem, vivem prazeres e sofrimentos, passam por transições e, depois de algum tempo, morrem. Essas evoluções devem ser compreendidas para um cuidado melhor em saúde, visto que interferem no trabalho planejado, executado e, algumas vezes, avaliado. Interessados pela história de desenvolvimento de sua equipe, Solomon, Morel-Navon e Laflame (1970 *apud* Araujo, 1988) identificaram três fases consecutivas apontadas pelos teóricos dos pequenos grupos:

- ◾ fase individualista: os membros tendem a se afirmar como indivíduos. Ela dura até que cada um consiga ser reconhecido como tal;
- ◾ fase de identificação: notadamente, os membros de categorias minoritárias vão se integrar em subgrupos;
- ◾ fase de integração: cada um se considera plenamente aceito e participante igualitário das decisões. O grupo alcança, então, sua integração.

Schentoub (1963 *apud* Araujo, 1988) insiste que, para funcionar como uma equipe multiprofissional, é preciso superar alguns estágios preliminares:

- estágio narcísico: em que cada um se considera, em sua própria individualidade, como representante de uma categoria profissional. No entanto, alguma satisfação e ferida narcísicas ainda persistirão;
- estágio da síntese: no qual uma equipe funcional não necessitaria multiplicar reuniões de sínteses, pois o que importa é a conduta terapêutica e não a satisfação daqueles que reportam seus dados;
- estágio do líder: em que a equipe mesma deve ser o líder, ou seja, o chefe deve ser presente, mas se manifestar o mínimo possível;
- estágio do contato racional entre seus membros para chegar a uma compreensão mútua e estabelecer vínculos no seio do grupo;
- estágio da unidade terapêutica: em que os objetivos do trabalho conjunto ultrapassam a síntese dos objetivos de cada um. Para tanto, uma formação diversificada é indispensável aos integrantes do grupo.

Chartier (1984) formalizou uma escala de níveis de intervenção que vão da pluridisciplinaridade à transdisciplinaridade:

- nível 0: corresponde às ações dos não profissionais, cuja eficácia é frequentemente denegada;
- nível 1: os profissionais ainda permanecem fixados à aplicação dogmática dos conhecimentos adquiridos em sua formação;
- nível 2: os profissionais se conscientizam dos fracassos e aceitam questionar a formação anterior, mas tornam a se alienar na busca de uma técnica que funcione como panaceia;
- nível 3: os cuidadores reconhecem que nenhum dispositivo técnico solucionará, por si só, as dificuldades do acompanhamento de seus pacientes. Abdicam da ilusória segurança proporcionada pelo *status* profissional e são capazes de renunciar à megalomania terapêutica.

De acordo com Chartier (1984), é no sofrimento vivenciado ao longo desses níveis que conseguem, afinal, integrar na prática assistencial o que sua formação ocultou.

A respeito da contribuição dos não profissionais para a atenção integral, é interessante resgatar que a profissionalização em saúde é fenômeno que data de poucos séculos. Se ela obteve êxito ao restringir o charlatanismo, também engendrou a exclusão de atores essenciais ao cuidado (como as parteiras) e retardou a articulação com os não profissionais (voluntários e familiares) no sistema de saúde. Nesse sentido, destacamos a necessidade de realizar mais pesquisas sobre esses segmentos para estender nossa compreensão sobre o trabalho em saúde (Moniz e Araujo, 2006, 2008; Araujo e Guimarães, 2009).

Segundo Wulliemier (1977 *apud* Araujo, 1988), a abordagem multiprofissional no hospital pode ser classificada em função de:

- número de cuidadores: como alguma simultaneidade é condição básica para o exercício em grupo, todos os integrantes (abordagem absoluta) ou parte deles (abordagem relativa) devem se encontrar em um mesmo lugar e tempo, o que remete à necessidade de se reunir;
- frequência das reuniões: constante, caso os encontros sejam agendados regular, ou intermitentemente;
- modo de participação do paciente: direta, se o paciente está presente nas reuniões com os profissionais (por exemplo: visitas ao pé do leito nas enfermarias), ou indireta, se estiver fisicamente ausente (por exemplo: reuniões de discussão de caso). Neste último critério, é possível incluir os familiares.

ESTUDOS SOBRE EQUIPE DE SAÚDE: ALGUNS DESTAQUES

Considerando que, do ponto de vista científico e social, o tema da equipe de saúde é fundamentalmente relevante, ao longo de mais de 20 anos, o Laboratório de Saúde e Desenvolvimento (LabSaudes) da Universidade de Brasília desenvolve pesquisas

FORMAÇÃO E ROMPIMENTO DE VÍNCULOS

destinadas à melhoria dos serviços, destacando as interações diádicas e grupais – interação profissional de saúde-usuário, usuário-usuário, profissional-profissional (Araujo, 2009).

1. A EQUIPE PLURIDISCIPLINAR NO MEIO HOSPITALAR PEDIÁTRICO

Em razão de práticas institucionais vivenciadas, foi realizada uma investigação de natureza empírica, descritiva e comparativa em quatro serviços hospitalares em Paris, França: unidade de hemodiálise pediátrica, unidade funcional de transplante de medula óssea, serviço de pediatria geral e serviço de cardiologia pediátrica (Araujo, 1988). Adotou-se como método, a observação-participante durante as reuniões de discussão de caso clínico. Hipotetizou-se que a natureza e o grau de participação das diferentes categorias socioprofissionais consistem em indicadores do trabalho em equipe multiprofissional. As trocas comunicacionais dos participantes foram registradas e submetidas à grade de análise de conteúdo temática elaborada especificamente para essa pesquisa. Entre os resultados produzidos, sobressaíram-se:

a) o trabalho em equipe era raramente realizado e quando acontecia permanecia limitado;

b) os grupos de trabalho de menor tamanho e mais especializados – unidade de hemodiálise pediátrica e unidade funcional de transplante de medula óssea – possuíam melhores condições para atingir seu objetivo de atividade articulada;

c) a categoria médica centralizava e delimitava as trocas comunicacionais.

Situação ilustrativa 1.1:
O médico examina o prontuário de N. A psicóloga insiste uma vez mais: "o menino continua sem compreender por que ele não está na lista" [de espera para transplante]. O médico permanece em silêncio lendo o prontuário. A enfermeira comenta que "o paciente está comendo bem" (Registro de observação).

Situação ilustrativa 1.2:

Apresentação do caso Z., cujo estado é preocupante. Uma das enfermeiras diz: "Só de mexer na cama, para ele é insuportável". A psicóloga indaga "o que nós podemos fazer para aliviá-lo?" e acrescenta "não é uma crítica". A chefe do serviço exclama: "um colchão d'água" [risos dos internos]. O médico assistente acrescenta que um banho estéril poderia ajudar o paciente. A chefe do serviço se diz contrariada, pois não pode pedir ajuda da "dermatologia". Na opinião da médica, este serviço não tem experiência para este tipo de caso (Registro de observação).

2. A TOMADA DE DECISÃO EM EQUIPE DE SAÚDE

A pesquisa realizada por Costa Neto (1994) teve por principais objetivos:

a) descrever e compreender os fatores presentes durante o processo de tomada de decisão de uma equipe de saúde que prestava assistência às pessoas diretamente envolvidas no acidente radioativo com o Césio-137, ocorrido em 1987;

b) conhecer a percepção interprofissional; e

c) verificar se os elementos identificados no processo caracterizavam uma síndrome de *groupthink,* ou seja, avaliar se correspondem ao fenômeno descrito por Irving Janis, em que o funcionamento grupal caracteriza-se pela busca de unanimidade e coesão, esquiva de conflitos e contradições e baixa qualidade das tomadas de decisão grupais. Para tanto, foi aplicada a Escala de Percepção Interprofissional de Ducanis e Golin (1979 *apud* Araujo, 1988), visando avaliar três níveis de resposta dos sujeitos: a percepção sobre sua categoria profissional (uma perspectiva), a percepção de cada um sobre as outras categorias (uma metaperspectiva) e a percepção do profissional examinado quanto à percepção dos demais em relação à sua categoria (meta-metaperspectiva). Em seguida, desenvolveu-se uma entrevista semiestruturada com cada participante. Também foram levantados registros observacionais de sete reuniões (Costa Neto e Araujo, 2001).

Entre os diversos resultados encontrados, destaca-se que 77% do tempo de discussão foi despendido em episódios de natureza operacional e/ou administrativa, ao passo que apenas 23% foi utilizado com o estudo de casos clínicos. Ao comparar as categorias médica e não médicas, constatou-se que a primeira obteve a maior média percentual nas emissões (61%) e nas recepções (29%) verbais. Não se verificou a *síndrome de groupthink* e a percepção interprofissional não se mostrou homogênea entre as diferentes categorias. Tudo indica que a tomada de decisão daquela equipe era fortemente influenciada pela percepção da fase emergencial do acidente radioativo e por contingências de natureza técnica, econômica e político-governamental. Também foi possível reconhecer diversos indicadores relacionados à disposição de trabalhar de modo coordenado, seja desenvolvendo decisões em grupo, seja considerando as contribuições de cada um até mesmo na tomada de decisão individual.

Situação ilustrativa 2.1:
"No decorrer desses anos... a gente foi percebendo esse desrespeito, essa desvalorização profissional, e a gente foi se decepcionando e a gente tenta viver a nível profissional é ... da melhor forma possível, no sentido, assim, de não se desgastar e não se deixar frustrar totalmente" (Relato de entrevista).

Situação ilustrativa 2.2:
"[...] e porque tomava determinadas decisões e depois essa pessoa... não cumpria [...] Se a gente tivesse sentado e conversado... eu acho que teria dado certo [...]acabava jogando as duas áreas técnicas lá embaixo" (Relato de entrevista).

3. A PARTICIPAÇÃO DO PACIENTE NAS DECISÕES SOBRE SEU TRATAMENTO

Tema frequente nas reflexões sobre a qualidade dos serviços prestados, a participação do paciente nas decisões associa-se fortemente à necessidade de evolução das instituições de saúde. O ideal de uma tomada de decisão compartilhada tem sido impulsionado principalmente pelo movimento dos direitos de consumidor do paciente e pela ampliação do modelo biopsicossocial da saúde. A participação ativa no processo decisório tem sido relacionada ao aumento da adesão ao tratamento e do nível de satisfação com os cuidados recebidos. Tendo em vista essas constatações, Ramos (1998) realizou uma investigação no intuito de:

a) caracterizar o processo de tomada de decisão sobre o tratamento;
b) descrever a participação do paciente no processo de tomada de decisão;
c) identificar fatores associados ao modo de participação do paciente no processo decisório; e
d) caracterizar percepções e expectativas de pacientes e profissionais no que se refere à participação ideal.

Participaram do estudo 39 pacientes portadores de lesões medulares e 37 profissionais de saúde. Situações de atendimento em equipe – visitas ao pé do leito e reuniões clínicas – foram gravadas em audiocassete. Também foram desenvolvidas entrevistas semiestruturadas com 18 profissionais representantes de cada categoria profissional e 16 pacientes. Tomando por base o relato dos entrevistados, foi possível identificar que o processo decisório resulta da predominância do modelo biomédico de assistência à saúde, em contraposição a um modelo de assistência biopsicossocial. Os conteúdos de decisão mais frequentes ressaltaram o caráter médico/técnico do tratamento.

A descrição do processo decisório confirmou a prevalência de um modelo paternalista de assistência, uma vez que as formas

FORMAÇÃO E ROMPIMENTO DE VÍNCULOS

mais frequentes de tomar decisões não incluem o compartilhamento de responsabilidades com o paciente. Embora alternativas de cuidado à saúde tenham sido sugeridas – como tomar decisões junto com o paciente, ter como critério a satisfação deste ou levar em consideração decisões sobre a sua situação social – essas modalidades de cuidado não foram frequentes o suficiente para serem interpretadas como um padrão. No entanto, sua existência no discurso poderia indicar uma mudança de atitude do profissional e do paciente.

Tanto os dados das entrevistas, como aqueles levantados durante os registros de situações de atendimento coincidem em demonstrar uma tendência à participação passiva e restrita à troca de informações. O papel do paciente no processo decisório tende a ser o de alguém que oferece informações e recebe explicações da equipe, mais do que de alguém que solicita as informações que deseja. Em geral, o paciente repassa informações para a equipe, mais do que emite suas opiniões.

A comparação entre visita ao pé do leito e reunião clínica sugeriu que participações mais ativas (como as de natureza opinativa e prescritiva) estão associadas a um número maior de conteúdos, indicando que a participação mais ativa do paciente depende menos do conteúdo da decisão, embora conteúdos não técnicos conduzam à participação mais ativa na reunião clínica. Para os participantes dessa pesquisa, a forma de participação ideal é caracterizada como passiva e de natureza informativa, indicando que, embora reconheçam argumentos contrários, por exemplo de ordem ética, para promover uma participação ativa, tanto de pacientes como de profissionais, percebem essa proposta como insatisfatória. Escolher participar ou não, participar ativa ou passivamente, parece implicar novos significados da participação, inclusive com desdobramentos de ordem metodológica, pois não só aspectos cognitivos devem ser considerados no processo decisório, mas também aspectos emocionais da relação profissional de saúde-paciente.

Situação ilustrativa 3.1:

Profissional: "Ele se queixa dessa dor...".

Paciente: "É, essa dor me atrapalha até pra dormir" (Registro de observação).

Situação ilustrativa 3.2:

Profissional: "Depois disso, aí entra a parte da reabilitação, de você ser treinado em tudo, pra ficar independente, pra aprender a ficar em pé com as talas e tudo".

Paciente: "Não tem chance. Isso aí não tem chance" (Registro de observação).

4. A EQUIPE DE REABILITAÇÃO

Queiroz (2003) desenvolveu um estudo com o propósito de caracterizar o processo de comunicação e a tomada de decisão de duas equipes de reabilitação: lesado cerebral adulto e lesado medular adulto. Participaram 22 profissionais do primeiro serviço e 19 do segundo. A coleta de dados abrangeu observação direta e registro em vídeo das reuniões semanais de discussão de caso, entrevista individual com os participantes da reunião e entrevista em grupo com esses profissionais (Queiroz e Araujo, 2006, 2007, 2009).

O trabalho em equipe foi avaliado como vantajoso graças à divisão de responsabilidades e à ampliação da oferta de atendimento. Entre os fatores que dificultam sua consecução, foram mencionados os aspectos interacionais e a insuficiência de treinamento adequado para essa atuação. O uso de uma linguagem comum foi reconhecido como elemento essencial para a constituição da equipe. Embora conteúdos gerais tenham sido comuns aos dois serviços, constataram-se diferenças entre as verbalizações produzidas em reunião e em entrevista de grupo, o que aponta diferenciação de cada equipe no âmbito de uma mesma instituição, independentemente de pertencerem ao domínio geral da reabilitação. Durante as reuniões de discussão de caso, o processo de tomada de decisão era centrado no paciente, predominando verbalizações da categoria *fornece e solicita informações*. O mecanismo *expande discussão* foi o mais utilizado pelos profissionais nessas interações. Uma boa tomada de decisão em equipe foi definida, pelo grupo, como aquela que contempla a participação de todos. A percepção do apoio interprofissional foi estimada como fator favorecedor desse processo.

Situação ilustrativa 4.1:
Psicólogo: "Quando você for treinar com ela no ginásio, você poderia me falar no mesmo dia para a gente procurar ir junto para a gente abordar as dificuldades" (Registro de observação).

Situação ilustrativa 4.2:
Assistente social: "Não, ela consegue isso que eu estou dizendo. A gente precisa sentar e explicar para ela direitinho por conta dessa dificuldade de entendimento dela" (Registro de observação).

EQUIPES ESPECIALIZADAS NO ACOMPANHAMENTO DE PACIENTES COM DOR

MAIS RECENTEMENTE, Negromonte (2010) conduziu outra pesquisa sobre trabalho de equipe, propondo um estudo descritivo e comparativo com duas equipes especializadas, respectivamente, no tratamento de pacientes com dor aguda e dor crônica. Uma delas instituída em um Serviço para Grandes Queimados (SGQ) e a outra em um Serviço de Dor Crônica e Cuidados Paliativos (SDCCP). O projeto envolveu a aplicação de um questionário sociodemográfico, entrevistas com os profissionais (gravadas em áudio) e observações das reuniões de equipe (com registro cursivo).

O levantamento das características sociodemográficas dos participantes indicou a seguinte distribuição por categoria profissional: no SGQ, seis médicos, dez técnicos de enfermagem, três enfermeiros e sete outros profissionais de nível superior; e, no SDCCP, dois médicos, dois técnicos de enfermagem e um enfermeiro.

Em relação à idade, em ambos os serviços: oito profissionais tinham entre 20 e 35 anos; dezessete profissionais informaram ter entre 36 e 50 anos e outros seis tinham mais de 50 anos.

O tempo de atuação no serviço variou até um ano (cinco profissionais), entre um e cinco anos (nove integrantes), entre cinco e dez anos (nove pessoas) e mais de dez anos (oito participantes).

No SGQ, apenas dois profissionais, entre um total de vinte e seis, participaram de curso de capacitação. No SDCCP, entre cinco participantes, três informaram ter recebido capacitação.

Os dois serviços assemelham-se quanto ao reconhecimento da preponderância das atividades técnicas realizadas com o paciente. Em SGQ, porém, as atividades relacionadas à equipe são mais frequentemente relatadas do que em SDCCP.

Neste último serviço, atividades realizadas com familiares foram mais mencionadas. Tanto em um serviço como no outro as atividades administrativas foram pouco citadas.

O relato dos entrevistados sobre suas experiências foi organizado nas seguintes categorias:

Facilitadores da atuação – trata-se da percepção profissional sobre aspectos que favorecem o cumprimento das metas estabelecidas:

a) características dos próprios profissionais;
b) características da equipe; e
c) aspectos administrativos (veja o Gráfico 1).

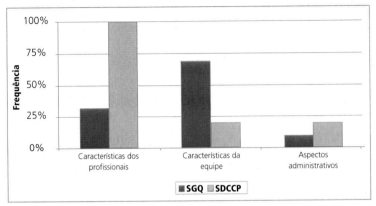

GRÁFICO 1: FREQUÊNCIA DOS FACILITADORES POR SERVIÇO

Dificultadores da atuação – os principais fatores reconhecidos são:

a) falta de profissionais;
b) questões administrativas;
c) falta de capacitação específica;
d) características da lesão do paciente; e
e) dificuldade de comunicação na equipe (veja o Gráfico 2).

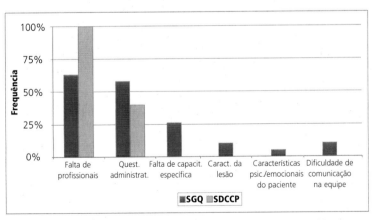

GRÁFICO 2: FREQUÊNCIA DOS FATORES DIFICULTADORES POR SERVIÇO

Impacto do acompanhamento sobre o profissional – abrange relatos sobre como o fato de lidar com esses pacientes interfere na rotina do profissional e em suas emoções:

a) tristeza/sofrimento;
b) costume/dissociação;
c) impotência; e
d) pesadelos (veja o Gráfico 3).

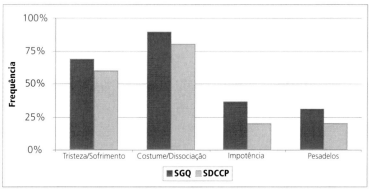

GRÁFICO 3: COMPARAÇÃO ENTRE OS SERVIÇOS QUANTO A "IMPACTO DO ACOMPANHAMENTO SOBRE O PROFISSIONAL"

Impacto do acompanhamento sobre a equipe – percepção individual quanto às influências do cuidado sobre o funcionamento da equipe:

a) lidar com paciente difícil;
b) tentativas terapêuticas frustradas; e
c) ausência de diferenças em relação a outros serviços (veja o Gráfico 4).

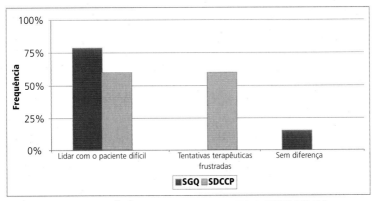

GRÁFICO 4: COMPARAÇÃO ENTRE SERVIÇOS QUANTO A "IMPACTO DO ACOMPANHAMENTO SOBRE A EQUIPE"

Percepção dos profissionais sobre a interação da equipe – agrupa relatos relativos a configuração da equipe, interação entre os profissionais e fluxo de tarefas:

a) equipe multiprofissional/interprofissional;
b) dificuldades de comunicação/interação;
c) trabalho compartimentalizado;
d) equipe de enfermagem (veja o Gráfico 5).

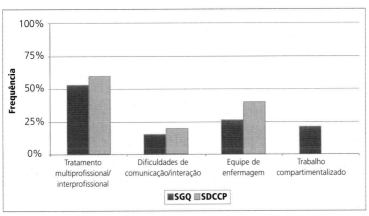

GRÁFICO 5: COMPARAÇÃO ENTRE OS SERVIÇOS QUANTO À CATEGORIA "PERCEPÇÃO DOS PROFISSIONAIS SOBRE A INTERAÇÃO DA EQUIPE"

Apesar da falta de pessoal e de capacitação específica, das dificuldades de comunicação no serviço, do sofrimento gerado pelas causas da lesão (como tentativas de suicídio e agressões) e das condições socioeconômicas limitadas da população atendida, as equipes conseguem se dedicar preferencialmente às atividades de cuidado, sem se esquivar pelo subterfúgio do excesso de atividades grupais ou administrativas. Destinam inclusive suas ações para os familiares dos pacientes.

No que tange aos dificultadores, notaram-se diferenças entre SGQ e SDCCP. No primeiro serviço, os participantes apontaram a falta de capacitação específica, problemas de comunicação, além de fatores relacionados à natureza do agravo e ao paciente. No segundo, mencionaram apenas carência de profissionais e questões administrativas. Desse modo, constatou-se que, no SDCCP, os entrevistados se ressentiam mais de fatores profissionais (como capacitação e suficiência de pessoal), notando-se que o impacto adverso, tanto no plano individual quanto no coletivo, parece menos intenso que em SGQ. Em se tratando de uma equipe de cuidados paliativos, apontaram ainda tentativas terapêuticas frustradas. No SGQ, os profissionais identificaram maior variedade de dificultadores e avaliaram as características dos pacientes (difícil, causas da lesão e condições socioeconômicas) como tendo impacto negativo.

Características dos profissionais e da equipe foram diferentemente percebidas, no SGQ e no SDCCP, como fatores facilitadores da atuação. No primeiro serviço, diante das dificuldades da clientela e dos cuidados, percebe-se a equipe como fator mais importante para a atuação. Em contraposição, no segundo serviço, em que se mencionaram problemas diretamente associados à esfera profissional, indicaram-se mais as características individuais dos membros da equipe como facilitadores.

À exceção dos profissionais técnicos de enfermagem, a maioria reconheceu a existência de uma atuação grupal. Corroborando a literatura, estimaram que lidar com pacientes difíceis, no caso

FORMAÇÃO E ROMPIMENTO DE VÍNCULOS

do SGQ, e as frustrações provocadas pela ineficácia terapêutica, em SDCCP, acabam por favorecer uma equipe mais coesa e um trabalho mais articulado. Pinho (2006) destaca que, em geral, as equipes são mais flexíveis e reagem melhor a mudanças – apresentando inclusive melhor desempenho do que o de indivíduos separadamente – quando a tarefa requer múltiplas habilidades, julgamentos e experiências. No mesmo sentido, Hall e Weaver (2001) acrescentam que uma equipe se organiza diante da necessidade de resolução de um conjunto de problemas comuns e cada membro contribui com seu conhecimento e habilidade para apoiar as contribuições dos outros.

Tal como a literatura especializada, os participantes da pesquisa ponderaram que a existência de uma equipe de enfermagem (subgrupo profissional no interior do grupo mais extenso) pode comportar dificuldades para o serviço, na medida em que atua de modo desvinculado. Ademais, muitos técnicos raramente têm contato com outros membros do serviço, pois estão restritos a fornecer informações e receber instruções do enfermeiro.

Nove categorias principais foram extraídas das observações realizadas por registro cursivo:

- *Apresentação do paciente* – por exemplo, médico: *"M. é um paciente de 22 anos que se internou hoje de manhã, sofreu queimadura por gasolina há 21 dias e agora se internou só para enxertar".*
- *Fornecimento de informações sobre paciente/tratamento* – por exemplo, psicólogo: *"É muito sofrimento se misturando nesse quadro, não é só o problema da queimadura".*
- *Solicitação de informações sobre paciente/tratamento* – por exemplo, fisioterapeuta: *"Ele está se alimentando bem?"*
- *Avaliação das estratégias terapêuticas adotadas* – por exemplo, nutricionista: *"Com a alimentação eu acho que está tudo ok!"*
- *Planejamento das próximas ações* – por exemplo, médico: *"Então devíamos falar com o dentista".*

- *Transição/mediação* – por exemplo, médico: *"Ninguém tem mais nada não? Vou seguir".*
- *Questões administrativas* – por exemplo, enfermeiro: *"Mas isso não pode ser direto por aqui não, tem de passar para o setor de serviço social!"*
- *Outros temas/descontração* – por exemplo, enfermeiro: *"Ele está fazendo aniversário: 100 dias de queimadura!"*
- *Verbalizações específicas sobre a dor do paciente* – por exemplo, enfermeiro: *"Ele ainda está sedado, principalmente por causa da dor".*

Conforme ilustrado no Gráfico 6 – e constatado em estudos anteriores –, a categoria de maior frequência foi *fornecimento de informações sobre paciente/tratamento* (35%), seguida de *avaliação das estratégias terapêuticas adotadas* (13%) e *solicitação de informações sobre paciente/tratamento* (11,5%).

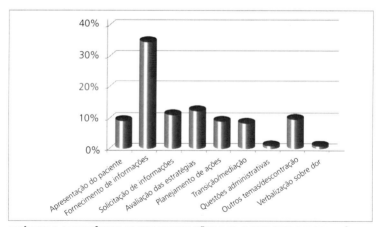

GRÁFICO 6: FREQUÊNCIA DE VERBALIZAÇÕES POR CATEGORIA DE CONTEÚDO

Os dados observacionais convergiram com aqueles provenientes das entrevistas, o que pode significar uma percepção acurada das ações no plano individual e coletivo por parte dos integrantes dessas equipes. Durante as reuniões observadas, a categoria médica teve o maior número de verbalizações, as quais abarcaram: apresentação do paciente, solicitação de informações, planejamento de ações e transição/mediação. Cabe comentar que a tomada de decisão não era objetivo estipulado para esses encontros multiprofissionais. A troca de informações e a uniformização da conduta seriam os propósitos buscados pelo grupo.

As verbalizações acerca da dor do paciente foram emitidas apenas por enfermeiros e, nesses poucos casos, a discussão era interrompida por uma fala descontraída ou até jocosa, o que, aparentemente, cumpria a função de alívio da tensão. Isso se soma à ausência de verbalizações sobre manejo clínico da dor e converge com a percepção individual expressa nas entrevistas.

VINCULAÇÃO GRUPAL E VINCULAÇÃO TERAPÊUTICA DA EQUIPE DE SAÚDE

Conforme introduzido anteriormente, é essencial trabalhar em grupo no campo da saúde. De acordo com René Kaës (1991), os grupos fornecem suporte psicológico para as pessoas e é nesse convívio que elas encontram apoio e alívio para lidar com as adversidades da vida moderna. Em 1971, Didier Anzieu propôs o conceito de ilusão grupal para representar um estado psíquico coletivo que membros de um grupo – seja ele terapêutico ou natural – formulam da seguinte maneira: *"nós estamos bem juntos, nós formamos um bom grupo e nós temos um bom chefe"* (Anzieu, 1971, 1985a, 1985b; Chabert, 1996).

Para Anzieu, toda situação grupal é vivenciada como a realização imaginária do desejo e, ao mesmo tempo, constitui fonte de angústia. Durante o desenvolvimento grupal, a fase de ilusão sucede à outra, dominada pela angústia persecutiva. Essa ilusão consolida a unificação do grupo e liberta da perseguição antes sentida. Trata-se de um estado e não de um processo. Como tal, é um percurso necessário que possibilita o narcisismo grupal, mas que também pode alienar, ao perdurar. Nesse caso, torna-se uma resistência à evolução grupal (Anzieu, 1971, 1985a, 1985b; Chabert, 1996).

A ilusão grupal emerge, muitas vezes em reação à desconfiança entre grupos e às instituições, e exacerba a confiança no próprio grupo. A partir de uma ótica winnicottiana, compreende-se que ela cria um espaço potencial ou uma zona de ilusão, pois seus adeptos experienciam continuidade entre suas realidades psíquicas individual e grupal com a realidade externa, física e social, na qual o grupo busca operar objetivos. Anzieu interessou-se particularmente pelos "espaços intermediários" e, notadamente, aqueles característicos do funcionamento criativo e do funcionamento grupal, os quais tenderiam a suplantar limites, lembrando-se, aqui, que a equipe de saúde confronta-se cotidianamente com os limites da vida e da morte, entre sobrevida e qualidade de vida (Anzieu, 1971, 1985a, 1985b; Chabert, 1996).

Tomando como apoio as contribuições de Anzieu, admite-se então que para se constituir, a equipe de saúde precisa engendrar e superar a ilusão grupal. A equipe deve elaborar uma vinculação própria e tecer sua realidade psíquica grupal formada por sonhos, desejos e identidade de grupo. Sem isso, os diversos profissionais de diferentes categorias estarão apenas registrados no organograma de um serviço, cujas tarefas podem ter sido definidas em protocolos administrativos e institucionais, mas dificilmente alcançarão coesão, consistência e coerência necessárias ao cuidado daquele que sofre em sua existência psíquica e corporal.

Desse modo, se a ilusão é necessária para o surgimento do grupo, ela também deve ser ultrapassada para dar lugar à equipe, que, por definição, é composta por pessoas que desempenham papéis diferenciados com alguma tensão e conflitos. A equipe também precisa ter um protocolo de atendimento adaptado às peculiaridades pessoais, sociais e culturais de cada caso. Para isso, é necessário que o grupo encontre soluções inovadoras adaptadas tanto às singularidades dos pacientes, quanto realizáveis em meio ao coletivo de um serviço organizado institucionalmente e avaliado por algum dispositivo determinado pelas políticas públicas do setor. Portanto, o grupo deve ser capaz de formar a vinculação terapêutica em favor de seus pacientes (e, quem sabe, também de seus componentes). Em síntese, a vinculação grupal é condição para a vinculação terapêutica almejada pelo projeto grupal.

Em sua obra intitulada *Le moi-peau* (Ego-pele), Anzieu se detém sobre a dor, fenômeno até então pouco discutido pela psicanálise. O autor fundamenta sua discussão sobre o "envelope de sofrimento" em observações clínicas feitas em um serviço de grandes queimados. Anzieu analisa a grande fragilidade desses pacientes submetidos à regressão pela nudez imposta pelos tratamentos, às vivências de agressão e violência decorrentes das intervenções e, mais ainda, à recusa de identificação de seus terapeutas, visceralmente confrontados por pessoas privadas de prazer e imersas na dor.

Conta-nos, ainda, que os médicos manifestavam desvalorização sistemática do trabalho do psicólogo, mas, em contrapartida, concediam-lhe inteira liberdade para agir. Era como se a intervenção psicológica pudesse existir, desde que não perturbasse o trabalho médico. Nesse tipo de serviço, Anzieu também observou um superinvestimento das relações entre profissionais. Ao que parece, diante dos sofrimentos inconcebíveis e indescritíveis provocados, a equipe se reúne e se une. Essa é a única maneira de prosseguir em um ofício impossível. Verificamos, assim, que as equipes especializadas no acompanhamento ao paciente com dor apresentam condições tão excepcionais que podem tornar claros mecanismos básicos do trabalho em equipe na área da saúde. Ao expor mais intensamente algumas vivências, as equipes de "controle da dor" mostram-se como contextos indicados para ampliar nossa compreensão sobre a vinculação grupal e a vinculação terapêutica.

Em saúde, por mais que se antecipem, planejem e protocolem as tarefas nos serviços, pequenas e reiteradas crises irrompem na tentativa infrutífera de evitar a crise da decrepitude e da falência humana. Tudo é feito para escamotear e negar a solidão e a finitude. Diante do corpo alquebrado, a equipe necessita criar a ilusão de um corpo unificado. Contudo, se isso ocorre apenas no âmbito do corpo médico ou do corpo de enfermagem, dificilmente se constituirá o corpo integrado da equipe multiprofissional. A ilusão de um grupo deve ser substituída pela ilusão de outro. Em suma, se qualquer uma das vinculações – grupal ou terapêutica – não se elaborar suficientemente, a equipe atravessará disfunções e não cumprirá seu projeto. Recomendamos, portanto, que mais estudos sejam realizados para aprimoramento das questões abordadas neste capítulo.

REFERÊNCIAS BIBLIOGRÁFICAS

ANZIEU, D. "L'Illusion groupale". *Nouvelle revue de psychanalyse*, v. 4, p. 73-93, 1971.
_____. "Ilusion groupale", *Gruppo*, v. 1, p. 110-13, 1985a.
_____. *Le moi-peau*. Paris: Dunod, 1985b.
ANZIEU, D.; MARTIN, J.-Y. *La dynamique des groupes restreints*. Paris: PUF, 1982.
ARAUJO, T. C. C. F. *L'Équipe pluridisciplinaire en milieu hospitalier pédiatrique: structure, mode de fonctionnement et vicissitudes*. 1988. Tese (Doutorado em Psicologia Clínica) – Université de Paris X-Nanterre, Nanterre, Paris.
ARAUJO, T. C. C. F.; GUIMARÃES, T. B. "Interações entre voluntários e usuários em onco-hematologia pediátrica: um estudo sobre os palhaços-doutores". *Estudos e Pesquisas em Psicologia*, Rio de Janeiro, v. 9, p. 632-47, 2009.
CAMPOS, F. C. B. (org.) *Psicologia e saúde: repensando práticas*. São Paulo: Hucitec, 1992.
CASTELLAN, Y.; ARAUJO, T. C. C. F. "La pluridisciplinarité". *Bulletin de l'Association Française de Psychiatrie et Psychopathologie Sociales*, v. Automne, p. 5, 1988.
CHABERT, C. *Didier Anzieu. Psychanalystes d'aujourd'hui*. Paris: Presses Universitaires de France, 1996.
CHARTIER, J. P. "De la pluridisciplinarité à la transdisciplinarité". *Topique*, n. 33, p. 95-110, 1984.
COSTA NETO, S. B. *Fatores do processo de tomada de decisão de uma equipe de saúde numa instituição de tratamento a irradiados por fonte ionizante: um estudo de caso*. 1994. Dissertação (Mestrado em Psicologia) – Universidade de Brasília, Brasília, DF.

FORMAÇÃO E ROMPIMENTO DE VÍNCULOS

COSTA NETO, S. B.; ARAUJO, T. C. C. F. *Tomada de decisão em equipe de saúde: estudo de grupo natural de tratamento a irradiados por fonte ionizante*. Nêmeton. Centro de Estudos e Pesquisas em Psicologia da Saúde. Disponível em: <http://www.nemeton.com.br/nemeton/artigos/tomadadedecisoemequipesdesaude.doc>. Acesso em: 14 mar. 2010.

HACKMAN, J. R. "The design of work teams". In: LORSCH, J. (org.). *Handbook of organizational behavior*. Nova York: Prentice-Hall, 1987. p. 315-42.

HALL, P.; WEAVER, L. "Interdisciplinary education and teamwork: a long and winding road". *Medical Education*, v. 35, n. 1, p. 867-75, 2001.

KAËS, R. "Le malaise du monde moderne et l'expérience transitionnelle du groupe". *Revue de psychothérapie de groupe*, n. 7-8, p. 147-63, 1987.

_____. "Realidade psíquica e sofrimento nas instituições". In: Kaës, R. *et al.* (orgs.). *A instituição e as instituições. Estudos psicanalíticos*. São Paulo: Casa do Psicólogo, 1991. p. 19-58.

MARKS, D. *et al. Health Psychology. Theory, research and practice*. Londres: Sage, 2000.

MONIZ, A. L. F.; ARAUJO, T. C. C. F. "Atuação voluntária em saúde: autopercepção, estresse e *burnout*". *Interação em Psicologia*, Curitiba, v. 2, n. 10, p. 225-43, jul./dez. 2006.

MONIZ, A. L. F.; ARAUJO, T. C. C. F. "Voluntariado hospitalar: um estudo sobre a percepção dos profissionais de saúde". *Estudos de Psicologia* (UFRN), Natal, v. 13, p. 149-56, 2008.

MUCCHIELLI, R. *Le travail en équipe: connaissance du problème*. Paris: ESF, 1980.

NEGROMONTE, M. R. O. *O profissional de saúde frente à dor do paciente: estresse, enfrentamento e trabalho de equipe*. 2010. Dissertação (Mestrado em Processos de Desenvolvimento Humano e Saúde) – Universidade de Brasília, Brasília, Distrito Federal.

PINHO, M. C. G. "Trabalho em equipe de saúde: limites e possibilidades de atuação eficaz". *Ciências & Cognição*, v. 8, n. 1, p. 68-87, 2006.

QUEIROZ, E. *Trabalho em equipe no contexto hospitalar: uma investigação sobre os aspectos comunicacionais envolvidos na tomada de decisão clínica em instituição de reabilitação*. 2003. Tese (Doutorado em Psicologia) – Universidade de Brasília, Brasília, Distrito Federal.

QUEIROZ, E.; ARAUJO, T. C. C. F. "Tomada de decisão em equipe de reabilitação: questões específicas relativas à assistência e à pesquisa". *Revista da Sociedade Brasileira de Psicologia Hospitalar*, Belo Horizonte, v. 9, n. 1, p. 3-13, 2006.

_____. "Trabalho em equipe: um estudo multimetodológico em instituição hospitalar de reabilitação". *Revista Interamericana de Psicologia*, v. 41, n. 2, p. 221-30, 2007.

_____. "Trabalho de equipe em reabilitação: um estudo sobre a percepção individual e grupal dos profissionais de saúde". *Paideia*, Ribeirão Preto, v. 19, p. 177-183, 2009.

RAMOS, V. S. C. *A participação do paciente de reabilitação nas decisões sobre seu tratamento*. 1998. Dissertação (Mestrado em Psicologia) – Universidade de Brasília, Brasília, Distrito Federal.

SCHOFIELD, R. F.; AMODEO, M. "Interdisciplinary teams in health care and human service settings: are they effective?" *Health and Social Work*, v. 24, p. 210-19, 1999.

STRAUB, R. *Psicologia da saúde*. Porto Alegre: Artmed, 2005.

4. Morte, equipe de saúde e formação profissional: questões para atuação do psicólogo

ROBERTA ALBUQUERQUE FERREIRA
ELIZABETH QUEIROZ

A VIVÊNCIA DA PROXIMIDADE da morte aparece diretamente relacionada à noção de rompimento de vínculos e tem efeitos no indivíduo, na família, na equipe de saúde e na comunidade. Este capítulo tem como objetivo discutir aspectos relacionados à formação e à atuação do psicólogo da saúde, no contexto específico de cuidados paliativos, privilegiando publicações nacionais disponíveis. A inserção histórica desse profissional na área de saúde e a crescente ampliação do trabalho desenvolvido evidenciam necessidades de capacitação que garantam intervenções tecnicamente fundamentadas e atualizadas. Neste texto, destaca-se as implicações para abordagem de pacientes fora de possibilidades terapêuticas de cura. Os aspectos psicológicos relativos à inter-relação paciente-família-equipe são ressaltados em função de sua complexidade e repercussão para o trabalho do psicólogo, em especial para as questões de comunicação, que representam tema relevante para a qualidade do cuidado. Finalmente, a formação do psicólogo é discutida em termos de perspectivas e desafios vinculados à prática de cuidados paliativos.

A PSICOLOGIA DA SAÚDE E O CONTEXTO DE CUIDADOS PALIATIVOS

PESQUISA SOBRE O EXERCÍCIO profissional da psicologia no Brasil (Bastos e Gondim, 2010) evidencia que a área da saúde é a segunda área de inserção de psicólogos e a terceira com maior índice de dedicação exclusiva. Esses dados caracterizam uma realidade de atuação que demanda formação diferenciada para atender às necessidades do campo, descritas por diferentes autores desde a década de 1980 (Matarazzo, 1980; Taylor, 2000; Straub, 2005).

De acordo com Bardagi *et al.* (2008), a maioria dos psicólogos que trabalha na área da saúde não está preparada para atuar fora dos contextos tradicionais porque sua formação privilegia o modelo clínico psicoterapêutico. Segundo as autoras, com o crescimento da atuação em instituições de saúde, principalmente no setor público, a formação em psicologia precisa contemplar conhecimentos que oportunizem a atuação em contextos diferenciados de intervenção.

A demanda de atuação para o psicólogo da saúde é grande, além das instituições de saúde, como espaços de referência física, existem os programas de atenção integral que carecem de perspectiva de funcionamento baseada nas noções de promoção de saúde e prevenção de doenças, amplamente fundamentadas na perspectiva de desenvolvimento de programas de adesão a propostas terapêuticas, dependentes de características individuais e do contexto de atendimento.

Em 2002, Miyazaki *et al.* já destacavam que o futuro da área de psicologia da saúde depende da formação de profissionais capazes de associar atividades de ensino, pesquisa e extensão. Além disso, afirmavam que o desenvolvimento e o fortalecimento do campo também estão relacionados à utilização, por parte dos psicólogos da saúde, de estratégias de intervenção e avaliação embasadas cientificamente, bem como da elaboração de análises de custo e benefício das atividades realizadas, em virtude da pressão por redução de despesas no sistema de saúde.

A realidade é que no Brasil a inserção do profissional de psicologia no campo da saúde foi caracterizada pela aplicação de referenciais teórico-metodológicos e práticas tradicionais, sem a preocupação relacionada à compatibilidade desses modelos com as especificidades da área (Yamamoto e Cunha, 1998; Yamamoto, Trindade e Oliveira, 2002).

A despeito das considerações a favor da falta de treinamento para o exercício profissional em saúde, é bem verdade que, ao longo do tempo, diversos pesquisadores têm sistematizado objetivos de intervenção em diferentes locais de atuação, evidenciando maior qualificação do trabalho do psicólogo e crescente inserção nas equipes de saúde. Isso tem levado à possibilidade de contribuições importantes por meio de intervenções voltadas para as reações emocionais diante do diagnóstico e do prognóstico, avaliações específicas e acompanhamento do paciente e de sua família. Para Franco (2008), no Brasil, a psicologia da saúde já conquistou um espaço de respeito e os profissionais da área têm se destacado por intervenções adequadas e precisas com a unidade de cuidados, tanto no atendimento pediátrico como no de adultos e idosos, nas mais diferentes áreas de atuação.

Diante das especificidades de intervenções na área da saúde, cabe ainda ressaltar que a inserção do psicólogo trouxe para esse profissional uma necessidade de trabalho com a morte, não diretamente atendida por sua formação. Segundo Tonetto e Gomes (2005, p. 283), entre as principais demandas recebidas por psicólogos que atuam em hospitais está "o enfrentamento de situações de risco, morte e luto".

A complexidade relacionada à morte e ao morrer, a inevitabilidade do fato e os estudos da área trazem a necessidade de que a questão seja abordada para que pacientes e familiares não se sintam afetados pela negação da morte pela área técnica. Segundo Kovács (2003), só recentemente os cursos de formação de profissionais da área de saúde têm aberto espaço para a discussão sobre a morte. Muitos jovens profissionais ainda são treinados para controlar seus sentimentos e não se envolver com os pacientes.

A expectativa de que os profissionais de saúde tenham um comportamento de distanciamento diante do paciente terminal é irreal e incompatível com a condição humana. Não há possibilidade de estar em contato com alguém, sem a perspectiva de formação de vínculo. A falta de preparo pode levar a uma descaracterização do tipo de relação estabelecida e pode acarretar consequências para todos os envolvidos.

De acordo com Barros (2007a), as intervenções psicológicas em pacientes com doenças agudas, crônicas e fora de possibilidades terapêuticas de cura têm contribuído para que eles encontrem respostas adaptativas de enfrentamento.

O trabalho com pacientes fora de possibilidades terapêuticas de cura é fundamentado nos princípios denominados cuidados paliativos. De acordo com a Organização Mundial de Saúde – OMS (World Health Organization, s.d.), os cuidados paliativos têm como objetivo a melhora da qualidade de vida de pacientes e familiares que estão enfrentando problemas associados ao tratamento de doenças, por meio da prevenção e do alívio do sofrimento, identificando precocemente, avaliando e tratando da dor e de outros problemas físicos, psicossociais e espirituais. Para a OMS (World Health Organization, s.d.), são objetivos dos cuidados paliativos: promover o alívio da dor e de outros sintomas de angústia; afirmar a vida e considerar a morte um processo natural; não apressar nem postergar a morte; integrar os aspectos espirituais e os psicológicos no cuidado do paciente; oferecer um sistema de suporte para ajudar o paciente a viver ativamente tanto quanto possível até a sua morte e para ajudar a família no enfrentamento durante a doença do paciente, além de utilizar uma equipe para identificar as necessidades dos pacientes e de suas famílias, incluindo a elaboração do luto.

Corroborando os objetivos destacados, Guimarães (2008a) aponta que os princípios dos cuidados paliativos envolvem atitude ao cuidar e boa comunicação. A atitude ao cuidar englobaria a consideração com a individualidade e com as diferenças culturais dos pacientes; a escolha de um local de cuidados adequado; a inclusão do paciente e de sua família nas discussões acerca do caso e a demonstração, por parte do profissional de saúde, do quanto ele se importa com o paciente. Os aspectos que caracterizam a boa comunicação serão discutidos com mais profundidade neste capítulo, no tópico relativo à inter-relação paciente-família-equipe.

Embora os objetivos e os princípios relativos aos cuidados paliativos já estejam delineados, sua operacionalização não é tão simples. A consecução do estabelecido esbarra em questões que envolvem treinamento técnico, filosofia institucional, valores e crenças dos profissionais, além de aspectos interpessoais relacionados ao paciente, à família e à equipe.

A introdução de conceitos relacionados aos cuidados paliativos na equipe de saúde tem se constituído como uma tarefa árdua e que requer tempo e conscientização, pois representa uma mudança de concepções enraizadas na formação desses profissionais, voltada para a cura das doenças (Kurashima e Camargo, 2007). É necessário, segundo Guimarães (2008a), que o conceito de cuidados paliativos seja explicado a pacientes, familiares e equipe, para que se acabe com os estigmas criados pela expressão.

É viável proporcionar ao paciente a possibilidade de viver o momento de sua morte de forma mais natural, sem a utilização excessiva de equipamentos e com a presença de pessoas que representem laços afetivos significativos. Essa combinação configuraria uma abordagem ampla de cuidados físicos e emocionais.

Para que a atenção integral ao paciente ocorra, faz-se necessário que a equipe de cuidados paliativos conte com profissionais de diversas áreas, como: medicina, enfermagem, psicologia, serviço social, fisioterapia, terapia ocupacional, nutrição e farmácia. A contribuição das diversas especialidades ajuda na identificação do momento ideal para atendimento das reais necessidades do paciente em fase terminal. Vale ressaltar que a integração dos conhecimentos advindos das áreas das quais fazem parte os profissionais de uma equipe de cuidados paliativos deve ser construída, pois, a princípio, não existe. Para isso, é necessário que todos atuem conjuntamente, explorando as interfaces existentes entre as áreas, que toda a equipe tenha uma noção clara do limite de seu trabalho e uma noção real do processo pelo qual o paciente está passando (Riba e Dias, 2008a).

Franco (2008) destaca que, por ser parte da equipe multiprofissional que atua na área de cuidados paliativos, a contribuição do psicólogo acontece em diversas atividades, a partir de preceitos advindos de uma visão biopsicossocial de saúde. Suas ações não se restringem ao paciente, devem incluir a família e a equipe, uma vez que esta necessita manter o equilíbrio nas suas relações e encontrar vias de comunicação que permitam a troca e o conhecimento, considerando os diferentes saberes.

Ainda que os alicerces para uma atuação comprometida tanto na parte técnica como na científica estejam estabelecidos, a consideração dos aspectos psicológicos envolvidos na relação de cuidado em saúde é essencial para a efetividade do tratamento, especialmente quando a cura não é mais o objetivo a ser atingido. Variáveis do paciente, da família e da equipe influenciam de forma decisiva a condução dos casos e precisam ser compreendidas dentro da perspectiva de qualidade de vida, levando em conta a necessidade de bem viver até o momento da morte.

ATUAÇÃO DO PSICÓLOGO NO CONTEXTO DE CUIDADOS PALIATIVOS: INTER-RELAÇÃO PACIENTE-FAMÍLIA-EQUIPE

Estudos têm demonstrado que fatores sociais e psicológicos influenciam o funcionamento biológico e desempenham papel fundamental na saúde e na doença (Ogden, 1996; Taylor, 2000). A inclusão desses fatores fornece uma abordagem que leva em conta as qualidades humanas, tanto do paciente quanto do profissional de saúde no estabelecimento de objetivos de intervenção (Sheridan e Radmacher, 1992).

Nesse modelo de atuação em saúde, os profissionais contribuem com seu treinamento técnico, conhecimento e experiência relativa a diagnóstico e manejo das condições do paciente, incluindo o entendimento das alternativas de tratamento disponíveis. Os pacientes, por sua vez, trazem o conhecimento de seus valores e objetivos individuais, através dos quais os riscos e os benefícios de várias opções de tratamento podem ser avaliados. O comportamento do indivíduo passa a ser visto como fator decisivo para a manutenção da saúde, bem como para a origem e a evolução da doença (Vasquez, Rodriguez e Alvarez, 1998). Assim, a seleção do melhor tratamento para um paciente específico requer a contribuição das duas partes.

Neste ponto, cabe a consideração de que, em casos crônicos, muitas decisões envolvem reduzida possibilidade de opções relacionadas a diagnósticos e tratamentos e grande incerteza sobre as respostas e os atributos múltiplos para a comparação de opções, como a permuta entre qualidade e duração da vida, gerando estresse considerável nos momentos de definição da conduta terapêutica.

No tocante às discussões relativas aos processos de tomada de decisão em cuidados paliativos, Kurashima e Camargo (2007) recomendam que a abordagem seja realizada com empatia e respeito, auxiliando a criação de um relacionamento forte e verdadeiro com pacientes e familiares. Contudo, também chamam a atenção para a possibilidade de conflitos entre os profissionais de saúde e o paciente e sua família e a necessidade de preparação da equipe para esse tipo de situação. As autoras destacam ainda que sentimentos dos profissionais de saúde podem interferir em suas discussões com pacientes e familiares e que, por isso, é importante que os membros da equipe tenham um espaço de discussão sobre seus sentimentos. Soma-se a isso o fato de que o medo do abandono e a sensação de insegurança podem ser maiores que o medo da sua morte, sendo essencial que o paciente se sinta amparado, apoiado e seguro no relacionamento com os membros da equipe (Guimarães, 2008a).

Muitas vezes a família toma para si a responsabilidade pelo processo de decisão relativo ao tratamento. Essa posição pode representar um estresse adicional para os profissionais, uma vez que a proximidade da morte não significa ausência da capacidade crítica e de resolução de problemas. Nesse momento, a intervenção perante a família é essencial, de modo que garanta a autonomia do paciente. É importante discutir as diferentes opções, que todos os envolvidos sejam convidados a participar (equipe, paciente e família) e que se explique que os objetivos definidos para determinado momento do cuidado podem ser modificados ao longo do acompanhamento (Kurashima e Camargo, 2007).

O despreparo decorrente de uma formação não dirigida para as questões da morte e do morrer faz com que boa parte das condições definidas como necessárias para o encaminhamento do tratamento não seja atingida. Isso pode ocorrer pelo desconhecimento da melhor abordagem e/ou pela crença de que o paciente ficará melhor se não tiver de lidar diretamente com o fato. O psicólogo bem fundamentado teoricamente poderá contribuir tanto com o esclarecimento à equipe e aos familiares sobre a relevância da inclusão do paciente nesse processo, quanto com a abordagem direta aos pacientes após comunicação de diagnóstico ou prognóstico.

Kurashima e Camargo (2007) sugerem que um profissional honesto, aberto e disposto a ouvir pode ter mais facilidade para conversar com pacientes e familiares acerca das decisões difíceis que precisam ser tomadas ao longo de um tratamento. Cabe um comentário de que os aspectos sugeridos pelas autoras evidenciam a necessidade de maturidade pessoal e profissional, variáveis para cada indivíduo. Essa talvez seja a maior dificuldade da capacitação profissional: como desenvolver aspectos subjetivos dentro de uma perspectiva coletiva de cuidados?

Para que o relacionamento equipe-família-paciente seja caracterizado por empatia e honestidade, é necessário que os profissionais de saúde desenvolvam uma série de habilidades. Entre elas, pode-se citar: aprender a escutar o paciente e os seus familiares; comunicar tanto o diagnóstico quanto o prognóstico de forma clara, simples e precisa; transmitir informações acerca do tratamento com detalhes, sem perder a clareza, sem entrar em terminologia excessivamente técnica e ajudando a família a entender os riscos e benefícios de cada etapa. Por fim, a equipe deve encontrar o equilíbrio necessário para seguir trabalhando, apesar do sofrimento que enfrenta ao cuidar de pacientes fora de possibilidades terapêuticas de cura (Deheinzelin, 2007).

Conforme anteriormente abordado, a intervenção em contexto de cuidados paliativos tem como objetivo a promoção do bem-estar e a minimização do sofrimento psicológico do paciente e de sua família. Oferecer assistência psicológica em contextos de cuidados paliativos significa cuidar do paciente "junto com sua família, dentro da família e, algumas vezes, por meio da família" (Barros, 2007b, p.177-78).

É amplamente reconhecido que as reações dos familiares influenciam de forma determinante os pacientes. Torna-se imprescindível então proporcionar oportunidades para que os familiares vivenciem seus conflitos relacionados à doença do paciente. Segundo Riba e Dias (2008b), quando a família está equilibrada emocionalmente, a qualidade de vida do paciente melhora. Para os autores, as reações psicológicas dos pacientes em cuidados paliativos revelam o fato de que estão diante de um acontecimento de alto impacto emocional e de risco de morte – doença com prognóstico reservado, o que modifica sua forma de agir e pensar.

Os modelos sistêmicos voltados para a compreensão de doenças graves, incluindo as de prognóstico ruim, reconhecem que os pontos fortes das famílias, assim como os fracos, afetam tanto o curso da doença do paciente quanto a saúde dos membros do grupo familiar (Marwit, 1997).

Atualmente, em função da maior eficiência dos sistemas de tratamento, indivíduos com patologias crônicas tendem a sobreviver por períodos cada vez mais prolongados. Por esse motivo, os cuidadores têm se tornado figuras relevantes à continuidade do processo de atenção integral aos pacientes (Araújo *et al.*, 2009), vivenciando e alterando a dinâmica das famílias. No entanto, a atenção dos profissionais de saúde ainda é voltada, na maior parte das vezes, à pessoa em tratamento; são poucos os estudos no país que têm por objetivo identificar problemas e necessidades psicossociais dos cuidadores de pacientes com doenças crônicas.

Para Barros (2007b), o papel da psicologia em relação a cuidadores e familiares de pacientes em cuidados paliativos deve ser o de estar constantemente ao lado deles, envolvê-los em discussões e dar respostas consistentes e apropriadas às suas questões. Além disso, também é importante fornecer-lhes assistência e suporte, ajudar no que for necessário e fortalecê-los para que encontrem suas próprias estratégias para enfrentar a situação. Nesse sentido, a autora ressalta ainda a importância de fazer uma avaliação psicossocial como rotina, com o objetivo de acompanhar o processo de enfrentamento e o ajustamento de cuidadores e familiares ao longo da trajetória da doença. A partir desse dado, torna-se possível oferecer um suporte adequado, considerando a dinâmica de cada família. É imprescindível a consideração dos aspectos observados pelos diferentes membros da equipe, tanto em relação a aspectos da doença e do tratamento quanto às especificidades de cada paciente e dos familiares.

Ressalta-se a importância da interdisciplinaridade no tratamento de pacientes fora de possibilidades terapêuticas de cura, visto que a doença e o próprio tratamento atingem dimensões biopsicossociais e espirituais. É frequente que nesse momento as questões religiosas ganhem destaque. Cabe ao profissional de saúde reconhecer e respeitar a religiosidade de cada paciente, saber ouvir a demanda implícita e não tentar impor a própria crença (Seixas, 2007).

Guimarães (2008b) evidencia o impacto emocional da condição de terminalidade, ao estabelecer as responsabilidades da equipe com essa clientela: ajudar o paciente a se posicionar diante da possibilidade da morte; proporcionar-lhe uma morte digna; continuar oferecendo a mesma atenção que lhe foi dada desde o

FORMAÇÃO E ROMPIMENTO DE VÍNCULOS

início da doença; responder às suas necessidades nas dimensões física, psicológica, social e espiritual. Além disso, é importante que os profissionais também estejam preparados para serem confrontados com dilemas existenciais dos pacientes que podem gerar respostas emocionais neles mesmos. Para Riba e Dias (2008b), são atribuições do profissional de psicologia que compõe uma equipe de cuidados paliativos: acompanhar processos de acolhimento e reflexão sobre a prática cotidiana, prestar atendimento a pacientes, familiares e cuidadores, evoluir em prontuário, discutir casos, facilitar a comunicação paciente-família-equipe e desenvolver protocolos assistenciais que viabilizem estudos, dentro de uma perspectiva de cuidado e humanização.

Kovács (2003) considera também fundamental que o psicólogo ajude o paciente a resgatar sua capacidade de desejar aquilo que considera importante, mesmo no fim da vida; favoreça descobertas do paciente sobre si mesmo, até o momento da morte; trabalhe o aprofundamento de relações significativas para o paciente; permita a expressão e a conclusão de assuntos inacabados na vida do paciente; estimule a busca de seus recursos internos; incentive a ressignificação das suas experiências de vida e promova sua autonomia, sua dignidade como ser humano e o exercício de sua competência.

Para Gorayeb (2001), quando o psicólogo apresenta uma boa compreensão do processo de morrer, encontra-se com maiores habilidades para intervir perante a equipe, caso esta não esteja se posicionando bem diante da morte e com seus pacientes.

Em relação à maneira como a equipe encara a morte dos pacientes, Ferreira *et al.* (2009) verificaram que o psicólogo geralmente é requerido para solucionar situações difíceis, que incomodam os outros profissionais da saúde. Para as autoras, isso caracteriza uma demanda adicional de cuidados bastante questionável, uma vez que o lidar com a complexidade envolvida nessa condição é responsabilidade de todos.

Entre as estratégias que podem ser aplicadas pelo profissional de psicologia para manter a saúde mental dos membros da equipe estão a manutenção de uma cultura de cuidados paliativos; a formação dos profissionais, que devem ter habilidades de comunicação e gerenciamento desenvolvidas; a supervisão e a disponibilização de serviço de psicologia independente, que possa receber as demandas pessoais de cada membro da equipe. Isso porque o trabalho com pacientes fora de possibilidades terapêuticas de cura, muitas vezes, gera ansiedade e sobrecarga emocional nos profissionais da equipe. Faz-se, então, necessária a organização de discussões acerca das vivências de cada um, para que essas questões possam ser trabalhadas (Kovács, 2003; Riba e Dias, 2008a). Além disso, Kovács (2003) defende que a inexistência desse espaço pode produzir adoecimento no profissional que lida em seu cotidiano com a questão da morte.

A realização dessas discussões pode evitar que o profissional lance mão de algumas defesas para tentar lidar com o estresse causado pelo trabalho com a morte, como: fragmentação da relação com o paciente; despersonalização e negação da importância da pessoa; distanciamento e repressão de sentimentos e até mesmo não responsabilização pelas decisões tomadas (Pitta, 1994).

Em outras palavras, as dificuldades relativas à organização e à estruturação dos serviços em saúde têm implicação considerável para as habilidades e as competências exigidas para a atuação do profissional da área. O curioso é que a formação atual esteja focada em questões ditas técnicas, mais que nas questões voltadas para os fatores interpessoais que definem a relação profissional de saúde-paciente-família/cuidador.

Camargo e Kurashima (2007) afirmam que a comunicação pode ser considerada a parte mais importante da atuação do profissional de saúde, e, quando relacionada aos cuidados paliativos, passa a representar um desafio para toda a equipe interdisciplinar. De acordo com as autoras, uma boa comunicação entre os profissionais de saúde e os pacientes em cuidados paliativos permite que estes expressem suas emoções e encontrem meios para enfrentar suas doenças, melhorando muito sua qualidade de vida.

É amplamente reconhecido o impacto que a comunicação de diagnóstico e de prognóstico tem sobre pacientes e familiares. Independentemente do conteúdo, sabe-se que a forma, o momento e o local da comunicação fazem muita diferença, bem como as habilidades dos profissionais responsáveis pelo caso, que não podem ignorar que as comunicações não verbais são tão importantes quanto o conteúdo verbal a ser transmitido, sendo necessária a congruência entre elas de forma a manter a credibilidade da informação.

Em cuidados paliativos, a atuação relacionada à comunicação requer que o profissional de psicologia também tenha conhecimento do grau de entendimento do paciente sobre a morte (Barros, 2007a). A falta de informação e/ou uma comunicação deficiente podem conduzir a um sentimento de insegurança em relação à doença, ao prognóstico e à equipe de saúde. A maneira pela qual um paciente vai reagir a uma notícia relacionada ao seu diagnóstico ou ao seu tratamento é diretamente influenciada pela forma como a informação lhe é transmitida (Riba e Juver, 2008).

Em relação aos aspectos psicológicos relacionados aos pacientes em cuidados paliativos, Costa (2007) aponta que a presença de patologias psiquiátricas prévias ou de dificuldades relacionadas a traços ou transtornos de personalidade prévios podem trazer dificuldades adicionais e devem receber acompanhamento especializado e individualizado. Ainda de acordo com Costa (2007), os questionamentos, por parte dos pacientes, em relação à condição de ausência de recursos terapêuticos curativos podem acontecer e a conduta do profissional de psicologia diante desse tipo de colocação deve ser a escuta acolhedora, pois qualquer tentativa de resposta traria em si conteúdo relacionado à experiência pessoal do psicólogo.

Diante do exposto, cabe uma reflexão sobre as questões relacionadas à formação do psicólogo para a atuação em cuidados paliativos.

FORMAÇÃO DO PSICÓLOGO PARA ATUAÇÃO EM
CUIDADOS PALIATIVOS: PERSPECTIVAS E DESAFIOS

Ferreira et al. (2009) realizaram um levantamento das nove instituições de ensino de psicologia graduadas com nota cinco no Exame Nacional de Desempenho de Estudantes (Enade) de 2006, buscando em cada currículo acadêmico a existência de disciplinas específicas e/ou tópicos em outras disciplinas sobre a temática da interface entre psicologia e morte/morrer, além da presença ou ausência de disciplina específica para a psicologia da saúde e sua obrigatoriedade ou não no currículo. Foram identificadas poucas disciplinas ligadas à saúde e, mais especificamente, ao trabalho do profissional de psicologia com a morte. Até mesmo em disciplinas ligadas à área da saúde, o tema morte não está incluído em seu conteúdo programático. Isso corrobora a necessidade de que o assunto seja abordado e inserido nos currículos dos cursos de graduação de psicologia do país.

Esses dados evidenciam a carência da área de forma ampla, mas é necessário considerar trabalhos importantes realizados por profissionais e instituições acadêmicas de diferentes regiões. Há registros de que, em 1981, a professora Wilma da Costa Torres criou o primeiro curso de especialização em tanatologia no Instituto de Seleção e Orientação Profissional (Isop) da Fundação Getulio Vargas. Em 1985, Maria Júlia Kovács criou uma disciplina optativa para a formação de psicólogos do Instituto de Psicologia da Universidade de São Paulo (USP), chamada "Psicologia da morte". Desde 1996, a Pontifícia Universidade Católica de São Paulo (PUC-SP) conta com o Laboratório de Estudos e Intervenções sobre o Luto (LELu), fundado e coordenado pela professora Maria Helena Pereira Franco. O Programa de Pós-graduação do Instituto de Psicologia da Universidade de Brasília (UnB) conta com produções relacionadas ao tema (http://bdtd.bce.unb.br/tedesimplificado/index.php). Além disso, nos últimos anos, há oferta de disciplinas específicas no curso de graduação em psicologia e uma disciplina especialmente dirigida para outros cursos da área de saúde intitulada Psicologia Aplicada à Saúde.

Para Marwit (1997), psicólogos interessados em atuar em contextos de cuidados paliativos devem receber treinamento em medicina do comportamento e teorias sistêmicas, em geral, tanatologia e terapia do luto, em particular. O treino em dinâmicas de grupo também seria útil para o trabalho sistêmico com as famílias e para o fornecimento de informações sobre o funcionamento da equipe multiprofissional. A familiaridade com a literatura sobre morte e morrer aplicada à psicologia também é considerada essencial.

Silva (1992) levanta aspectos relativos à formação em psicologia, visando contribuir na preparação da área clínica para atuação na saúde pública. A autora ressalta que a imagem social mais conhecida do psicólogo é a do clínico e que os cursos tendem a oferecer mais possibilidades de formação dentro desse modelo, retroalimentando essa imagem social mais conhecida. Esse processo acaba gerando atraso na detecção das mudanças necessárias para inserção do psicólogo em outros campos – a saúde pública, por exemplo.

No Brasil, para a formação de um profissional ciente das interfaces de sua atuação em saúde com as políticas públicas na área, faz-se necessária ainda a discussão acerca dos princípios e das diretrizes do Sistema Único de Saúde (SUS). Vale ressaltar que esse debate é condizente com um dos objetivos da psicologia da saúde propostos por Matarazzo (1980): cabe ao profissional que atua na área a promoção de políticas e o aprimoramento do sistema de saúde pública. No caso do estudante que se prepara para o trabalho com pacientes fora de possibilidades terapêuticas de cura, a discussão deve focar as políticas públicas voltadas para essa população específica. Além disso, outro aspecto relevante do treinamento desse futuro profissional se refere ao seu relacionamento com os pacientes. A sensibilidade para identificar e lidar com fatores psicossociais que podem interferir na adesão e no enfrentamento dos pacientes é tão importante quanto o seu preparo teórico. Assim se forma um profissional pronto a realizar atendimentos humanizados.

Dentro da perspectiva de humanização em saúde, os princípios éticos de autonomia, não maleficência, beneficência e justiça funcionam como diretrizes que ajudam a entender as implicações morais envolvidas na prática clínica. No contexto de cuidados paliativos, o profissional de psicologia deve se guiar por questões relacionadas ao aqui e agora, devendo centrar sua atuação na identificação de problemas ou conflitos que podem ser solucionados de forma a auxiliar a difícil tarefa de melhorar a tomada de decisão individual e social nos ambientes de saúde, uma vez que muitos dos princípios morais são difíceis de serem implementados.

Também se destaca a necessidade de estágios supervisionados em instituições hospitalares que possuam serviços de cuidados paliativos. É na prática que o estudante vai ter condições de ampliar sua formação. Esse tipo de experiência permitiria ao futuro psicólogo, por exemplo:

a) o desenvolvimento de habilidades de trabalho em equipes multiprofissionais, incluindo o aprendizado na identificação de situações que podem requerer intervenção da psicologia com os membros da equipe;

b) o contato com pacientes em situação de proximidade com a morte e com seus familiares, com destaque para o desenvolvimento de habilidades de comunicação com eles;

c) a proximidade com o processo de morte dos pacientes, o que contribuiria para a reflexão do estudante acerca de sua forma de lidar com perdas.

Para Nydegger (2008), o treino e a educação que os psicólogos recebem os tornam membros valiosos no contexto de cuidados paliativos, pois capacitam o profissional de psicologia a desenvolver atividades como as seguintes: envolvimento clínico, pesquisa, supervisão e consultoria, planejamento de programas e administração, *staff* e suporte administrativo. O autor destaca que historicamente, entretanto, os psicólogos não têm tido muita presença em serviços que prestam cuidados a pacientes no final da vida. Embora esse seja um dado da realidade americana, parece que no Brasil o mesmo acontece.

Conforme foi salientado, o psicólogo que deseja lidar com pacientes terminais deve apresentar boa compreensão e aceitação do processo de morrer para ser capaz de ajudar o outro a morrer. A clareza para lidar com a morte, tema que constitui um tabu na cultura ocidental, facilita o trabalho do psicólogo com a equipe e também com os pacientes (Gorayeb, 2001).

Segundo Franco (2008), para que o psicólogo utilize sua experiência no âmbito de cuidados paliativos, ele deve estar atento para alguns fatos. Supondo-se que já tenha desenvolvido habilidades relacionadas à escuta ativa, ao suporte diante de limites decorrentes do adoecimento, à comunicação, ao conhecimento técnico sobre as situações que deverá enfrentar com pacientes e familiares ao longo do tratamento, ao desenvolvimento de estratégias de enfrentamento condizentes com a realidade do paciente, a essas habilidades deverão se somar aquelas relacionadas às questões do final da vida.

Como exposto, diferentes autores focalizam objetivos e condições diversas para a atuação do psicólogo no contexto de cuidados paliativos. Contudo, existe um consenso de que o profissional deve ter bom embasamento teórico, conhecimento das implicações éticas de seus atos, habilidades de entrevista e registro, preparação para o trabalho em equipe, reconhecimento da sua visão pessoal da morte e implicações para sua atuação.

Enquanto ciência, a psicologia tem a oportunidade de desenvolver modelos preditivos para as preferências dos pacientes relacionados às comunicações de diagnóstico e prognóstico, baseados na personalidade deles, em suas expectativas e estilos de enfrentamento (Marwit, 1997).

Em uma perspectiva de atenção integral no final da vida, pode-se dizer que não há um modelo de intervenção psicológica que seja considerado padrão. De forma resumida, o psicólogo deve possibilitar que o paciente externalize sentimentos e emoções. O princípio básico da psicologia seria o de estar atento às necessidades do paciente. É fundamental ouvir o que os pacientes falam e como eles falam, procurando entender as mensagens que querem transmitir. Somente assim é possível identificar suas preocupações e necessidades e, a partir daí, oferecer o suporte apropriado (Barros, 2007a).

A questão da formação para atuação nessa área deve ser cuidadosamente garantida pelas unidades acadêmicas, uma vez que a responsabilidade profissional é grande e outras categorias também têm dificuldades na formação mais ampla de seus profissionais. Segundo pesquisas, médicos e enfermeiros, apesar de também conviverem com a morte em seu ambiente profissional, não têm o devido preparo para lidar com essa situação.

Hoffmann (1993) afirma que os médicos, apesar de estarem mais próximos da realidade da morte em sua prática cotidiana, também não estão aptos para essa vivência. A formação dos profissionais de medicina tende a imprimir uma visão impessoal e puramente biológica da questão da morte. Apesar de a literatura abordar essa problemática do relacionamento dos médicos com a morte, as escolas de medicina não se manifestam sobre a necessidade de discussão dessa temática.

Starzewski Jr., Rolim e Morrone (2005), por exemplo, destacam que a formação médica em relação à morte precisa ser aprimorada, visando melhor adequação das tarefas do profissional com pacientes terminais e seus familiares.

Shimizu (2007) recomenda a criação de espaços interdisciplinares nos hospitais e maior ênfase ao tema da morte nos cursos de formação dos profissionais de enfermagem.

Os dados obtidos por Ferreira *et al.* (2009) também mostram dificuldades de gerenciamento e administração dos recursos humanos caracterizadas por excesso de demanda/falta de profissionais, dificuldade de inserção do psicólogo na equipe, desarticulação entre membros da equipe, não reconhecimento da profissão por outros profissionais, inexistência de uma estrutura de funcionamento em equipe, más condições físicas de trabalho (como falta de sala, de banheiro, de ventilação, de isolamento acústico). Considerando-se os sentimentos dos psicólogos entrevistados, averiguou-se que lidar com a morte gerou sofrimento nos participantes, principalmente se o caso já era acompanhado há algum tempo. O sentimento de angústia por não saber como agir em relação aos familiares dos pacientes também foi citado. Os psicólogos relataram, ainda, sentir compaixão pelos familiares dos pacientes.

A carência evidenciada na formação do psicólogo permite a conclusão de que é preciso repensar o conceito de cuidado terapêutico e trabalhar para que o paciente seja atendido de forma integral. Quando o uso de altas tecnologias representa o diferencial de treinamento oferecido aos profissionais e a única alternativa de interação com o paciente fora de possibilidades terapêuticas e/ou terminal, as consequências aparecem tanto para o paciente, quanto para seus familiares e para os profissionais de saúde.

REFERÊNCIAS BIBLIOGRÁFICAS

ARAÚJO, L. Z. S. *et al.*. "Cuidador principal de paciente oncológico fora de possibilidade de cura, repercussões deste encargo". *Revista Brasileira de Enfermagem*, Brasília, v. 62, n. 1, p. 32-7, jan./fev. 2009.

BARDAGI, M. P. *et al.* "Avaliação da formação e trajetória profissional na perspectiva de egressos de um curso de psicologia". *Psicologia Ciência e Profissão*, Brasília, v. 28, n. 2, p. 308-15, jun. 2008.

BARROS, E. N. "Equipe interdisciplinar: psicologia". In: CAMARGO, B.; KURASHIMA, A. Y. (orgs.). *Cuidados paliativos em oncologia pediátrica: o cuidar além do curar*. São Paulo: Lemar, 2007a, p. 76-84.

_____. "Aspectos psicológicos no cuidado paliativo: aspectos psicológicos relacionados ao cuidador/família". In: CAMARGO, B.; KURASHIMA, A. Y.

(orgs.). *Cuidados paliativos em oncologia pediátrica: o cuidar além do curar.* São Paulo: Lemar, 2007b, p. 175-86.

BASTOS, A. V. B.; GONDIM, S. M. G. (orgs.). *O psicólogo e o seu trabalho no Brasil.* Porto Alegre: Artmed, 2010.

CAMARGO, B.; KURASHIMA, A. Y. "Comunicação". In: CAMARGO, B.; KURASHIMA, A. Y. (orgs.). *Cuidados paliativos em oncologia pediátrica: o cuidar além do curar.* São Paulo: Lemar, 2007. p. 111-38.

COSTA, C. L. "Aspectos psicológicos no cuidado paliativo: aspectos psicológicos relacionados ao paciente". In: CAMARGO, B.; KURASHIMA, A. Y. (orgs.). *Cuidados paliativos em oncologia pediátrica: o cuidar além do curar.* São Paulo: Lemar, 2007. p. 171-74.

DEHEINZELIN, D. "Cuidados paliativos em unidade de terapia intensiva". In: CAMARGO, B.; KURASHIMA, A. Y. (orgs.). *Cuidados paliativos em oncologia pediátrica: o cuidar além do curar.* São Paulo: Lemar, 2007. p. 101-9.

FERREIRA, R. A. *et al.* "Percepção da morte por psicólogos da saúde: discrepâncias entre o conhecimento do tema e as exigências do dia a dia". Painel apresentado na XXXIX Reunião Anual da Sociedade Brasileira de Psicologia, Goiânia, GO, 2009.

FRANCO, M. H. P. "Multidisciplinaridade e interdisciplinaridade: psicologia". In: *Cuidado paliativo.* São Paulo: Conselho Regional de Medicina do Estado de São Paulo, 2008. p. 74-6.

GORAYEB, R. "A prática da psicologia hospitalar". In: MARINHO, M. L.; CABALLO, V. E. (orgs.). *Psicologia clínica e da saúde.* Londrina/Granada: UEL/APICSA, 2001. p. 263-78.

GUIMARÃES, R. M. "Filosofia dos cuidados paliativos". In: SALTZ, E.; JUVER, J. (orgs.). *Cuidados paliativos em oncologia.* Rio de Janeiro: Senac Rio, 2008a. p. 13-23.

_____. "Médicos". In: SALTZ, E.; JUVER, J. (orgs.). *Cuidados paliativos em oncologia.* Rio de Janeiro: Senac Rio, 2008b. p. 37-46.

HOFFMANN, L. "A morte na infância e sua representação para o médico: reflexões sobre a prática pediátrica em diferentes contextos". *Cadernos de Saúde Pública*, Rio de Janeiro, v. 9, n. 3, p. 364-74, jul./set. 1993.

KOVÁCS, M. J. *Educação para a morte: desafio na formação de profissionais de saúde e educação.* São Paulo: Casa do Psicólogo/Fapesp, 2003.

KURASHIMA, A. Y.; CAMARGO, B. "Cuidados paliativos: aliviar sem curar". In: CAMARGO, B.; KURASHIMA, A. Y. (orgs.). *Cuidados paliativos em oncologia pediátrica: o cuidar além do curar.* São Paulo: Lemar, 2007. p. 41-58.

MARWIT, S. J. "Professional psychology's role in hospice care". *Professional Psychology: Research and Practice,* Washington, v. 28, n. 5, p. 457-63, 1997.

MATARAZZO, J. D. "Behavioral health and behavioral medicine: frontiers for a new health psychology". *The American Psychologist*, Washington, v. 35, n. 9, p. 807-17, 1980.

MIYAZAKI, *et al.* "Psicologia da saúde: extensão de serviços à comunidade, ensino e pesquisa". *Psicologia USP*, São Paulo, v. 13, n. 1, p. 29-53, 2002.

FORMAÇÃO E ROMPIMENTO DE VÍNCULOS

NYDEGGER, R. "Psychologists and hospice: where we are and where we can be". *Professional Psychology: Research and Practice*, Washington, v. 39, n. 4, p. 459-63, 2008.

OGDEN, J. *Health Psychology: a textbook*. Buckingham: Open University Press, 1996.

PITTA, A. *Hospital: dor e morte como ofício*. São Paulo: Hucitec, 1994.

RIBA, J. P. C.; DIAS, J. J. "Interdisciplinaridade e cuidados paliativos". In: SALTZ, E.; JUVER, J. (orgs.). *Cuidados paliativos em oncologia*. Rio de Janeiro: Senac Rio, 2008a. p. 31-5.

RIBA, J. P. C.; DIAS, J. J. "Psicólogos". In: SALTZ, E.; JUVER, J. (orgs.). *Cuidados paliativos em oncologia*. Rio de Janeiro: Senac Rio, 2008b, p. 53-60.

RIBA, J. P. C.; JUVER, J. "Como dar as más notícias". In: SALTZ, E.; JUVER, J. (orgs.). *Cuidados paliativos em oncologia*. Rio de Janeiro: Senac Rio, 2008. p. 25-9.

SEIXAS, L. M. P. "Aspectos culturais em cuidados paliativos: religião e espiritualidade". In: CAMARGO, B.; KURASHIMA, A. Y. (orgs.). *Cuidados paliativo em oncologia pediátrica: o cuidar além do curar*. São Paulo: Lemar, 2007. p. 220-30.

SHERIDAN, C. L.; RADMACHER, S. A. *Health Psychology: challenging the biomedical model*. Nova York: John Wiley & Sons, 1992.

SHIMIZU, H. E. "Como os trabalhadores de enfermagem enfrentam o processo de morrer". *Revista Brasileira de Enfermagem*, Brasília, v. 60, n. 3, p. 257-62, maio/jun. 2007.

SILVA, R. C. "A formação em psicologia para o trabalho na saúde pública". In: CAMPOS, F. C. B. (org.). *Psicologia e saúde: repensando práticas*. São Paulo: Hucitec, 1992. p. 25-40.

STARZEWSKI JR., A.; ROLIM, L. C.; MORRONE, L. C. "O preparo do médico e a comunicação com familiares sobre a morte". *Revista da Associação Médica Brasileira*, São Paulo, v. 51, n. 1, p.11-6, jan./fev. 2005.

STRAUB, R. O. *Psicologia da saúde*. Porto Alegre: Artmed, 2005.

TAYLOR, S. *Health Psychology*. Nova York: McGraw-Hill, 2000.

TONETTO, A. M.; GOMES, W. B. "Prática psicológica em hospitais: demandas e intervenções". *Psico,* Porto Alegre, v. 36, n. 3, p. 283-91, 2005.

VASQUEZ, I. A.; RODRIGUEZ, C. F.; ALVAREZ, M. P. *Manual de psicología de la salud*. Madri: Pirâmide, 1998.

YAMAMOTO, O. H.; CUNHA, I. M. F. F. O. "O psicólogo em hospitais de Natal: uma caracterização preliminar". *Psicologia Reflexão e Crítica*, Porto Alegre, v. 11, n. 2, p. 345-62, 1998.

YAMAMOTO, O. H.; TRINDADE, L. C. B. O.; OLIVEIRA, I. F. "O psicólogo em hospitais no Rio Grande do Norte". *Psicologia USP*, São Paulo, v. 13, n. 1, p. 217-246, 2002.

WORLD HEALTH ORGANIZATION. (s.d.). *Who definition of palliative care*. <http://www.who.int/cancer/palliative/definition/en/>. Acesso em: 10 de ago. 2009.

5. Instrumento de avaliação do luto e suas funções terapêuticas: a experiência em um serviço de pronto atendimento ao enlutado

AIRLE MIRANDA DE SOUZA
DANIELLE DO SOCORRO CASTRO MOURA
JANARI DA SILVA PEDROSO

A COMPREENSÃO DO LUTO NO PARADIGMA BIOPSICOSSOCIAL

O LUTO PODE SER compreendido como ampla categoria de respostas biopsicossociais esperadas diante de uma perda significativa. Configura-se em vivência inevitável e contínua, dada a diversidade de eventos que impõem um ciclo de rompimento e reconstrução ao longo do viver (Parkes, 1998).

Entre as perdas significativas, a morte de um ente querido figura como de considerável impacto, uma vez que estabelece uma ruptura relacional definitiva, a impossibilidade de estar com o outro e de experimentar as trocas desse encontro, o que exige um movimento de elaboração dos vínculos afetivos rompidos.

Bowlby (1990) denominou apego esses laços de segurança e proteção que possibilitam a existência humana, pois é a partir dos cuidados de alguém que o ser encontra o suporte para seu desenvolvimento. O apego, mais que uma estratégia de sobrevivência, é também uma interação dinâmica, de reconhecimento de si, do outro e de pertencimento a um grupo. O luto se apresenta como uma reação à ruptura do elo emocional construído, de todo o investimento afetivo existente entre a pessoa e o ente querido que se foi, daí se especular que a dimensão do luto seja proporcional ao grau do apego, considerando os afetos relacionados à perda e suas possíveis significações.

Parkes (1998) destaca o luto como uma relevante transição psicossocial, uma vez que o enlutado vivencia mudanças e reorganização no âmbito pessoal, na dinâmica familiar, social e econômica, entre outras dimensões da vida possivelmente afetadas por essa experiência. Mesmo considerando as especificidades de cada evento e a singularidade inerente ao modo como a perda é vivida e significada por cada pessoa e seu respectivo meio social, é esperado que a pessoa caminhe por um processo repleto de *nuances* e sutilezas pessoais, momento em que, por vezes, sentimentos diversos afloram, como tristeza, raiva, culpa, manifestações de protesto, amargura, saudade intensa, entre outros, que buscam uma correspondência, aproximada, em palavras de (para a) ressignificação.

A ocorrência do luto complicado envolve fatores sociais, como as situações nas quais o pesar é socialmente inexprimível, por exemplo, quando é consequente ao ato suicida, gerador de segredos quanto à causa da morte pelos membros da família, ou quando é socialmente negado e o grupo age como se a morte não houvesse ocorrido, assim como na ausência de rede de apoio social, que resulta em isolamento e favorece as reações complicadas do luto (Freitas, 2000).

Uma interpretação do curso considerado normal desse processo perpassa, então, pela compreensão e pela aceitação da perda do ente querido, a capacidade de se adaptar à condição de viver sem aquele que se foi. Esse processo é concluído quando da possibilidade de reinvestir suas emoções na vida e no viver (Ruschel, 2006). No entanto, se o processo gradual de reorganização que se impõe diante da nova configuração relacional, afetiva, psíquica, econômica, social, entre outras, que possivelmente foram rompidas com a morte do ente querido não se cumprir, e, ao contrário, houver a persistência de reações somáticas e psíquicas, a condição de luto complicado deverá ser investigada. Para Franco (2002), quando a pessoa experimenta uma desorganização prolongada que não lhe permite retomar suas atividades com a qualidade anterior à perda, é possível a vivência do luto atípico ou complicado. A reação aqui tende a ser conturbada, pois a pessoa enlutada encontra-se próxima ou mergulhada em um quadro sintomatológico permeado por rígidas limitações no viver. Algumas reações são previstas no processo normal de enlutamento, observando-se que a diferenciação para a manifestação do luto complicado baseia-se nas respostas psíquicas e somáticas e/ou nos relacionamentos interpessoais do enlutado, na intensidade ou na duração dessas reações, e na dificuldade, ou mesmo na impossibilidade, de vivência do processo, constituindo-se um indicativo da não resolução do luto. Prigerson (1999) discute uma proposta de classificação para o luto complicado, que obedece quatro critérios:

a) perda de um ser amado por morte, seguida de reação com pelo menos três dos seguintes: pensamentos intrusivos sobre o morto; ânsia pelo reencontro; comportamento de busca pelo morto; vivência de solidão como resultado da morte;

b) pelo menos quatro dos seguintes: vivência de falta de objetivos ou valoração do futuro como fútil; vivência subjetiva de anestesia emocional, desligamento do mundo ou de perda da responsividade emocional; dificuldade de aceitar a perda; sentimento de vida vazia ou sem sentido; sentimento de ter perdido parte de si; colapso da visão de mundo; repetição de sintomas (ou hábitos de risco) do morto; excessiva irritabilidade, amargura ou raiva em relação ao ocorrido;

c) pelo menos dois meses de duração;

d) o transtorno causa significativo prejuízo no funcionamento social, ocupacional ou em outras áreas importantes da vida da pessoa.

Bromberg (2000) e Rurschel (2006) destacam a evolução do luto para um processo complicado, com risco de desencadear alterações no bem-estar de saúde. Essas alterações na qualidade do viver justificam a relevância do tema e a necessidade da avaliação psicológica como medida preventiva para as pessoas que vivenciam o processo de luto.

AVALIAÇÃO PSICOLÓGICA: DO INDIVÍDUO AO MEIO SOCIAL

Na prática profissional, o termo avaliação psicológica comporta vasto domínio de aplicabilidade, uma multiplicidade de contextos referentes a áreas como: educação, saúde, hospitalar, jurídica, organizacional, entre outras. Considerando as especificidades de cada área e os respectivos focos de atenção, em todos se faz presente esse processo, de acordo com o que preconiza o Conselho Federal de Psicologia (2002).

O destaque para interação dinâmica do homem e seu meio social na constituição dos fenômenos psicológicos assume fundamental importância na tarefa avaliativa, dada a necessidade de admitir que um contexto de investigação, em geral, é marcado por um complexo entrelaçamento de fatores "comportamentais, ambientais, organizacionais e tecnológicos [...] associados e dos quais se busca a compreensão das particularidades que os envolve, dos elementos significativos para o bem-estar ou o adoecimento das pessoas" (Alchieri, 2003, p. 37).

A avaliação psicológica acerca do fenômeno luto possui particular relevância dada a necessidade de compreender e identificar os fatores de risco para o luto complicado e subsidiar o planejamento e o desenvolvimento de ações preventivas. Nesse sentido, interessa reconhecer os aspectos limitantes, e seguir ao encontro de potencialidades, capacidades e recursos do ser, em busca de uma compreensão integral que aponte caminhos, indicações terapêuticas pertinentes às questões e às dificuldades reveladas.

Sobre a análise do processo de avaliação psicológica e o luto, cabe destacar a dimensão inquiridora (Alchieri, 2003). A inquirição apresenta-se em duas modalidades, a escrita (questionários e inventários) e a verbal (entrevistas). Nos estudos sobre o luto, observa-se a predominância da dimensão inquiridora, de questionários e entrevistas como os instrumentais mais utilizados, seja em conjunto ou isoladamente, na avaliação psicológica (Parkes, 1998; Worden, 1998; Bromberg, 2000; Franco, 2002; Moura, 2007).

O questionário consiste em instrumental que segue um modelo fixo de perguntas delimitadas, conforme o foco de interesse previamente demarcado pelo pesquisador na abordagem de um tema. As questões condensam informações objetivas e, por isso, são padronizadas sistematicamente. A composição e a ordem de apresentação aos entrevistados permanecem constantes para todos e estes tendem a ser em maior amostra, a fim de que as respostas possam alcançar uma abrangência e representatividade significativa. O questionário é particularmente relevante na verificação quantitativa de sinais e sintomas relativos ao luto complicado, por ampliar a visibilidade quanto à prevalência deste fenômeno na população.

Em complementação aos achados objetivos dos questionários, a entrevista destaca-se, em termos gerais, como uma técnica favorecedora à expressão subjetiva e à obtenção de informações específicas, por meio de perguntas abertas, em dado contexto relacional, não sendo autoaplicadas. Essas perguntas tendem a orientar a emergência do diálogo e a possibilitar o aprofundamento de ideias e sentimentos, delineados a partir do encontro com o outro, que revelam a compreensão da pessoa sobre um recorte de sua vida (Minayo, 2007). Nesse sentido, volta-se para os dados referentes à dinâmica psíquica, ao recorte dos aspectos subjetivos de uma pessoa, que se revelam no decorrer do processo interativo, a partir da função de escutar, vivenciar e observar (Bleger, 1993).

Parkes (1998) propôs um questionário a ser aplicado junto com a entrevista para a elucidação dos seguintes aspectos após a morte de um ente querido: aceitação da perda; socialização; atitude quanto ao futuro; saúde; ansiedade e depressão; culpa e raiva; autoestima. Entre as respostas indicativas de luto complicado, destacam-se: o sofrimento intenso; autoagressão; raiva dirigida à pessoa falecida, familiares, equipe médica, amigos; culpa por sobreviver e/ou pela responsabilidade da morte; ansiedade e receios representados por insegurança, medos ou crises de angústia; confusão, esquecimento ou falta de coerência; sobrecarga de tarefas e dificuldades para sua realização; tendência à solidão, isolamento, episódios depressivos, entre outras condições limitantes, de predomínio excessivo e que implicam atenção à saúde.

Worden (1998) identificou duas possibilidades de avaliação acerca das condições de luto complicado, inclusive o autodiagnóstico, que é realizado pela própria pessoa que apresenta alguma compreensão sobre uma possível relação entre a perda vivida e o aparecimento de sintomas intensos, limitantes e prolongados. No entanto, essa correlação nem sempre é percebida claramente em virtude do frequente desconhecimento do impacto que a perda significativa pode causar, assim como ao não reconhecimento pessoal e social dessas implicações. A outra via é a delineada formalmente pelos profissionais de saúde, em particular, psiquiatras e psicólogos, por meio de procedimento avaliativo detalhado, como a entrevista em profundidade para o levantamento do histórico de perdas e das manifestações recorrentes. Nesse caso, a ênfase recai sobre o modo como a pessoa reage ao rompimento de vínculos significativos e sobre as estratégias utilizadas para a resolução dos conflitos de separação que impedem a conclusão do processo de luto.

Ainda para esse autor, são considerados alguns fatores cuja presença, conforme a prevalência das manifestações, contribui para a avaliação de luto complicado, entre os quais: expressão de sentimentos intensos que persistem mesmo muito tempo após a perda; somatizações frequentes e, por vezes, identificadas com os sintomas apresentados pelo falecido; mudanças radicais no estilo de vida que tendem ao isolamento; histórico de episódios depressivos, culpa persistente e baixa autoestima, impulso autodestrutivo; considerando ainda que as circunstâncias da morte, a ausência de suporte social e a existência de perdas anteriores também podem dificultar esse processo.

Bromberg (2000) destacou o uso de entrevistas para a avaliação do luto, as quais têm como foco a classificação dos fatores de risco, compreendidos em quatro eixos principais, ou seja, fatores predisponentes no enlutado (ser jovem, ter baixa autoestima, ter sofrido perdas anteriores); fatores da relação com o morto (cônjuge, um dos pais, enlutado ambivalente ou dependente, filhos); tipo de morte (inesperada ou prematura, após doença demorada, não informação sobre diagnóstico e prognóstico, suicídio, assassinato); suportes sociais (sem filhos ou familiares próximos, família não favorecedora de suporte afetivo).

Franco (2002) investigou os fatores de risco para a instalação do luto complicado em uma população brasileira, recorrendo à entrevista e aplicação de um questionário a duzentos indivíduos. A avaliação psicológica buscou averiguar como evoluíam as reações comportamentais em relação à perda em pessoas enlutadas e não enlutadas. O instrumento desenvolvido foi um questionário que incluía os seguintes campos de respostas: caracterização da pessoa enlutada (idade, sexo, classe socioeconômica e profissão); crença religiosa; qualidade do relacionamento familiar na época da morte; história anterior de perdas; caracterização do falecido (idade e parentesco); causas e circunstâncias da morte; rede social de apoio; rituais; perdas concomitantes à morte; qualidade da relação entre a pessoa e o falecido; reações imediatas após a morte; uso de remédios e outras substâncias químicas; alteração no estado de saúde, em síntese. Os resultados revelaram maior dificuldade na elaboração do luto quando o ente querido era jovem, quando decorrente de morte repentina e violenta, bem como a existência de segredos em relação a causas e circunstâncias da morte. Entre os eventos favorecedores, foram identificados: participação nos rituais de funeral e existência de crenças de vida após a morte, apontados como estímulo ao compartilhamento e de ressignificação da experiência da perda, como suporte social e pessoal à prevenção do luto complicado.

Moura (2007) elaborou um questionário para avaliar o luto por morte de ente querido para o contexto brasileiro. O instrumento é composto por 55 itens que representam 11 dimensões do luto, como busca por explicações, vergonha, rejeição e sentimento de culpa. Foram considerados três tipos de morte: as naturais/esperadas, as inesperadas/acidentais e aquelas decorrentes de suicídio. As respostas permitiram a identificação de padrões de comportamento para cada tipo de enlutado. Nos casos de suicídio, por exemplo, foi recorrente o pensamento de morte nos familiares, o que chamou a atenção para a necessidade de cuidados a essas pessoas. Nesse tipo de luto, a tristeza persistiu em média por dois anos. Quanto aos outros tipos de morte, o tempo de enlutamento variou de dois meses a um ano. A elaboração do processo de luto de forma mais breve foi observada na existência de uma rede social de apoio e/ou suporte psicoterapêutico.

A IMPORTÂNCIA DE UM INSTRUMENTO DE AVALIAÇÃO DO LUTO E SUAS FUNÇÕES TERAPÊUTICAS: A EXPERIÊNCIA EM UM SERVIÇO DE PRONTOATENDIMENTO AO ENLUTADO

Souza e Azevedo (2005) elaboraram um roteiro de entrevista (Anexo I) com o intuito de avaliar a demanda por assistência psicológica a um serviço de pronto-atendimento ao enlutado de um hospital universitário. O referido serviço, originalmente um projeto de extensão com a participação de discentes do curso de graduação e pós-graduação em psicologia, disponibilizou assistência imediata às pessoas que haviam sofrido perdas ou vivenciavam uma situação de crise, constituindo-se espaço de acolhimento e expressão para aqueles que o buscavam espontaneamente ou eram a ele encaminhados. Entre os objetivos destacavam-se o de acolher e apoiar a pessoa na vivência de uma situação de crise, estimulando a expressão dos sentimentos, a aceitação da perda e a elaboração do luto.

Quanto aos objetivos do instrumento, além de investigar a demanda, foram considerados a necessidade de avaliação das condições de luto, incluindo o tipo de perda; as manifestações do pesar nas áreas biopsicossociais e ocupacionais; os dados sociodemográficos, incluindo nível de escolaridade e renda, faixa etária, crenças religiosas, fluxo no Sistema Único de Saúde (SUS), entre outros. Além dessas áreas, considerou-se a necessidade de que o instrumento favorecesse a livre expressão do entrevistado, bem como subsidiasse a formação de estagiários de psicologia para o atendimento a essa população, que demandava a rede de assistência pública.

O roteiro de entrevista compreende cinco áreas de atenção, com ênfase na avaliação da demanda, identificação dos dados sociodemográficos e história clínica (parte 1), além da ocorrência de perdas significativas ao longo do ciclo vital e a vivência do luto (parte 2). A entrevista foi realizada durante dois, três e até quatro encontros; na maioria das vezes foram necessários dois encontros para sua conclusão. Estes ocorriam uma vez por semana e o tempo de aplicação variou de uma a uma hora e meia. Sobre o número de encontros, foi observado que no grupo daqueles que haviam sofrido perdas de pessoas significativas recentes, inesperadas ou traumáticas, como assassinato, acidente de trânsito, de menores ou que apresentavam sintomas ansiosos ou depressivos intensos, a parte 2 só pôde ser aplicada em um terceiro ou quarto encontro, pois o evento significativo que envolve perda ou a sintomatologia atual eram foco predominante dos relatos, nestas condições foi considerada a necessidade de livre expressão.

No momento da aplicação da parte 1 foi possível em muitos dos casos a identificação da hipótese para a ocorrência de um transtorno mental como foco primário de atenção. Nesses casos, os indivíduos eram imediatamente encaminhados ao Ambulatório de Ansiedade e Depressão da instituição; a hipótese era confirmada em 100% deles.

Portanto, a parte 1, que favorece inicialmente a livre expressão e posteriormente ocupa-se do perfil sociodemográfico e da história clínica, mostrou-se positiva para avaliação de focos de atenção para além do tipo de perda e características do processo de luto, possibilitando identificar outros focos de atenção, como dependência química; necessidade de avaliação médica, decorrente de sintomatologia orgânica; dificuldade de adesão ao tratamento psiquiátrico nos casos em que o paciente já realizava esse tipo de tratamento e o havia interrompido, ou estigmas relacionados a essas condições, favorecendo a demanda pelo pronto atendimento psicológico em vez do psiquiátrico.

Quanto à sintomatologia apresentada na parte 2, foram considerados e adaptados os campos apresentados por Stroebe e Stroebe (1987) citados por Bromberg (2000), observando-se que antes da aplicação era estimulado o relato livre e investigado o interesse do entrevistado em responder os campos apresentados. Vale destacar que, muitas vezes, áreas avaliadas nesta etapa eram espontaneamente informadas já no primeiro encontro. Em outros casos, quando observada a necessidade da livre expressão, os cinquenta primeiros minutos eram destinados ao relato livre, o restante era dirigido às questões da parte 2.

Os resultados obtidos nesta etapa apontam para a importância do aprofundamento das características do processo de luto e suas implicações nas diversas áreas do viver; são consideradas tanto as manifestações do luto antes da perda, após sua ocorrência e também por ocasião do atendimento.

O instrumento revelou-se sensível para a classificação quanto ao tipo de luto considerado em quatro eixos, ou seja, normal, adiado ou inibido, antecipado e complicado. Também possibilitou a avaliação quanto às fases do enlutamento por ocasião da consulta, especificadas em: (1) entorpecimento (choque, descrença, negação); (2) anseio e protesto (espera reencontrar pessoa, choro, fortes emoções); (3) desespero (reconhecimento da irreversibilidade, sintomas depressivos) e (4) recuperação (aceitação, novos interesses).

Os campos abordados na parte 2 favoreceram as intervenções voltadas à educação em saúde, pela compreensão da necessidade e da importância da aceitação das manifestações do pesar por ocasião das perdas significativas, especialmente em uma sociedade que interdita a temática da morte e reprime a expressão da dor e do sofrimento.

Quanto à estrutura e áreas avaliadas, foram identificadas suas funções terapêuticas, visto que favoreceram a expressão dos entrevistados; a compreensão por parte destes de suas demandas, associadas ou não à vivência de uma crise, resultante de uma perda significativa; o alívio de tensões relacionadas ao sentimento de culpa em decorrência de uma perda significativa ou por encontrarem um espaço de expressão e de pronto acolhimento, sem quem os julgassem, fosse indicada substituição dos objetos perdidos ou prescritos fármacos para remissão de sintomas sem ocupar-se das subjetividades. As perguntas eram prontamente respondidas, e observava-se a satisfação por estarem sendo compreendidos e ouvidos. Ressaltam-se ainda aqueles que encaminharam parentes ou amigos ao serviço, por compreender que também estes vivenciavam um período de crise.

O instrumento também favoreceu a avaliação do plano terapêutico que levou em conta diferentes abordagens de tratamento: (1) psicoterapia de grupo, suporte homogêneo às condições de perda por morte de um ente querido; (2) psicoterapia de grupo, suporte homogêneo às condições da ocorrência de um transtorno mental de ansiedade, depressão ou outros; (3) psicoterapia individual breve ou (4) psicoterapia individual de longa duração, nos casos em que o foco de atenção não estava limitado à vivência de uma crise associada ao luto, como, por exemplo, os casos que indicavam a necessidade de mudanças profundas da personalidade, dependência química, violência familiar; (5) avaliação e tratamento psiquiátrico, quando observados sinais e sintomas intensos, incapacitantes, com significativos prejuízos ao funcionamento global e funcional, como tentativa de suicídio, ataques de pânico recorrentes, dependência química; (6) alta espontânea ou sugerida, no momento da vivência natural do luto.

CONSIDERAÇÕES FINAIS

A PRODUÇÃO DE CONHECIMENTO referente à avaliação das vicissitudes do processo de luto torna-se necessária, orientando a escolha do plano terapêutico, que poderá incluir a educação em saúde nas condições de luto normal ou as intervenções de curto ou longo prazo nas condições de luto complicado.

Nas avaliações do luto por morte parece haver uma tendência de valorização do relato, por meio de entrevistas, sobre a experiência da perda de um ente querido, o que amplia as possibilidades de compreensão da pessoa enlutada, a identificação de fatores de risco ao luto complicado, assim como de outras condições que podem ser foco de atenção.

O uso do referido instrumento foi favorável à compreensão do processo de luto, além de possibilitar a expressão de sentimentos, crenças, valores, entre outros, e, portanto, revelando-se um possível recurso interventivo. Considera-se também sua importância como estímulo ao desenvolvimento e aplicação em serviços especializados ao atendimento dessa população, no delineamento de um espaço propício para expressão da dor, do medo da morte, para chorar sem culpa a saudade, confortar-se ao ser acolhido, avaliar esse momento existencial delicado, considerando-se as intervenções profiláticas destes procedimentos.

Destaca-se a importância de instrumentos que favoreçam o acolhimento à pessoa na vivência de uma situação de crise e a livre expressão dos sentimentos, e, portanto, que abarquem diferentes campos de expressão das subjetividades humanas, sob enfoque do paradigma biopsicossocial e espiritual, considerando que uma perda significativa poderá repercutir nas condições de saúde.

FORMAÇÃO E ROMPIMENTO DE VÍNCULOS

REFERÊNCIAS BIBLIOGRÁFICAS

ALCHIERI, J. C. *Avaliação psicológica: conceitos, métodos e instrumentos.* São Paulo: Casa do Psicólogo, 2003.

BLEGER, José. *Temas de psicologia: entrevista e grupos.* São Paulo: Martins Fontes, 1993.

BOWLBY, J. *Formação e rompimento dos laços afetivos.* São Paulo: Martins Fontes, 1990.

BROMBERG, M. H. P. F. *A psicoterapia em situações de perdas e lutos.* Campinas: Livro Pleno, 2000.

CONSELHO FEDERAL DE PSICOLOGIA. Resolução CFP nº 17/2002. Disponível em: <http://www.pol.org.br>. Acesso em: 23 de jan. 2003.

FRANCO, M. H. P. *Estudos avançados sobre o luto.* Campinas: Livro Pleno, 2002.

FREITAS, Neli Klix. "Luto materno e psicoterapia breve". São Paulo: Summus, 2000. v. 60.

MINAYO, M. C. *Pesquisa social: teoria, método e criatividade.* 25. ed. Petrópolis: Vozes, 2007

MOURA, C. M. *Uma avaliação da vivência do luto conforme o modo de morte.* 2007. 180 f. Dissertação (Mestrado em Psicologia) – Universidade de Brasília (UnB), Brasília, Distrito Federal.

PARKES, C. M. *Luto: estudos sobre perdas na vida adulta.* São Paulo: Summus, 1998.

PRIGERSON, H. G. *et al.* "Consensus criteria for traumatic grief: a preliminary empirical test". *British Journal of Psychiatry,* v. 174, n. 1, p. 67-73, jan. 1999.

RUSCHEL, P. *Quando o luto adoece o coração: o luto não elaborado e infarto.* Porto Alegre: Edipucrs, 2006.

SOUZA, A.; AZEVEDO, C. Plantão de assistência psicológica às pessoas que sofreram perdas. 2005. Trabalho apresentado no Seminário de Iniciação Científica. Pró-Reitoria de Extensão, Universidade Federal do Pará, Belém, Pará.

WORDEN, W. *Terapia do luto: um manual para o profissional de saúde mental.* 2. ed. Porto Alegre: Artes Médicas, 1998.

ANEXO I

PARTE I:

1.1 IDENTIFICAÇÃO E AVALIAÇÃO DA DEMANDA

Gostaria que você descrevesse os motivos que o trazem aqui (relato livre):

....

....

....

....

1.2 DADOS SOCIODEMOGRÁFICOS

Gostaria de conhecer outras informações sobre você:

Nome: .... Sexo: M ☐ F ☐ Idade: .... anos

Endereço: .... Bairro: .... Fone: ....

Nacionalidade: .... Naturalidade: ....

Município de origem: ....

ESCOLARIDADE:

☐ Alfabetizado   ☐ Ens. Fund. Incompleto
☐ Ens. Fund. Completo   ☐ Ens. Médio Incompleto
☐ Ens. Médio Completo   ☐ Ens. Sup. Incompleto
☐ Ens Sup. Completo   ☐ Pós-graduado

Profissão: .... Ocupação atual: ....
Religião: ....

Estado civil:

☐ Solteiro   ☐ Casado legalmente
☐ Coabitação   ☐ Separação judicial
☐ Separação não judicial   ☐ Viúvo (a)

Número filhos: .... Idade/sexo filhos: ....

Renda:

☐ Sem renda   ☐ Menos de 1 sal. mín.
☐ de 1 a 2 sal. mín.   ☐ de 2 a 4 sal. mín.
☐ de 4 a 6 sal. mín.   ☐ de 6 a 8 sal. mín.
☐ Mais de 8

1.3 HISTÓRIA CLÍNICA

Tratamento médico passado:

Sim ☐ Especificar: Tipo: .... Local: ....
Especialidade: .... Não ☐

FORMAÇÃO E ROMPIMENTO DE VÍNCULOS

Tratamento médico atual:

Sim ☐   Especificar: Tipo: .... Local: ....

Especialidade: .... Não ☐

Tratamento psicológico passado:

Sim ☐   Período: .../.../...... a .../.../...... Não ☐

Tratamento psicológico atual:

Sim ☐   Período: .../.../...... a .../.../...... Não ☐

Uso psicofármaco passado:

Sim ☐   Especificar: Nome/Tipo: .... Não ☐

Uso psicofármaco atual:

Sim ☐   Especificar: Nome/Tipo: .... Não ☐

Álcool: Sim ☐   Não ☐

Fuma: Sim ☐   Não ☐

Outras drogas: Sim ☐   Não ☐   Qual(is) ....

Ideias ou tentativa de suicídio: Sim ☐   Não ☐

Especificar: quais, quando e como: ....

Ocorrência de Transtorno Mental ao longo da vida:

Sim ☐   Não ☐   Qual(is) ....

☐ Depressivo   Especificar: ....

☐ Ansiosos (outro que não TEP)   Especificar: ....

☐ Estresse pós-traumático   Especificar: ....

☐ Ajustamento   Especificar: ....

☐ Alimentação   Especificar: ....

☐ Sono   Especificar: ....

☐ Personalidade   Especificar: ....

1.4 **AVALIAÇÃO ENTREVISTADOR** (PREENCHER APÓS CONCLUÍDA A ENTREVISTA)

Queixa principal: ....

Demanda (aspectos subjetivos do pedido de ajuda ou foco desconforto/ tensão atual): ....

Outras informações importantes associadas à demanda:

- Procurou ajuda atendendo à solicitação de terceiros ou não consciente do pedido de ajuda ou do que busca solucionar?
  Sim ☐   Não ☐
- Procurou ajuda para alívio ou cura de sintomas psíquicos?
  Sim ☐   Não ☐
- Ansiedade sem ou com história de perdas significativas nos últimos dois anos?
  Sim ☐   Não ☐
- Depressão sem ou com história de perdas significativas nos últimos dois anos?
  Sim ☐   Não ☐
- Preocupações com estado de saúde geral ou apresentação de queixas somáticas e procurou ajuda visando melhora do estado de saúde geral:
  Sim ☐   Não ☐
- Preocupações com terceiros e procurou ajuda visando auxílio para pessoas significativas (como: filhos, cônjuge, pais etc.):
  Sim ☐   Não ☐
- Perdas significativas e vivência do luto:
  Sim ☐   Não ☐
- Mudanças significativas (casa, cidade, estado civil etc.):
  Sim ☐   Não ☐
- Outras: .... Especificar: ....
- Tipo da demanda:
  ☐ Encaminhado ao pronto-atendimento psicológico
  Especificar: Instituição: .... Profissional: .... Outro: ....
  ☐ Demanda espontânea

Por ocasião da consulta, já havia sido diagnosticado como apresentando ou tendo apresentado transtorno mental:
Sim ☐   Não ☐
Especificar:

1 Depressivo: ....
2 Ansiosos (outro que não TEP): ....
3 Estresse pós-traumático: ....
4 Ajustamento ....

FORMAÇÃO E ROMPIMENTO DE VÍNCULOS

5 Alimentação ....

6 Sono ....

7 Outro ....

PARTE 2: PERDAS SIGNIFICATIVAS E AVALIAÇÃO DE LUTO

2.1 VOCÊ JÁ PERDEU ALGUMA PESSOA QUERIDA POR MORTE? MAIS ALGUÉM?

Especificar:

	Quem?	Quando?	Causa?	Obs.
A				
B				
C				

2.2 ALGUMA SEPARAÇÃO IMPORTANTE OCORREU EM SUA VIDA?

Especificar:

	De quem?	Quando?	Causa?	Obs.
D				
E				
F				

2.3 OCORREU ALGUMA PERDA DE BENS MATERIAIS (CASA, CARRO, OUTROS BENS)?

Especificar:

	O quê?	Quando?	Causa?	Obs.
G				
H				
I				

2.4 HOUVE ALGUMA MUDANÇA SIGNIFICATIVA NA SUA VIDA?

Especificar:

	Qual?	Quando?	Causa?	Obs.
J				
K				
L				

2.5 DOS EVENTOS LISTADOS, QUAL OU QUAIS FORAM OS MAIS SIGNIFICATIVOS PARA VOCÊ?

....

Por quê? ....

....

....

2.6 DESCREVA COMO VOCÊ REAGIU À(S) PERDA(S).(RELATO LIVRE)

....

....

....

....

2.7 AGORA, EU VOU LISTAR ALGUNS SENTIMENTOS E OUTRAS CONDIÇÕES QUE PODEM OCORRER ANTES, DURANTE OU APÓS UMA PERDA. RESPONDA SIM OU NÃO CONFORME SUA CONDIÇÃO.

Observação: Os campos grafados somente com #, apenas para perdas de pessoas significativas (Px) e grafados somente com **, para perdas materiais (Py). Marcar com X quando a resposta for afirmativa.

Especificar Perda significativa (Px ou Py):

1. AFETIVO	Antes da perda	Após a perda	Atual
DEPRESSÃO Em relação a Px ou Py, você sentiu:	-	-	-
Intensa tristeza. **#			
Tristeza em lembrar atividades realizadas em conjunto.#			
Tristeza em datas comemorativas.#			
Tristeza em ir a lugares que lembram pessoa perdida.#			
Perdeu o prazer com a comida. **#			

FORMAÇÃO E ROMPIMENTO DE VÍNCULOS

	ANTES DA PERDA	APÓS A PERDA	ATUAL
Perdeu o prazer em participar de eventos familiares ou sociais.**#			
Nada tem mais prazer sem a pessoa perdida.#			
Sentiu-se só.#			
Cansaço ou desânimo.**#			
Choro frequente.**#			
Baixa autoestima.**#			
Desesperançoso.**#			
Lentidão de pensamento.**#			
Memória fraca.**#			
Perdeu peso.**#			
Falta de apetite.**#			
Excesso de sono.**#			
ANSIEDADE Em relação a Px ou Py, você sentiu:	-	-	-
Nervoso ou tenso.**#			
Agitação psicomotora ou excesso de atividade física.**#			
Medo de morrer.#			
Medo de ser incapaz de sobreviver sem a pessoa perdida.#			
Medo de viver sozinho.#			
Medo de separar-se de outras pessoas.#			
Angustiado/apreensivo.**#			
Insônia.**#			

	ANTES DA PERDA	APÓS A PERDA	ATUAL
Excesso de apetite.**#			
CULPA Em relação a Px ou Py, você:	-	-	-
Sentiu-se culpado pelo ocorrido (perda).**#			
Acredita que poderia ter feito algo para evitar a perda.**#			
Culpa-se por situações passadas em relação à pessoa perdida.#			
Tem pesadelos relacionados à pessoa perdida.#			
RAIVA E HOSTILIDADE Em relação a Px ou Py, você sentiu:	-	-	-
Raiva em relação à perda.**#			
Raiva do destino.**#			
Raiva da pessoa por ter partido.#			
Irritação.**#			
2. PROBLEMAS INTERPESSOAIS Em relação a Px ou Py, você:	-	-	-
Sentiu dificuldade em manter outros relacionamentos.#			
Rejeitou amizades.**#			
Afastou-se das atividades sociais.**#			
3. ATITUDES EM RELAÇÃO À PESSOA PERDIDA Em relação a Px, você:	-	-	-
Esperou o retorno da pessoa perdida.#			
Buscou reencontrar a pessoa perdida.#			
Imitou o comportamento da pessoa perdida.#			
Teve sentimentos contraditórios em relação à pessoa perdida.#			

FORMAÇÃO E ROMPIMENTO DE VÍNCULOS

	ANTES DA PERDA	APÓS A PERDA	ATUAL
Via ou ouvia a pessoa perdida.#			
Assumiu atividades ou interesses da pessoa perdida.#			
4. OUTROS	-	-	-
Manifestou doença física.**#			
Recorreu ao álcool.**#			
Usou outras drogas.**#			
Buscou atendimento médico.**#			
Usou psicofármaco.**#			

2.8 LIMITAÇÕES DECORRENTES DA PERDA (ESPECIFICAR)

Em decorrência de Px ou Py, surgiram limitações? Qual(is)?

Especificar:

AFETIVA	PROFISSIONAL	COGNITIVA	FAMILIAR	SOCIAL	SEXUAL	OUTRAS

2.9 REDE DE APOIO SOCIAL

Após Px ou Py, recebeu algum apoio? Qual(is) e de quem? E atualmente?

Especificar:

FAMILIAR	CONJUGAL	VIZINHANÇA	IGREJA	AMIGOS	ONGS	OUTRAS
☐	☐	☐	☐	☐	☐	
☐	☐	☐	☐	☐	☐	
☐	☐	☐	☐	☐	☐	
☐	☐	☐	☐	☐	☐	

2.10 VOCÊ TEM CONSCIÊNCIA DE QUE ESTÁ EXPERENCIANDO O LUTO EM RELAÇÃO A PX OU PY?

SIM ☐   NÃO ☐

2.11 **AVALIAÇÃO DO ENTREVISTADOR** (PREENCHER DEPOIS DE CONCLUÍDA A ENTREVISTA).

Hipótese sobre a fase de luto, por ocasião da entrevista:

☐ Entorpecimento (choque, descrença, negação).

☐ Anseio e protesto (espera reencontrar a pessoa; choro e fortes emoções).

☐ Desespero (reconhecimento da irreversibilidade e sintomas depressivos).

☐ Recuperação (aceitação, novos interesses etc.).

Hipótese quanto ao tipo luto:

☐ Normal.

☐ Adiado/inibido.

☐ Antecipado.

☐ Complicado.

Hipótese sobre a ocorrência de um transtorno mental atual:

☐ Depressivo: ....

☐ Ansioso: ....

☐ Estresse pós-traumático.

☐ Ajustamento.

☐ Alimentação.

☐ Sono.

☐ Personalidade: ....

2.12 **OUTRAS INFORMAÇÕES IMPORTANTES:**

....

....

....

....

Data: ..../........../...............   Avaliador: _____

6. A morte no contexto escolar: desafio na formação de educadores

MARIA JULIA KOVÁCS

INTRODUÇÃO

A MORTE CONTINUA A SER ASSUNTO interdito na sociedade atual, principalmente no âmbito pessoal. O motivo desse interdito está relacionado ao temor de causar dor e sofrimento.

A morte escancarada chega ao cotidiano das pessoas, principalmente nas grandes metrópoles, nas cenas de violência na rua, nas casas e nas escolas, invadindo o dia a dia, ocupando espaço. Por ser invasiva, dificulta a proteção e o controle, não se conhecem antídotos, deixando suas vítimas expostas e sem defesas, a comunicação fica truncada (Kovács, 2003). Ela ocorre nas situações de violência, na rua e tem crescido de forma significativa nas cidades, pelos homicídios, acidentes, que, infelizmente, vitimam mais os jovens, sem máscaras ou anteparos. A imprevisibilidade deixa todos vulneráveis, pobres e ricos, homens e mulheres, atinge uma pessoa ou toda a comunidade. Pode ocorrer em virtude de acidentes da natureza ou ser produzida por guerras. Muitas dessas cenas de morte e violência ocorrem nas escolas ou próximas a elas.

Essa forma de morte não é prerrogativa dos tempos atuais, sempre existiu, basta nos lembrarmos dos gladiadores, para citar um exemplo. Específica dos tempos atuais é a disseminação em tempo real para grande número de pessoas em várias partes do mundo, pela televisão, pelos jornais e por outras mídias. A violência agora transmitida pelos noticiários pode invadir os lares na hora das refeições ou ser escolha daqueles que assistem a cenas de desastres ou filmes, sentados no sofá. Cenas de sofrimento e desgraça são repetidas à exaustão, acompanhadas de texto superficial com rápida expressão emocional, sem demora, reflexão ou elaboração, seguidas por amenidades ou propaganda, aumentando assim os índices de audiência.

O risco dessa superexposição de morte e violência é levar, principalmente para os jovens, a ideia de que a morte é evento banal, cotidiano, comum, impessoal, a não ser que entre as vítimas se encontre alguém conhecido.

A morte escancarada sempre causou fascínio, congregando grande número de pessoas. Observa-se o seu consumo em filmes, documentários e séries, dando a impressão de que se pode escapar dela. Há intensificação dos sentimentos de despersonificação e dessensibilização. Nessa visão de morte escancarada, cenas de guerra mostram ações espetaculares de destruição e explosão, a fantasia de que não se mata gente, só se arrebenta edificações, os mortos são sempre inimigos, em um delírio inconsequente. Contabilizam-se mortes de idosos, mulheres e crianças, além dos soldados de ambos os lados, jovens com grande parte da vida pela frente.

Se não há antídoto para a morte violenta das ruas, pode haver em relação à televisão, mudando-se de canal em busca de jornalismo e documentários que tragam conhecimento e estimulem reflexão. Não estamos propondo censura ou sonegação de informação e sim a mudança na forma de transmissão.

Em um mapeamento da literatura, de livros, teses e artigos em periódicos sobre a questão da morte e os profissionais envolvidos, observamos a existência de textos direcionados aos profissionais de saúde, mas não aos educadores. Os poucos artigos que acessamos apontam para a falta de discussão sobre a questão da morte na escola.

Em consulta ao Núcleo de Estudos sobre a Violência da Universidade de São Paulo – USP (http://www.nevusp.org.br), observamos dados que indicam a importância da abordagem do tema na escola. O levantamento feito pelo Instituto Brasileiro de Geografia e Estatística (IBGE) em 2008 aponta que o índice de mortes entre jovens na faixa dos 15 a 24 anos por causas externas chega a 67,9%. O sudeste do país lidera essas estatísticas, 87% dos professores sofrem violência em sala de aula, 70% têm conhecimento sobre uso e tráfico de drogas e 46% têm informação de que os alunos portam algum tipo de arma.

A QUESTÃO DA MORTE PARA AS CRIANÇAS – ABORDAGEM DO TEMA NO CONTEXTO ESCOLAR

TORRES (1999) REALIZOU vários estudos sobre o desenvolvimento do conceito de morte em crianças, considerando como atributos principais a irreversibilidade, a universalidade, a funcionalidade e a causalidade. Com fundamento nos estágios do desenvolvimento postulados por Piaget, ele traz subsídios para compreender a vivência de crianças em situações de perda e morte.

O período pré-operacional acarreta maiores preocupações, pois crianças nessa fase ainda não dominam os atributos referidos e, quando ocorrem mortes, precisam ser informadas sobre a irreversibilidade e a universalidade. Questões complexas como pensamento mágico onipotente, culpa, egocentrismo, animismo, precisam ser abordadas (Torres, 1999; Kovács, 1992, 2003b; Lima, 2007).

No período das operações concretas, as crianças já distinguem seres animados e inanimados, não veem vida no morto, embora ainda tenham dificuldade com abstrações e aspectos biológicos essenciais. As experiências de morte vividas pela criança podem acelerar o processo de compreensão de seus principais atributos.

Segundo Schoen *et al.* (2004), o luto é período de crise para a criança que vive esse processo observando adultos próximos. A expressão do luto terá características e peculiaridades de acordo com os ritos familiares e a cultura em que vive.

Mazorra e Tinoco (2005) observam que crianças podem apresentar tristeza, perda de interesse, problemas na escola, identificação com a pessoa morta, pânico, medo e culpa, por se acharem responsáveis pelo que ocorreu, manifestação do pensamento mágico onipotente. Raimbault (1979) afirma que sentimentos ambivalentes podem levar ao sentimento de culpa, que pode ser mais forte quando ocorre a morte de irmãos. A morte de alguém próximo pode trazer a possibilidade de sua morte. Como crianças ainda não se expressam bem com palavras, outros recursos são fundamentais, como brinquedos ou desenhos. Elas buscam o adulto como apoio, que pode acolher e legitimar seus sentimentos, responder perguntas, em uma tentativa de ordenar o mundo que fica abalado após perdas significativas. O luto atinge o sistema familiar como um todo, novas organizações para lidar com essa situação têm de ser estabelecidas, como apontam Worden e Silverman (1996); Walsh e McGoldrick (1998), Bromberg (1996,1998).

O aumento da violência atinge de forma direta as crianças. Lione (2005) aponta que, quando perdem amigos ou colegas, elas podem se sentir muito próximas da morte, o que aumenta sua percepção de vulnerabilidade. É fundamental esclarecer que o eventual desejo de destruição ou morte do irmão não foi o que causou sua morte.

Harris (1991) verificou que crianças manifestam sintomas físicos e psíquicos, apresentando problemas na escola, quando vivenciam mortes de pessoas próximas. Crianças que vivenciaram perdas podem apresentar problemas sociais, baixa autoestima e ansiedade, o que ressalta a necessidade de que os professores saibam desses fatos, para compreender e acolher seus alunos. Esclarecimentos devem ser dados para ajudar crianças a lidar com sentimentos que podem dificultar o processo do luto, como é o caso da culpa.

McGovern e Barry (2000) realizaram estudo transversal sobre ensino, atitudes e perspectivas, envolvendo pais e professores de crianças de 5 a 12 anos, com 119 pais e 142 professores na

Irlanda, e observaram o desconforto dos adultos ao lidar com o tema da morte com as crianças. Professores pensavam que esse era um problema dos pais e que, se interferissem, poderiam provocar conflitos.

Lima (2007) aponta a grande dificuldade dos adultos para se comunicar com crianças quando ocorrem mortes. Não responder às perguntas ou silenciar com o intuito de mútua proteção pode ser uma forma de defesa quando não se sabe o que fazer. A criança, por não ter com quem falar, também se cala. Torres (1999) propõe que família ou adultos próximos sejam ouvintes compreensivos, observando cuidadosamente a experiência da criança, considerando seu estágio de desenvolvimento. Ser bom ouvinte representa estar disponível àquilo que a criança expressa, compartilhando sentimentos, lidando com a culpa, lembrando que não há receitas ou formas padronizadas para falar sobre a morte com elas.

Rituais ajudam a elaborar perdas de forma construtiva. Para Schachter (1991/1992), a criança é membro da família, por isso é importante que participe dos rituais propostos. O contexto social dos rituais ajuda na aquisição de significados, assim, crianças têm a oportunidade de se despedir do falecido, tendo seus sentimentos reconhecidos. Schoen *et al.* (2004) apontam que rituais oferecem conforto e suporte, respondendo assim à pergunta de familiares e professores sobre a participação de crianças em velórios e enterros. Em uma sociedade que interdita a morte, essa questão surge, pois há a crença de que esses eventos poderiam causar sofrimento à criança. Não é o que se observa, uma vez que nessas cerimônias as emoções podem ser expressas, acolhidas e compartilhadas e a criança se sente parte da família.

O programa "Amigos do Zippy", ligado à Associação para a Saúde Emocional da Criança, apresenta propostas para educação infantil e fundamental que abordam as perdas e as mudanças que ocorrem na vida, incluindo a morte. Entre as práticas pedagógicas, inclui-se a visita ao cemitério, ao local de enterro de corpos e de culto aos mortos. O programa promove também capacitação de educadores para lidar com essas questões. Propostas como essa convivem com o questionamento ainda presente sobre se devemos ou não falar de morte com crianças a fim de poupá-las do sofrimento, não levando em conta o fato de que estas observam tudo o que ocorre à sua volta e, mesmo sem verbalizar, manifestam o que percebem nas brincadeiras ou nos desenhos, como já apontava Aberastury (1984). Em 2008, vivemos essa situação paradoxal em nosso país: maciça exposição do caso da menina jogada pela janela, com todas as imagens da reconstituição do crime e o impedimento de falar sobre a morte, afirmando-se que crianças devem ser poupadas.

Gonçalves e Valle (1999) realizaram estudo com 11 crianças de 9 a 15 anos em uma abordagem qualitativa. Os seguintes aspectos foram estudados:

a) limitações impostas por doenças e tratamentos;
b) interferências dessas limitações no processo de escolarização da criança motivadas principalmente pelo seu afastamento;
c) visão da escola;
d) evocação de situações negativas pela hospitalização;
e) reflexão sobre desempenho escolar;
f) esforço para continuidade das atividades na escola.

Os participantes mencionaram alterações físicas: perda de cabelo, magreza, palidez ou inchaço. Tiveram de usar máscaras para evitar contaminação. Tinham medo de serem esquecidos pelos amigos, sentiam-se sozinhos. Percebiam que ficavam para trás, pois os colegas avançavam na trajetória escolar, o que lhes provocava desânimo. Algumas crianças amadureceram com a experiência da doença e dos tratamentos a que foram submetidas. Observando as dificuldades de reintegração de crianças enfermas, uma vez que educadores não conhecem a doença e não sabem como lidar com a perspectiva da morte, as autoras apontam que é fundamental orientar os professores e esclarecer suas dúvidas.

Crianças, embora possam se sentir diferentes, querem ser tratadas como sempre foram, temem que por causa de sua ausência podem perder os amigos. Crianças doentes precisam se sentir incluídas e participantes para não viverem a "eutanásia psicológica", como aponta o *National Cancer Institute* em estudo realizado em 1980. Silva e Valle (2008) apontam que não é só o prejuízo acadêmico que precisa ser considerado, mas também o isolamento, o abandono social e a perda de contato com os colegas. Há conflitos com os cronogramas das escolas, que precisam ser flexibilizados.

Outro aspecto importante a ser considerado, no caso do câncer de crianças e adolescentes, são os efeitos tardios dos tratamentos, como apontam Perina, Mastellaro e Nucci (2008). Esses efeitos passaram a ser mais conhecidos atualmente e se relacionam ao fato de haver maior índice de cura e sobrevida. A preocupação atual não deve ser só com a cura ou o prolongamento da vida, mas também com sua qualidade. Alguns dos efeitos aparecem muito tempo depois do encerramento do tratamento e da retomada das atividades cotidianas. A quimioterapia e a radioterapia podem levar à obesidade, ao emagrecimento, à queda de cabelos, modificando a aparência, a imagem corporal, mexendo com a autoestima de jovens e prejudicando seus relacionamentos. Por outro lado, podem ocorrer déficits intelectuais, de memória e de raciocínio, que dificultam o desempenho escolar. O fato de os pais e os professores terem o conhecimento desses aspectos ajuda na reintegração dos jovens na sociedade.

É importante levar em conta o nível de desenvolvimento cognitivo das crianças para saber a melhor forma de cuidar daquelas que viveram situações de perda e morte. O educador pode ter o papel de cuidador na escola, complementando o papel da família. Esse papel é fundamental quando os pais estão destroçados pelas perdas vividas e não conseguem cuidar dos filhos. Os professores, pela convivência diária com as crianças, têm conhecimento de suas reações e atitudes e podem ser referência para elas nesse momento de sofrimento e dor. A questão que se apresenta é: os educadores estão preparados e querem realizar essa função?

A criança aprende com o adulto a lidar com perdas. Se este não está acessível e oculta sentimentos, a criança registrará essa forma de enfrentar a situação. Observa-se então a solidão dos envolvidos, cada um com seu sofrimento.

A QUESTÃO DA MORTE PARA OS ADOLESCENTES – ABORDAGEM DO TEMA NO CONTEXTO ESCOLAR

Estatísticas do IBGE mostram que há um aumento significativo nos índices de mortes violentas nas faixas etárias de 15 a 24 anos, das quais 71% correspondem ao sexo masculino. A morte está cada vez mais presente no cotidiano de jovens que apresentam comportamentos de risco, como uso de drogas, álcool, atividades sexuais sem proteção e que se envolvem em acidentes.

Como traçar a linha de fronteira entre experimentar potência e ousadia, desafiar limites, situações tão comuns na adolescência, e se expor a um risco efetivo de vida que precisa ser trazido à consciência?

Para muitos adolescentes, a primeira experiência de morte é de uma pessoa com idade próxima à sua, muitas vezes, de forma violenta. Estes podem também perder seus pais na faixa dos 40 anos por motivos semelhantes, que levam à desestruturação de núcleos familiares.

A morte não deveria estar presente no período da adolescência, uma vez que nesse período os jovens buscam a construção de seu futuro, a consolidação da identidade e a definição da profissão. É como se a morte não coubesse nessa fase da vida. Infelizmente não é o que mostram as estatísticas atuais (Kovács, 2003b). Skallar e Hartley (1990) afirmam que a morte, principalmente de pares e amigos, confronta a ideia de imortalidade presente nesse período do desenvolvimento.

FORMAÇÃO E ROMPIMENTO DE VÍNCULOS

O luto pode se tornar crise grave para jovens. Harrison e Harrington (2001) afirmam que essa pode ser uma experiência marcante para eles, por ser a primeira morte de pessoa significativa. Alguns se isolam ou se afastam dos familiares, dando a impressão de que não se importam com o acontecido. Liotta (1996) aponta que a negação da morte pelo adolescente pode dificultar o processo de luto, aumentando o sentimento de revolta e não aceitação da situação. Mortes violentas por acidentes, homicídios, suicídios podem tornar o luto mais complicado por serem inesperadas, e por envolver perdas múltiplas e sequelas físicas. Infelizmente, como aponta Christ (2002), há pouco material sobre o luto na adolescência. Em nosso meio, podemos citar o estudo de Pereira (2004), que pesquisou o processo de luto em adolescentes que perderam seus pais.

Essas situações de perda são somadas às várias crises presentes na adolescência, despertando no jovem a sensação de vulnerabilidade em relação à própria vida e à dos amigos, como apontam Griffa e Moreno (2001); Balk e Corr (2001); Rask (2002); e Matheus (2002). Peluso (1998) afirma que nas grandes cidades há agravamento das crises por conta de mudanças no núcleo familiar, separação, desestruturação e solidão, o que pode afetar o jovem de forma significativa.

Adolescentes buscam confirmação de sua identidade, muitas vezes, em confronto com pais e professores. O grupo de amigos, a turma, a tribo podem constituir então referência para jovens, oferecendo segurança, proximidade e reafirmação da identidade, como apontam Ringler e Hayden (2000) e Greenberger (1983). Weiss (1991) afirma que o jovem não procura figuras parentais e sim os pares, figuras amorosas e amigos como principais fontes de apoio e encorajamento. Creenshaw (1997) confirma a importância dos amigos nas horas de crise e aponta que experiências de morte acabam provocando amadurecimento rápido desses jovens

Adolescentes podem sentir vergonha de expressar sentimentos, vistos como sinal de fraqueza, então se calam, afastando-se

153

dos adultos. Procuram os pares que, por vezes, também não sabem o que fazer ou como reagir. Por outro lado, pais e parentes, ao viverem sua dor, têm dificuldade de cuidar. Alguns adolescentes sentem-se vulneráveis, observando-se então o uso de álcool e drogas, como apontam Fleming e Adolf (1986).

Nessa fase da vida, há desenvolvimento do pensamento formal com potencialidade para abstrações, por isso, é importante estimular o jovem a fazer escolhas e seus argumentos devem ser ouvidos. Nesse período, a ideia da morte se consolida, a discussão pode ser abrangente, permitindo generalização e reflexão.

Domingos (2000) realizou estudo com adolescentes que viveram perdas, observou suas formas de enfrentamento, rituais e como a comunidade escolar lidava com a situação. Desenvolveu sua pesquisa em escolas públicas do município de São Paulo, nas quais a violência estava presente no cotidiano dos alunos. Entrevistou 25 adolescentes com idades entre 13 e 18 anos. Verificou que a comunidade escolar tinha dificuldades para lidar com a morte, não havia uma proposta geral de cuidados e acolhimento dos alunos. Em algumas escolas, havia educadores que se preocupavam em cuidar e, em outras, a questão era ignorada. Os jovens citaram os colegas como principais fontes de apoio, corroborando os estudos já mencionados. Muitos jovens relataram que não confiavam nos professores. Alguns disseram que a dificuldade era deles, outros sentiram a escola pouco receptiva, por isso se isolavam. Referiram dificuldade de voltar às atividades escolares depois da perda de pessoas significativas. Essa situação está em conformidade com os dados de Corr (1998/1999) sobre o não reconhecimento do luto vivido pelos adolescentes: os jovens podem permanecer como "enlutados anônimos", perdidos entre colegas, sem ter reconhecido seu sofrimento.

Muitos adolescentes não sabem lidar com o sentimento de vulnerabilidade, que em princípio não reconhecem, embora esteja presente, uma vez que vários jovens atualmente vivenciam a perda de seus amigos. A vulnerabilidade atinge o sentimento de potência e controle, tão fundamentais para a consolidação da identidade. Fica muito difícil congregar onipotência e vulnerabilidade. Essa situação se torna ainda mais complicada quando a perda é de pessoa de mesma faixa etária, pelo processo de identificação como apontam Servaty e Pistole (2006/2007).

A questão do adoecimento é relevante, uma vez que atinge muito fortemente os jovens no seu sentimento de onipotência e invulnerabilidade. Para adolescentes, a aparência física é elemento essencial para a constituição da identidade. Aumento ou diminuição do peso e sensação de fragilidade, que pode ser causada pela doença, trazem problemas emocionais que precisam ser cuidados. Segundo Perina, Mastellaro e Nucci (2008) existe o temor de ser ridicularizado, o que faz adolescentes doentes se afastarem e se isolarem dos colegas. As mesmas questões apontadas para crianças valem para adolescentes, com as especificidades que essa etapa do desenvolvimento requer.

PROJETO "FALANDO DE MORTE"

O PROJETO "FALANDO DE MORTE", proposto pelo Laboratório de Estudos sobre a Morte do Instituto de Psicologia da Universidade de São Paulo, foi elaborado como elemento facilitador da comunicação sobre o tema, com fins didáticos e preventivos, como educação para a morte. Compõe-se de quatro filmes:

- "Falando de morte com a criança" (1997 e modificado em 2005);
- "Falando de morte com o adolescente" (1999 e modificado em 2002);
- "Falando de morte com o idoso" (2001);
- "Falando de morte com os profissionais de saúde" (2004).

Neste capítulo, faremos menção a dois dos filmes que, a nosso ver, podem ser utilizados nas escolas como fator de sensibilização para familiares e educadores.

FALANDO DE MORTE COM A CRIANÇA

O filme focaliza dois aspectos da morte (a morte do outro e o processo do luto e a morte de si mesmo) procurando familiarizar as crianças aos sentimentos, dúvidas, angústias decorrentes dessas situações, mostrando que essas experiências podem ser compartilhadas e elaboradas. No que se refere à morte do outro, procurou-se mostrar que ocorre com todos os seres humanos, das formas mais variadas (às vezes repentina, outras de maneira anunciada), dando ênfase para a questão do vínculo, que, quando rompido, traz à tona diversos sentimentos e desejo de reunião com a pessoa falecida. Procurou-se destacar o surgimento do sentimento de culpa com relação à morte de alguém amado, que, pelo pensamento mágico onipotente típico da infância, pode gerar várias dificuldades. Ressalta-se também o fato de que a morte é irreversível, o que a criança, no período pré-operacional, poderá aprender.

Sobre a morte de si mesmo (principalmente no caso de doenças), o objetivo é estimular a criança a atribuir significado a seu adoecimento e perceber que diversos sentimentos podem estar presentes. É possível haver medo da morte e também dos procedimentos hospitalares, por vezes, invasivos e dolorosos, medo da separação de pessoas e coisas queridas. A família, mesmo que em desequilíbrio, é muito importante para a criança. Procurou-se abordar no filme quais podem ser os sentimentos de pais e de irmãos ao se relacionarem com a criança doente.

FALANDO DE MORTE COM O ADOLESCENTE

O segundo filme da série procura se adequar à linguagem do adolescente, focalizando principalmente os comportamentos autodestrutivos. A morte, embora seja tema proibido do qual não se fala, está cada vez mais próxima das pessoas, acontecendo nas ruas, entrando diariamente pelas imagens da TV, com cenas de violência, acidentes e doenças. A adolescência é a fase do desenvolvimento em que ocorrem rápidas mudanças no corpo; na sexualidade emergente; no pensamento que se torna ágil; nas experiências amorosas e na escolha da vocação. Na busca da identidade, experimentam-se coisas novas, algumas muito perigosas. Para muitos adolescentes é como se a morte não existisse; uma vivência de onipotência em sua força total. Infelizmente, estatísticas mostram que é na adolescência que se encontra o maior número de acidentes, de usuários de drogas, e de contaminação por aids. É o período no qual ocorre também grande índice de suicídios.

Este filme oferece a oportunidade para reflexão e discussão sobre essas questões. São cenas de esportes radicais, violência, amor, sexo, uso de drogas, acidentes e tentativas de suicídio, que buscam apresentar uma visão realista da situação, mostrando como a vida do jovem pode estar por um fio. De modo diferente daquele apresentado pela mídia, há imagens acompanhadas de questões e pontos de reflexão, que permitem aos adolescentes participar da discussão e aos pais, aos educadores e aos profissionais de saúde compreender e partilhar desse universo. Longe de trazer receitas, propõe-se no filme uma discussão aberta sobre esse tipo de tema. As soluções não são simples, mas a comunicação efetiva e clara favorece aprofundamento das relações e melhor qualidade de vida. O filme tem duração de aproximadamente dez minutos e pode ser assistido por adolescentes, adultos, profissionais de saúde e educação. Seu uso pode ser didático em sala de aula, ou informal em casa. Por ser um filme que propõe reflexão, sugerem-se pausas nas cenas que suscitam dúvidas ou questões.

Rodriguez e Kovács (2006) realizaram pesquisa utilizando esse filme, com o objetivo de compreender como adolescentes percebem e se relacionam com o tema da morte e como compreendem as altas taxas de mortalidade na sua faixa etária, reflexão relevante e fundamental, tendo como base as estatísticas que mostram dados alarmantes sobre o fato. Participaram dessa pesquisa adolescentes do ensino fundamental e médio de duas escolas da cidade de São Paulo. A exibição do filme foi seguida de discussão. De forma geral, jovens não percebem a morte como possibilidade pessoal, com ideias de imortalidade e onipotência. Hipóteses oferecidas pelos participantes para explicar os altos índices de mortalidade na adolescência foram: uso de drogas; violência; banalização da morte; situações sociais desfavoráveis; aids; falta de emprego e de perspectivas de futuro; suicídios; dificuldade na comunicação com profissionais, amigos e familiares; dificuldades na expressão de sentimentos e pedidos de ajuda; acidentes; falta de limites e postura de desafiar o mundo; más influências e não imposição de responsabilidade pela sociedade. Os jovens pesquisados apontaram os seguintes aspectos aos quais se deve dar atenção:

a) dificuldade de perder pessoas queridas;
b) medo da dependência resultante de acidentes;
c) injustiça de morrer quando se viveu tão pouco, principalmente porque jovens não consideram a possibilidade da sua morte;
d) discutir e pensar na própria mortalidade.

PROPOSTA DE INTERVENÇÃO E CURSOS PARA ABORDAR O TEMA DA MORTE NA ESCOLA PARA JOVENS E EDUCADORES

NA PESQUISA "A questão da morte nas instituições de saúde e educação. Do interdito à possibilidade de comunicação entre profissionais de saúde e educação" (CNPq 2006-2009, ainda não publicada) aplicamos um questionário a 478 professores do ensino fundamental de escolas participantes do programa "Amigos do Zippy". Apresentamos algumas reflexões com base na discussão sobre os dados coletados.

Ao perguntar aos professores se acreditam que o tema da morte deveria ser abordado nas escolas, obtivemos as seguintes respostas: 33% dos professores consideram o tema importante, significativo e interessante; 26% acham que podem contribuir para a criança lidar melhor com a morte; 23% consideram o assunto complicado, difícil e delicado; 15% afirmam que faz parte da existência, é natural. Professores também afirmam que é necessário preparar-se para lidar com o tema, e os pais dificultam a abordagem do tema. Embora não estejam preparados, afirmam ser uma situação pela qual todos vão passar, mesmo assim, evitam falar do assunto. Apontam que têm dificuldades em abordar questões religiosas. Pensam que o tema deve ser tratado no cotidiano escolar, criando-se espaços de reflexão, com abertura de novos horizontes.

Como se pode observar, há respostas que mostram a importância de abordar o tema, a necessidade de preparo e outras que apontam as dificuldades que envolvem pais, questões religiosas e pessoais.

Entre os professores, 38% afirmaram ter dificuldades para abordar o tema da morte. As razões apontadas foram:

a) ser a morte questão delicada e dolorosa e que suscita sentimentos fortes;
b) nunca abordou o assunto ou tem pouca experiência;
c) conflitos religiosos com pais e professores;
d) dúvidas sobre como lidar com as crianças que viveram a situação;
e) falar sobre a irreversibilidade da morte, faltam as palavras.

Por outro lado, 37% dos professores mencionaram que não têm problemas com a questão, o que mostra um equilíbrio entre os que mencionam dificuldades e os que referem não tê-las.

Para abordar o tema, os professores afirmam necessitar preparo e que a experiência pessoal é ferramenta importante. Acreditam que é necessário ter cuidado ao abordar o tema da morte, levando em conta perguntas e sentimentos das crianças, e que devem considerar as crenças da família e as próprias.

Perguntamos aos educadores que tipo de ajuda gostariam de receber para facilitar a abordagem do tema da morte na escola. Mencionaram palestras, leituras e filmes. Gostariam que especialistas pudessem orientá-los, de acordo com sua experiência e acham importante que se discuta a linguagem a ser utilizada com as crianças. Os educadores propuseram também que questões teóricas e práticas devam ser contempladas, com estratégias envolvendo discussões e dinâmicas de grupo. Gostariam de ter preparo para manejar conflitos, lidar com pais e se preparar emocionalmente, ampliando o leque de opções. Os educadores propõem também que o tema da morte seja abordado em algumas disciplinas como filosofia, literatura, ética, biologia. Ninguém propôs a criação de disciplina específica sobre o tema. Indicaram que a questão deve ser abordada quando ocorrerem na escola situações de morte com os alunos, professores e seus familiares.

Embora ainda se veja com surpresa a abordagem da morte nas instituições de educação, para os educadores participantes dessa pesquisa a morte aparece como tema importante a ser trabalhado por profissionais especializados no tema, possivelmente externos à escola. A maioria dos educadores não se sente capacitada para abordar o tema, afirmando não ter tido preparo na sua formação. Um ponto que merece destaque é o de que muitos educadores não acreditam que seja sua função falar sobre o tema da morte com crianças e adolescentes, para eles, essa é tarefa da família.

Domingos (2000) discute o impacto de professores que se vêm obrigados a se confrontar com a morte de seus alunos, afirmando não terem sido preparados para essa tarefa Dizer que não houve preparo não encerra o problema, tendo em vista que o assunto é fundamental e está se tornando mais frequente a cada dia. A questão que surge é: como oferecer subsídios aos educadores para que possam abordar a questão na escola? Como cuidar daqueles jovens em risco de vida ou que perderam pessoas próximas e que podem entrar em processo de luto complicado?

Rowling (1995) afirma que educadores, assim como profissionais de saúde, não têm o seu luto reconhecido. Afirmam que têm de continuar as atividades de aula, mesmo depois das perdas vividas no contexto escolar. A ênfase nesses casos é de que a vida deve continuar como se nada tivesse ocorrido e, assim, não há espaço para a expressão do seu luto.

Paiva (2008) realizou estudo com 56 professores de escolas públicas e privadas para verificar como abordam o tema da morte nas escolas, utilizando literatura infantil como elemento facilitador. Foram apresentados 36 livros sobre a morte e os educadores participantes da pesquisa deviam fazer uma apreciação sobre sua possível utilização nas escolas. Observou-se que esses livros ainda são pouco utilizados como ferramenta pedagógica na escola. A autora reafirma a importância da literatura para beneficiar crianças e educadores no enfrentamento da morte.

Por excelência, a escola é local de socialização para crianças e por isso deveria oferecer suporte para alunos que vivem processos de perda e morte. O acolhimento é fundamental para ajudar a significar a perda e promover a prevenção do sofrimento, em parceria com os pais. Para Parkes (1998), é fundamental que a comunidade possa ajudar pessoas enlutadas e, no caso de crianças e jovens, a escola é parte integrante desse processo.

Para Domingos (2000), cabe à escola acolher, suportar e encaminhar para atendimento os casos complicados. A escola não substitui a família, mas sua ajuda é importante, pelo menos no período em que crianças e adolescentes estão nela. Concordamos com o autor que, se a morte faz parte da vida de muitas crianças e jovens no Brasil, considerando que estes passam grande parte do dia na escola, faz parte da tarefa de educadores cuidar dos alunos enlutados ou enfermos. À semelhança de profissionais de saúde que têm a morte em seu cotidiano, o mesmo ocorre com educadores, principalmente nas metrópoles. A diferença é que, no caso dos primeiros, esse fato é sabido e confirmado como parte de seu trabalho, já no caso de educadores, estes dificilmente dirão que lidar com a morte ou cuidar de alunos em processo de luto que estejam elaborando suas perdas seja sua tarefa.

É necessário investir na preparação de educadores para lidar com questões relativas à morte, mesmo que eles acreditem que essa não seja sua função. A pergunta é: educadores querem se preparar para lidar com a morte? Será que não consideram esta uma tarefa a mais para ser desempenhada por eles, que já estão sobrecarregados?

Há muitas questões a se pensar caso se confirme a necessidade de incluir o tema da morte na escola: deverá ser atividade pedagógica regular ou esporádica, específica quando ocorrerem situações de perda e morte com alunos e educadores no âmbito escolar? Quem assumirá a responsabilidade por essa tarefa: a instituição, o orientador educacional ou coordenador pedagógico, o psicólogo, os professores de determinada disciplina ou a escola deveria contratar especialistas externos? Longe de haver consenso, essas questões merecem reflexão.

Outra questão importante é como escolher os educadores que tenham mais sensibilidade e disposição interna para acolher os alunos que sofreram perdas e que possam conduzir atividades em que o tema da morte se faça presente. Sims (1991) aponta como qualidade principal para essa tarefa a empatia dos professores em relação ao sofrimento dos alunos e a possibilidade de oferecer acolhida e cuidados. Ao reforçar essa proposta, não estamos pensando em psicoterapia, e sim na dimensão humana do cuidado, que um profissional pode oferecer se ele tiver disponibilidade interna.

Apresentamos a seguir algumas propostas de inserção do tema da morte na escola após consulta feita em periódicos internacionais. Alguns autores propõem cursos para falar sobre a morte com jovens. Guy (1993) sugere cursos sobre educação para a morte direcionados a crianças, com histórias que abordem o tema, uma forma de biblioterapia, em que se conta a história, dando espaço para a expressão de sentimentos. Rosenthal (1986), McNeil (1986) e Schachter (1991/1992) sugerem cursos para adolescentes que estão se confrontando com a morte e a perda de amigos em situações inesperadas e violentas. Attig (1992) recomenda cursos centrados nos sentimentos relatados pelos alunos, estimulando assim a empatia como possibilidade da escuta de pontos de vista diferentes.

Cunningham e Hare (1989) e Cullinan (1990), ao se referirem a cursos para educadores, ressaltam a necessidade de considerar sua visão de morte, estimulando a expressão de sentimentos e emoções diante do tema. É interessante apresentar conteúdos informativos e atividades práticas: estratégias para falar com crianças sobre a morte, como oferecer apoio e estrutura para que possam lidar com situações, por vezes, fortemente carregadas de sentimentos.

No Brasil, as propostas de cursos para adolescentes e educadores ainda são embrionárias. Apresentamos a seguir algumas ideias para pensar a educação referente à morte que possam ter lugar em instituições de saúde e educação (Kovács, 2003b), em uma sociedade na qual estão presentes a morte interdita e a escancarada. A morte de pessoas queridas nos tocam profundamente, principalmente a perda de pessoas com as quais estabelecemos vínculos profundos.

Propomos que sejam oferecidos cursos sobre o tema da morte com os seguintes tópicos: morte e desenvolvimento humano com foco em crianças e adolescentes; perdas e processos de luto; comportamentos autodestrutivos e suicídio; morte escancarada: violência, acidentes; adoecimento e reinserção na escola, educação para a morte e o educador.

Outra modalidade a ser pensada é o treinamento em serviço para educadores com os seguintes módulos:

a) comunicação em situações de perda e morte, com crianças e adolescentes;
b) integração de crianças ou jovens doentes, egressos de internação hospitalar e/ou com alterações corporais e sequelas;
c) reflexão e ações direcionadas a crianças e jovens com comportamentos autodestrutivos, ideação ou tentativas de suicídio.

O foco é na relação professor/aluno e trabalho com a classe. Adicionalmente, é interessante disponibilizar um banco de dados com bibliografia sobre vários aspectos relacionados à morte, incluindo literatura e filmes para crianças e jovens. O projeto "Falando de morte", já mencionado neste capítulo, pode ser instrumento facilitador para discussão em classe sobre tópicos relacionados à morte, abrindo-se discussão a partir de cenas e texto do filme. É interessante discutir o paradoxo, por um lado a necessidade de ocultar a morte, pela dificuldade de falar sobre o tema ou saber como proceder quando se está diante de pessoas em luto ou com doença grave, e, por outro, assistir no cotidiano cenas de morte violenta pela televisão ou cinema.

É importante também pensar na reintegração de crianças e adolescentes com doenças como câncer, que apresentam sintomas incapacitantes e efeitos colaterais de tratamentos. No Brasil, há poucos programas bem estabelecidos de parceria hospital--escola. A equipe de saúde não considera sua a tarefa de orientar educadores para lidar com a criança doente. Os educadores, por sua vez, também não sabem o que fazer e não a consideram como sua tarefa, em uma agenda lotada.

Silva e Valle (2008) sugerem a criação de atividades de capacitação que incluam informações sobre doenças e tratamento, instrumentação para lidar com crianças e jovens doentes. Essa proposta deveria ser estendida também para os colegas de sala que vão conviver com o jovem doente no seu processo de recuperação, respondendo às questões e a possíveis processos de identificação.

Assim, crianças e jovens enfermos poderão ser acolhidos em suas limitações e ter suas potencialidades valorizadas. A coordenação das escolas precisa ter flexibilidade e consideração com as faltas das crianças por causa dos sintomas da doença, dos tratamentos e da recuperação. Como exemplo de parceria entre instituições, os trabalhos escolares poderão ser levados ao hospital, buscando-se criar a melhor situação para a sua realização no leito, com as adaptações necessárias quando a mão estiver imobilizada por catéteres.

CONSIDERAÇÕES FINAIS

FINALIZANDO ESTE CAPÍTULO, mas não a discussão, assim como nas instituições de saúde, a questão da morte deverá ser incluída na programação das escolas. Cuidado, reflexão e competência são importantes para que não se crie uma barreira defensiva no trato do tema da morte, ainda "terra de ninguém" no âmbito educacional. Não há receitas ou formas padronizadas no cuidado a alunos enlutados ou enfermos. Neste capítulo, sugerimos propostas que poderão ser experimentadas na parceria universidades-escolas.

REFERÊNCIAS BIBLIOGRÁFICAS

ABERASTURY, A. *A percepção da morte em crianças*. Porto Alegre: Artes Médicas 1984.

ATTIG, T. "Person-centered death education". *Death studies,* v. 16, n. 4, p. 357-70, jul. 1992,

BALK, D. E.; CORR, C. A. "Bereavement during adolescence: a review research". In: STROEBE, M. S. *et al. Handbook of bereavement research.* Washington: United Book Press, 2001, p.199-218.

BROMBERG, M. H. P. F. "Luto: a morte do outro em si". In: BROMBERG, M. H. P. F. *et al. Vida e morte: laços da existência.* São Paulo: Casa do Psicólogo, 1996, p. 99-121.

_____. *Psicoterapia em situações de perda e luto.* Campinas: Editorial Psy, 1998.

CHRIST, G. "Adolescent grief. It never really hits me until it actually happened". *Jama,* v. 28, n. 10, p. 1269-78, 2002.

CORR, C. A. "Enhancing the concept of disenfranchised grief". *Omega, Journal of Death and Dying,* v. 38, n. 1, p. 1-20, 1998/1999.

CREENSHAW, D. *Bereavement counselling the grieving throughout the life cycle.* Nova York: Crossroad, 1997.

CULLINAN, A. L. "Teacher's death anxiety ability to cope with death and perceived ability to aid bereaved students". *Death Studies,* v. 14, n. 2, p. 147-60, 1990.

CUNNINGHAM, B; HARE, J. "Essential elements of a teacher in a service program on child bereavement". *Elementary School Guidance and Counselling,* 23, p. 175-182, 1989.

DOMINGOS, B. *Vivências de morte e luto em escolares de 13 a 18 anos.* 2000. 195 f. Dissertação (Mestrado) – Programa de Psicologia Escolar e Desenvolvimento Humano. Instituto de Psicologia USP, São Paulo, São Paulo, 2000.

FLEMING, S. J.; ADOLF, R. A. Helping adolescents' needs and responses. In: CORR, C. A.; MCNEIL, J. N. (eds.) *Adolescent and death.* Nova York: Springer, 1986.

GONÇALVES, C. F.; VALLE, E. R. M. "O significado do abandono escolar para crianças com câncer". In: VALLE, E. R. M.; FRANÇOSO, L. P. C. (orgs.). *Psico-oncologia pediátrica. Vivências de crianças com câncer.* Ribeirão Preto: Scala, 1999.

GREENBERGER, M. "The nature and importance of attachment relationships to parents and peers during adolescence". *Journal of Youth and Adolescence.* v. 12, n. 5, p. 373-86, 1983.

GRIFFA, M. C.; MORENO, J. E. *Chaves para a psicologia do desenvolvimento, infância, adolescência, vida adulta e velhice.* São Paulo: Paulinas, 2001.

HARRIS, E. S. "Adolescent bereavement following the death of a parent. An exploratory study". *Child Psychology and Human Development,* v. 21, n. 4, p. 17-32, 1991.

HARRISON, L.; HARRINGTON, R. "Adolescents' bereavement experience. Prevalence, association with depressive symptoms and use of services". *Journal of Adolescence,* 24, p.159-69, 2001.

KOVÁCS, M. J. *Morte e desenvolvimento humano.* São Paulo: Casa do Psicólogo, 1992.

_____. *Educação para a morte. Temas e reflexões.* São Paulo: Casa do Psicólogo, 2003a.

_____. *Educação para a morte. Desafio na formação de profissionais de saúde e educação.* São Paulo: Casa do Psicólogo, 2003b.

LIMA, V. R. *Morte na família: Um estudo exploratório acerca da comunicação à criança.* 2007. 191 f. Dissertação (Mestrado) – Programa de Psicologia Escolar e Desenvolvimento Humano. Instituto de Psicologia USP, São Paulo, São Paulo, 2007.

LIONE, F. R. "Sobre as vivências dos irmãos de crianças com câncer". In: PERINA, E.; NUCCI, N. G. (orgs.). *Dimensões do cuidar em psico-oncologia pediátrica.* Campinas: Livro Pleno, 2005.

LIOTTA, A. J. *When sudents grieve: a guide to bereavement in the schools.* Pensilvânia: LRP Publications, 1996.

MATHEUS, T. C. *Ideias na adolescência. A falta de perspectivas na virada do século.* São Paulo: Annablume, 2002.

MAZORRA, L.; TINOCO V. (orgs.) *O luto na infância.* Campinas: Livro Pleno, 2005.

MCGOVERN, M. E; BARRY, M. M. Death education: knowledge, attitudes and perspectives of Irish parents and teachers. *Death Studies,* v. 24, n. 4, p. 325-33, 2000.

MCNEIL, J. N. "Talking about death: adolescents, parents and peers". In: CORR, C. A.; MCNEIL, J. N. (eds.) *Adolescent and death.* Nova York: Springer, 1986.

PAIVA, L. E. *A arte de falar da morte: a literatura infantil como recurso para abordar a morte com crianças e educadores.* São Paulo: Tese (Doutorado) –

Programa de Psicologia Escolar e Desenvolvimento Humano. Instituto de Psicologia USP, São Paulo, São Paulo, 2008.

PARKES, C. M. *Luto. Estudos sobre a perda na vida adulta*. São Paulo: Summus, 1998.

PERINA, E.; MASTELLARO, M. J.; NUCCI, N. A. G. "Efeitos tardios do tratamento do câncer na infância e adolescência". In: CARVALHO, V. A. *et al. Temas em psico-oncologia*. São Paulo: Summus, 2008, p. 496-504.

PELUSO, A. (org.). *Adolescentes: pesquisa sobre uma idade de risco*. São Paulo: Paulinas, 1998.

PEREIRA, K. M. *Adolescência, luto e enfrentamento*. 2004. 91 f. Dissertação (Mestrado) – Programa de Estudos Pós-graduados em Psicologia Clínica, Pontifícia Universidade Católica de São Paulo, São Paulo, São Paulo, 2004.

RASK, K. "Adolescent coping with grief after the death of a loved one". *International Journal of Nursing Practice*, v. 8, n. 3, p. 137-42, 2002.

RAIMBAULT, G. *A criança e a morte*. Rio de Janeiro: Francisco Alves, 1979.

RINGLER, L. L.; HAYDEN, D. C. "Adolescents bereavement and social support peers loss compared to other losses". *Journal Adolescent Research*, v. 15, n. 2, p. 209-30, mar. 2000.

RODRIGUEZ, C. F.; KOVÁCS, M. J. "O que os jovens têm a dizer sobre as altas taxas de mortalidade na adolescência"? *Revista Imaginário USP*, ano XI, n. 11, 2. semestre, p.111-36, 2006.

ROSENTHAL, N. R. "Death education. Developing a course of study for adolescents". In: CORR, C. A.; MCNEIL, J. N. (eds.). *Adolescent and death*. Nova York: Springer, 1986.

ROWLING, L. "The disenfranchised grief of teachers". *Omega, Journal of Death and Dying*, v. 31, n. 4, p. 317-29, 1995.

SCHACHTER, S. "Adolescent experience with the death of a peer". *Omega, Journal of Death and Dying*, v. 24, n. 1, p. 1-11, 1991/1992.

SCHOEN, A. A.; BURROUGH, M.; SCHOEN, S. F. "Are the developmental needs of children in America adequately addressed during the grief process?" *Journal of Inner Psychology*, v. 3, n. 2, p. 143-48, 2004.

SERVATY, H. L.; PISTOLE, M. C. "Adolescent grief: Relationship category and emotional closeness". *Omega, Journal of Death and Dying*, v. 54, n. 2, p. 147--67, 2006/2007.

SILVA, G. M.; VALLE, E. R. M. "Reinserção escolar de crianças com câncer: desenvolvimento de uma proposta interprofissional de apoio em psico--oncologia pediátrica". In: CARVALHO, V. A. *et al. Temas em psico-oncologia*. São Paulo: Summus, 2008, p. 517-528.

SIMS, D. A. "A model for grief intervention and death education in the public schools". In: MORGAN, J. D. (eds). *Young people and death*. Filadélfia: Charles Press Publishers, 1991.

SKALLAR, F. A.; HARTLEY, S. F. "Close friends as survivors. Bereavement patterns in a 'hidden' population". *Omega, Journal of Death and Dying*, v. 21, n. 2, p. 103-12, 1990.

TORRES, W. C. *A criança diante da morte: desafios.* São Paulo: Casa do Psicólogo, 1999.

WALSH, F.; MCGOLDRICK, M. *Morte na família: sobrevivendo às perdas.* Porto Alegre: Artes Médicas, 1998.

WEISS, R. S. "The attachment bond in childhood and adulthood". In: PARKES, C. M.; MARRIS, P.; STEVENSON-HINDE, J. (orgs.). *Attachment across the life cycle.* Nova York: Routledge, 1991, p. 66-76.

WORDEN, J. W.; SILVERMAN, P. R. "Parental death and adjustement in school-age children". *Omega, Journal of Death and Dying,* v. 33, n. 2, p. 91-102, 1996.

7. O abrigamento precoce: vínculos iniciais e desenvolvimento infantil

GABRIELA GOLIN
SILVIA PEREIRA DA CRUZ BENETTI

> Os primeiros anos de vida são como os primeiros lances de uma partida de xadrez: dão a orientação e o estilo de toda a partida, mas enquanto não vem o xeque-mate, ainda há belas jogadas a serem feitas.
>
> ANNA FREUD

SE NOS PEDISSEM PARA ESCOLHER um acontecimento ligado a sentimentos, crenças e admiração sobre a gênese e a continuidade da vida, certamente o nascimento de uma criança seria um dos momentos escolhidos. Ao longo das épocas e em diversas culturas, essa ocasião é celebrada e o recém-nascido é alvo de atenção e cuidado pelos pais e familiares.

A criança depende do outro para sobreviver e a família em suas diferentes formas de organização é a representante desse cuidado, tanto na dimensão afetiva do vínculo entre seus membros como no aspecto legal de responsabilidade e proteção. Todavia, em algumas ocasiões ocorrem situações nas quais o cuidado e a proteção não estão disponíveis nas relações familiares. Nesses casos, cabe ao Estado dispor e possibilitar cuidados alternativos, garantindo, assim, os direitos da criança à proteção.

Com relação aos aspectos históricos, a perspectiva de reconhecimento dos direitos da criança e do adolescente foi consolidada em 1989 pela Convenção Internacional dos Direitos da Criança. No Brasil, a temática da infância recebeu destaque na Constituição Federal[1], promulgada em 5 de outubro de 1988,

---

1. A Constituição Federal dispõe em seu artigo 227: "É dever da família, da sociedade e do Estado assegurar à criança e ao adolescente, com absoluta prioridade, o direito à vida, à saúde, à alimentação, à dignidade, ao respeito, à liberdade e à convivência familiar e comunitária, além de colocá-los a salvo de toda forma de negligência, discriminação, exploração, violência, crueldade e opressão".

principalmente nos artigos 226 a 230, que versam sobre a família, a criança, o adolescente e o idoso. Especialmente as normas do artigo 227 fixam os deveres atribuídos não só aos pais, mas também ao Estado e à sociedade como um todo, no que tange à tutela dos interesses das crianças.

Nota-se, entretanto, que em nenhum momento do artigo 227 fez-se referência ao afeto como importante fator para o desenvolvimento da criança em formação. Nesse viés, a promulgação do Estatuto da Criança e do Adolescente (ECA), em 13 de julho de 1990, efetivou a preservação dos direitos fundamentais da criança, por meio da prevenção de ameaça ou violação de seus direitos, garantindo seu acesso à justiça, à política de atendimento e, entre outros, à destituição de tutela, adoção e colocação em família substituta. Desse modo, crianças e adolescentes têm direito assegurado à vida, à proteção e à dignidade, são seres em desenvolvimento. Somente em casos extremos, que evidenciam crueldade com o menor, o ECA recomenda que se retire o menor da família e efetue o abrigamento como medida de proteção. Nesse local de abrigamento, crianças e adolescentes devem ser acolhidos e assistidos, assegurando-se sua integridade física, cognitiva e emocional.

Ainda assim, conforme o ECA (2008), crianças em situação de risco ou que foram abandonadas devem permanecer no abrigo de forma temporária, devendo ter, nesse período, garantias de convivência familiar e comunitária a fim de manter, e até mesmo fortalecer, os vínculos familiares. Desse modo, suas famílias têm direito ao acompanhamento de técnicos, pois precisam adquirir condições emocionais e funcionais para que seus filhos possam retornar a seus lares. Infelizmente, famílias desfavorecidas social e economicamente são reconhecidas como incapazes e até inadequadas para cuidar de seus filhos (Rizzini *et al.*, 2007).

No Brasil, os motivos de abrigamento infantil estão intimamente ligados ao desemprego, à ilegalização do aborto, à miséria e à falta de trabalhos preventivos com pessoas vítimas do desca-

FORMAÇÃO E ROMPIMENTO DE VÍNCULOS

so e marginalizadas (Abreu, 2002; Weber, 2000). Desse modo, é importante possibilitar o desenvolvimento de estratégias consistentes, que envolvam a avaliação e o trabalho com as famílias em relação ao retorno dos abrigados (Rizzini *et al.*, 2007; Siqueira e Dell'Aglio, 2007). Entretanto, a falta de trabalhos sociais com essas famílias impede que elas modifiquem seu funcionamento e se organizem, ou seja, a violência familiar, o alcoolismo e a impossibilidade de cuidar persistem (Weber, 2000). Por fim, diante da impossibilidade de retorno às famílias de origem, as crianças são encaminhadas para adoção e o poder familiar é destituído (ECA, 2008).

Contudo, como a adoção legal é um processo geralmente longo, com base nas diretrizes do ECA, foram realizadas mudanças em relação à organização das instituições de abrigo com o objetivo de criar ambientes menores, mais familiares, onde a individualidade das crianças e dos adolescentes pudesse ser mais bem preservada. Apesar dessas mudanças, no Brasil, a realidade dos abrigos continua distante do ideal contido no texto legal, tornando-se decisivos o entendimento e a promoção de condições gerais de cuidados às crianças nesses locais (Cavalcante *et al.*, 2007; Nogueira e Costa, 2005; Vectore e Carvalho, 2008).

Muitas vezes, essas situações encobrem a fragilidade dos cuidadores, que acabam perpetuando a violência já sofrida pelas crianças anteriormente em suas famílias (David e Appell, 1964; Robertson, 1953). Desse modo, nos abrigos, já inseguras e abaladas emocionalmente em função da ruptura familiar, as crianças estão sujeitas a experiências que poderão reforçar o desrespeito ou o abandono já ocorridos. Por exemplo, por causa da rotatividade dos cuidadores e dos próprios abrigados, ocorrem separações constantes e o consequente estabelecimento de vínculos instáveis (Parreira e Justo, 2005). Entretanto, ainda que o processo de institucionalização de uma criança implique vivências dolorosas de rompimento de relações familiares, lança-se a seguinte questão: *Será que essas experiências poderiam ser diferentes?* E também: que possibilidades mais podem ser oferecidas para o estabelecimento de vínculos alternativos nas situações de abrigamento precoce?

Não há dúvidas de que o cuidado da criança em situação de abrigamento, principalmente na primeira infância, constitui tarefa complexa. Ainda assim, vários trabalhos pioneiros e iniciativas atuais refletem o interesse de promoção de um ambiente de cuidado estável e afetivo nas instituições, voltados para as demandas do bebê (David e Appell, 2009; Rygaard, 2008; Smyke *et al.*, 2002). Portanto, apresentar e discutir essas propostas constitui o objetivo deste capítulo, considerando as diferentes possibilidades de intervenções realizadas nos abrigos, dirigidas especialmente para crianças na primeira infância.

Inicialmente, abordaremos a contribuição de trabalhos psicanalíticos sobre a formação e o rompimento dos vínculos nos anos iniciais de desenvolvimento. Entre diversos pesquisadores, destacam-se Winnicott, Bowlby e Spitz, cujos trabalhos foram unânimes na colocação da extrema importância da presença de cuidadores empáticos e sensíveis às necessidades e às comunicações do bebê. Em seguida, serão discutidas iniciativas pioneiras como a realizada no Instituto Lóczi, em Budapeste (Dugravier e Guedeney, 2006), e trabalhos posteriores com crianças em situação de abrigamento, tanto sob a perspectiva de pesquisas sobre o impacto da institucionalização na primeira infância (Smyke *et al.*, 2002) como intervenções dirigidas ao cuidador substituto (David e Appell, 2009, Rygaard, 2008).

VÍNCULOS INICIAIS - A IMPORTÂNCIA DO RECONHECIMENTO DO SUJEITO

A EQUAÇÃO ETIOLÓGICA do desenvolvimento da personalidade na perspectiva psicanalítica descreve a organização do funcionamento psíquico como resultante de três fatores (Freud, 1896/1980): o potencial inato individual, as primeiras experiências relacionais

FORMAÇÃO E ROMPIMENTO DE VÍNCULOS

e, finalmente, o ambiente social como um todo. Portanto, para Freud, as primeiras experiências relativas ao cuidado materno, objeto externo ao bebê, assumem papel fundamental no desenvolvimento infantil pelo investimento e pelas vivências de satisfação que o vínculo mãe-bebê proporciona (Freud, 1915/1980). Igualmente, na obra *Três ensaios sobre a teoria da sexualidade*, ao discutir a respeito das fases da sexualidade infantil, Freud (1905/1980) reitera a importância do investimento objetal inicial e das influências externas para a estruturação da personalidade.

Posteriormente, no texto *Além do princípio do prazer*, Freud (1920/1980) faz referência a uma característica essencial a essas interações, descrevendo que muitas dessas trocas ocorrem pela comunicação pré-verbal. Por meio da observação de seu neto, que com um ano e meio de idade brincava com um carretel repetidamente (o bebê arredava e aproximava de si esse objeto, por meio de um cordão), percebeu que o jogo simbolizava a experiência de separação e de retorno que o bebê experimentava na relação com a mãe. Ainda que a comunicação pré-verbal não tenha sido um tópico totalmente explorado por Freud, essa observação inicial do neto trouxe à tona a complexidade do universo infantil e a importância de compreendermos os processos psíquicos iniciais. Esse aspecto foi justamente a meta de outros autores psicanalíticos, que, partindo das ideias freudianas, enriqueceram o entendimento a respeito do desenvolvimento infantil (Bick, 1968/2002; Klein, 1975/1996; Spitz, 1965/1979; Winnicott, 1965/2001).

Historicamente, estudos sobre a ruptura dos vínculos familiares na infância tornaram-se significativos a partir da Segunda Guerra Mundial. Nesse período, importantes pesquisadores, como Spitz, Bowlby e Winnicott dedicaram-se a compreender questões como a carência afetiva e a privação de cuidados em função da ruptura do convívio familiar, o alto grau de sofrimento e desamparo das crianças nesse período, além de patologias resultantes dos traumas. Mesmo destacando aspectos teóricos distintos, os primeiros trabalhos apontavam claramente para a fundamental necessidade de cuidado e proteção na primeira infância, tendo em vista que é nesse período que a criança dependente do outro em todos os aspectos de seu desenvolvimento, sendo esse momento estruturante e organizador de suas representações internas, emocionais e cognitivas (Bowlby, 1976/2006; Spitz, 1965/1979; Winnicott, 1965/2001).

René Spitz (1965/1979) foi um dos primeiros psicanalistas a mostrar interesse pelo tema da privação materna. Em seu estudo clássico sobre o hospitalismo, relacionou diretamente essa situação de ruptura de vínculos à carência emocional do bebê, fato que levava a uma parada no seu desenvolvimento. Ao acompanhar 123 crianças cuidadas em uma instituição, durante um período de 12 a 18 meses, Spitz observou que a separação materna ocasionou graves reações emocionais. Quando estavam com 6 meses de idade, as crianças ficaram separadas das mães por um período de três a cinco meses. No primeiro mês, ficaram chorosas e se apegavam ao observador. No segundo mês, o choro deu lugar a um gemido e começaram a recusar o alimento, e houve a consequente perda de peso. No terceiro mês, elas permaneceram de bruços em suas camas e evitavam qualquer contato com o observador ou com outra pessoa que se aproximasse delas. Sintomas como insônia e perda de peso permaneceram, somados ao atraso motor e à rigidez facial, que caracterizam um quadro de depressão semelhante ao do adulto. Após o período de separação, com o retorno das mães, notou-se uma rápida recuperação no desenvolvimento da criança.

Spitz (1965/1979) também investigou a privação total dos cuidados maternos observando crianças em uma instituição de abrigamento. Os 91 bebês observados haviam sido amamentados durante os três primeiros meses de vida e, até o abrigamento, apresentavam desenvolvimento normal. Nessa época, foram separados de suas mães e entregues aos cuidados de uma enfermeira responsável por oito bebês. Apesar de receberem todos os cuidados relacionados a higiene, alimentação e medicação, os bebês não recebiam afeto ou estímulos e passaram a apresentar um quadro de depressão anaclítica. Com a continuidade da situação de abandono afetivo, seguiram-se o desamparo e a progressão da doença. Dessa maneira, além de sofrerem um atraso motor importante, os bebês ficaram fracos a ponto de não conseguirem se virar em suas camas, tornando-se passivos e sem vida. Esse quadro poderia progredir e levar as crianças ao marasmo e até à morte. Essa condição ficou reconhecida como *hospitalismo* ou *privação afetiva total*.

Nessa direção, em sua Teoria do Amadurecimento Pessoal Normal, Donald Winnicott (1965/2001; 1979/2007) também descreveu o papel primordial do vínculo afetivo na relação inicial estabelecida entre a mãe e o seu bebê. De acordo com Winnicott (1979/2007), no desenvolvimento normal, o amadurecimento da criança simplesmente acontece. Nesse caso, o autor se refere à mãe sadia, que consegue se identificar e respeitar o tempo do bebê. Esta, ao reconhecer as necessidades do bebê, oportuniza um espaço de dependência para que a criança se desenvolva espontaneamente, interações que caracterizam a mãe "suficientemente boa". Entretanto, ao mesmo tempo, por meio das falhas naturais da mãe, que acontecem gradual e naturalmente, a criança entra em contato com o ambiente (mãe-realidade). Portanto, na visão winnicottiana (1965/2001), a mãe representa o ambiente e é responsável pelo desenrolar do potencial da criança, favorecendo-o a partir da sua disponibilidade, confiança emocional e física.

Nesse processo, Winnicott (1965/2001) refere três fases que envolvem o desenvolvimento e o amadurecimento do bebê: dependência absoluta, dependência relativa e rumo à independência. Considerando-se o primeiro e essencial período de dependência, sem condições de maturidade psíquica para ter consciência da mãe ou sobre o seu significado, o bebê precisa que esta oportunize um espaço no qual ele seja responsável pela experiência vivenciada. Esse é um estado de ilusão, um espaço potencial em que para o bebê ainda não há uma realidade externa objetiva. Entretanto, o espaço potencial é uma experiência indispensável para que a criança adquira a capacidade de simbolizar, possibilitando o seu desenvolvimento na área do pensamento e da criatividade (Winnicott, 1971/1975).

O contato físico e a forma como a mãe segura, toca e maneja os cuidados com o bebê, a apresentação dos objetos bem como a capacidade materna de reter na mente o seu filho – *holding* –, possibilitam ao bebê também reter consigo a imagem da presença materna (Winnicott, 1971/1975; 1979/2007). Todavia, para Winnicott (1979/2007), uma mãe somente será capaz de proporcionar o *holding* caso consiga regredir a um estado materno chamado preocupação materna primária. Esse estado materno permite que se estabeleça uma identificação primitiva com o bebê, do final da gestação até as primeiras semanas após o nascimento do bebê. Assim, por meio de um ambiente seguro e estável, proporcionado pelo cuidador (mãe ou substituto) e contando com a sorte, é que um bebê poderá vir a ser.

Outra importante abordagem para a compreensão do desenvolvimento infantil relaciona-se à teoria do apego, originada pelos trabalhos de John Bowlby (1969/2002). Segundo ele, o bebê manifesta comportamentos inatos orientados para a busca de proximidade e cuidado de seus cuidadores primários, por meio de um sistema motivacional com raízes biológicas, os comportamentos de apego. Apoiando-se em estudos etológicos, que partiram da observação de animais em seu ambiente natural, como o trabalho de Harlow com macacos filhotes, Bowlby percebeu a importância do contato físico para o desenvolvimento do apego. Identificou que a qualidade do apego dependia da interação estabelecida entre a mãe (ou cuidador substituto) e a criança. Apego, portanto, refere-se à relação que envolve a maternagem, ou seja, os cuidados do bebê relacionados a uma interação calorosa e prazerosa (Bowlby, 1969/2002).

O apego é considerado uma subvariedade do vínculo afetivo. Isto é, o vínculo da criança com a mãe, nomeado apego, possui uma função instintiva e protetora, por causa da extrema necessidade que a criança tem do contato físico com mãe para sobreviver. Além disso, o apego é considerado uma necessidade primária diante da sobrevivência da criança, cuja meta remete à ligação física e emocional. Tanto o vínculo como o apego são estados internos. Desse modo, o apego pode ser observado por meio dos comportamentos de apego, com base na interação entre a criança e o seu cuidador e por meio de atitudes que envolvem comunicação, proximidade e manutenção do contato entre ambos (Ainsworth, 1982; Bowlby, 1969/2002; 1973/2004).

Já o vínculo mãe-bebê diferencia-se do apego, tendo em vista que a mãe (figura de apego) não tem a necessidade do contato físico nem depende deste para sobreviver (Ainsworth, 1982). Portanto, depreende-se que o vínculo mãe-bebê envolve sua vivência de apego como bebê, ou seja, o seu padrão de cuidado e contingência internalizados (Ainsworth, 1982). Existem quatro fases que compõem o desenvolvimento do sistema comportamental do apego. Na primeira fase, que ocorre durante os três primeiros meses aproximadamente, o bebê desperta a atenção por meio de comportamentos como o choro, mas a sua capacidade de seletivamente estabelecer o seu apelo às figuras de apego ainda é muito pequena. A segunda fase acontece quando a criança tem entre 3 e 6 meses de idade, já conseguindo demonstrar e dirigir seu apelo a figuras familiares específicas. Na terceira fase, a criança está com 6 ou 7 meses e consegue buscar a proximidade física de diversas maneiras, porque já moldou os sinais de apego por meio de vivências anteriores com cada figura de apego. E, na quarta fase, é estabelecida uma parceria corrigida por objetivos, momento em que a criança está com aproximadamente 4 anos, já levando em consideração os objetivos da figura de apego ao buscar proximidade. Logo, o vínculo mãe-bebê depende muito da maternagem disponível, visto que o apego da criança para com a mãe é quase ineficaz inicialmente, tornando-se evidente somente quando ela tem aproximadamente 6 meses, tendendo a ser preservado e realmente eficaz a partir do terceiro aniversário (Bowlby, 1969/2002; 1973/2004).

Ainsworth (1982) e Bowlby (1969/2002) consideram que o vínculo afetivo é formado por meio de uma ligação que se estabelece com o tempo, baseado em interações que envolvem a mutualidade e o cuidado na primeira infância. Ou seja, o comportamento de apego leva o indivíduo a formar ou a desenvolver laços afetivos e vínculos, que são introduzidos ao longo da vida. Para Ainsworth (1982), a base do desenvolvimento do apego seguro depende principalmente de dois fatores:

1 da qualidade e frequência da interação entre a mãe e o bebê; e
2 da sensibilidade materna ao reconhecer e responder aos sinais do filho, ou seja, a capacidade da mãe ao se ajustar ao ritmo deste, respondendo prontamente a ele.

Frequentemente, os padrões de apego têm sido avaliados com base no procedimento desenvolvido por Ainsworth, denominado "Situação Desconhecida" (1982). De acordo com esse procedimento, a identificação do estilo de apego desenvolvido entre a criança e o cuidador pode ser feita por meio da análise dos comportamentos de apego e dos comportamentos exploratórios da criança durante o experimento. Originalmente foram identificados três tipos de apego: seguro, inseguro evitativo e inseguro resistente. Posteriormente, Main e Hesse (1990) introduziram outro tipo de padrão de apego, que foi nomeado desorganizado ou desorientado. Esse padrão de apego se desenvolve em contextos de abuso emocional ou físico, em que o vínculo com o cuidador principal significa ameaça à criança (Main e Hesse, 1990).

No Brasil, alguns pesquisadores têm investigado a importância da sensibilidade e da responsividade para a formação do apego (Piccinini *et al.*, 2007; Ribas e Moura, 2004). A disponibilidade emocional dos pais diante de demandas, desejo e necessidade de autonomia da criança, conduzem-na a um estado de segurança interior, que lhe permite explorar o seu ambiente, ou seja, respostas contingentes e uma percepção adequada das necessidades do bebê levam ao apego seguro. Essas concepções aproximam-se do conceito de *holding* de Winnicott (1979/2007), no qual a mutualidade entre a mãe e a criança e a percepção sensível das suas demandas levam à formação do verdadeiro *self*.

Na psicanálise contemporânea, diversos trabalhos têm sido desenvolvidos com crianças, adolescentes e adultos baseados na teoria do apego, voltados tanto para o aprofundamento teórico psicanalítico como para o trabalho clínico (Cyrulnik, 2005; Golse, 2003; Rygaard, 2008; Katsurada, 2007; Smyke *et al.*, 2002). Nesse viés, Golse (2003) refere que a teoria do apego é uma "ponte" que aproxima a psicanálise e a teoria das relações objetais, a qual enfatiza os aspectos das representações das relações iniciais com os cuidadores. Dessa maneira, tanto a psicanálise tradicional como a contemporânea reforçam a noção de que um sujeito somente poderá acontecer a partir da interação com o outro. Esse apego é a base que possibilita que a criança se desenvolva em sua infância e serve também como modelo na construção de futuras relações (Bowlby, 1973/2004; 1976/2006).

De acordo com Bowlby (1976/2006), a incapacidade de estabelecer vínculos afetivos por modificações ou falhas ambientais pode interferir no desenvolvimento da criança, principalmente em seu primeiro ano de vida. A psicopatologia, portanto, resultaria dessas dificuldades. Muitas vezes, manifestações de conduta antissocial ocorrem em crianças que sofreram privações importantes, como perdas significativas durante a primeira infância, que podem levar à delinquência (Bowlby, 1973/2004; Bowlby e Ainsworth, 1991; Rygaard, 2008; Winnicott, 1984/2002). Entretanto, é fundamental entender que essas manifestações significam a busca de algo importante que se perdeu (Winnicott, 1984/2002). São ações que caracterizam defesa, revolta e esperança.

Desse modo, vivências de rupturas traumáticas na infância poderão ser um dos problemas centrais da psicopatologia infantil

(Bowlby, 1976/2006; Rygaard, 2008; Winnicott, 1984/2002). Crianças abusadas emocional e fisicamente acabam tendo distorções importantes na representação do apego, pois o impacto da violência na vida dessas crianças pode fazer com que elas se retirem do mundo mental, ficando prejudicadas em sua capacidade de pensar (Fonagy, 2000).

Em suma, nem todos os contextos e relações permitem o desenvolvimento de apego seguro. Essas situações têm claras implicações para a psicopatologia, principalmente evidenciadas por estudos com crianças que sofreram rupturas e traumas precoces, como as crianças abrigadas (Bowlby, 1973/2004; Smyke *et al.*, 2002; Katsurada, 2007; Rygaard, 2008).

A VINCULAÇÃO DIANTE DO ABRIGO PRECOCE: POSSÍVEIS INTERVENÇÕES

NA ÚLTIMA DÉCADA, estudos internacionais sobre a institucionalização na primeira infância têm identificado prevalência significativa de crianças com transtornos reativos de apego, quadro característico de vivências traumáticas, abandono, privação afetiva e negligência, que se associam a uma série de consequências para o desenvolvimento global infantil (Katsurada, 2007; Rygaard, 2008; Smyke *et al.*, 2002). Entretanto, apesar das dificuldades existentes em relação à institucionalização de crianças, o abrigo poderá também apresentar aspectos positivos para o desenvolvimento infantil, nos casos que envolvem uma estrutura familiar caótica (Cavalcante *et al.*, 2007; Dalbem e Dell´Aglio, 2008). Portanto, crianças e adolescentes em situação de risco devem ser reconhecidos não somente como vítimas, mas também como sobreviventes de uma vida muito sofrida (Abreu, 2002).

Em meio ao desamparo, à pobreza de recursos externos e também às relações interpessoais, elas buscam novos modelos e tentam se adaptar à sua nova realidade (Alexandre e Vieira,

2004; Cecconello e Koller, 2000; Cyrulnik, 2005). Muitas crianças conseguem superar essas adversidades, utilizando habilidades como a empatia e por meio de recursos psíquicos. Nesses casos, encontros contínuos e afetivos propiciados tanto pela rede de apoio social oferecida quanto pelo trabalho com cuidadores substitutos poderão constituir fatores fundamentais nesse processo, especialmente em se tratando de oferecer condições para o estabelecimento de novas relações que promovam a resiliência e a proteção psíquica dessas crianças e jovens (Dalbem e Dell'Aglio, 2008; Cyrulnik, 2005; Golse, 2003).

Considerando-se os casos de abrigamento precoce de crianças, algumas experiências pioneiras e atuais refletem a preocupação em promover, o máximo possível, um trabalho voltado explicitamente para a manutenção de uma interação contingente e sensível nas situações de institucionalização. Nesse sentido, destacamos o trabalho realizado no Instituto Lóczi (Pickler) e o trabalho desenvolvido por Rygaard (2008). O Instituto Lóczi foi construído a partir da Segunda Guerra Mundial, por meio da importante contribuição de Emmi Pikler, pediatra e pedagoga húngara, que foi solicitada para fundar uma instituição para crianças abandonadas em Budapeste, em 1946 (Dugravier e Guedeney, 2006).

De acordo com Pikler (1975 *apud* Dugravier e Guedeney, 2006), quando o bebê não permanece com a mãe, essa relação materna não poderá ser reproduzida. Entretanto, o bebê se desenvolverá, desde que conte com cuidados personalizados em um ambiente institucional que favoreça seu crescimento e sua autonomia. Ao contrário, cuidados institucionalizados marcados por relações impessoais e distantes, frequentemente evidenciados pela grande rotatividade dos profissionais, impedem o desenvolvimento infantil (Appel, 1997, Pikler, 1975 *apud* Dugravier e Guedeney, 2006).

Em 1971, David e Appell visitaram o Instituto Lóczi. Com base nas observações sobre como ocorriam os cuidados com os bebês, fundados em uma interação constante, estável e singular, consideraram que o trabalho era igualado à função de *holding* proposta por Winnicott (1965/2001). Nesse caso, a instituição desempenharia as funções maternas, tornando-se um ambiente seguro e facilitador do desenvolvimento do potencial natural da criança. Todavia, mesmo com toda a ênfase nos cuidados estáveis dos bebês, as regras e os princípios propostos em Lóczi mantinham os cuidadores conscientes do seu trabalho e emocionalmente estáveis, limitando os impulsos maternos da equipe, protegendo-os e também às crianças (Dugravier e Guedeney, 2006).

De acordo com David e Appell (2009), as crianças jamais são manipuladas de maneira brusca, arrastadas, sacudidas ou lavadas rapidamente para comodidade do adulto. Ao contrário, os cuidados são realizados de forma doce e diligente. Por exemplo, cada criança é tratada em determinada ordem e sempre é convidada a participar dos seus cuidados. Como resultado dessas práticas, nenhuma aprendizagem é imposta ao bebê, que é reconhecido como um ser sensível, que entende, observa e registra o que lhe acontece. Portanto, por meio de interações que privilegiam o respeito ao seu tempo, bem como a constância detalhada dos cuidados diários, é possível proteger o bebê. É somente por meio do investimento dessa relação de cuidado que a criança poderá se organizar emocionalmente, dentro dos limites da situação de abrigamento (Dugravier e Guedeney, 2006).

Em síntese, no Instituto Lóczi são privilegiadas:

a) a atividade autônoma do bebê, que é respeitado em suas aquisições e desejos e pode explorar seu corpo e o ambiente sem interferências. Nada é imposto, seu ritmo e suas aquisições motoras são conquistados a seu tempo, com liberdade, acompanhadas sempre por verbalizações do cuidador. Ao ser manipulado, o bebê também conta com a verbalização por parte do cuidador sobre o que acontece ou vai acontecer com ele, atribuindo sentido ao que ocorre;

b) uma relação afetiva com a limitação do número de pessoas que se ocupam de um bebê específico. Assim, existe a possi-

FORMAÇÃO E ROMPIMENTO DE VÍNCULOS

bilidade de uma interação estável e afetiva. Ademais, o fato de mais de um cuidador se ocupar do bebê lembra-o de que a criança não é seu filho. Existe um envolvimento emocional, mas a consciência do papel do cuidador é clara, o que evita que sejam projetadas na criança suas expectativas e carências pessoais;

c) trabalho com os pais, por meio de encontros regulares, visando o retorno da criança para sua família, os cuidadores relatam aos pais o que ocorreu com a criança, suas aquisições e a sua rotina. Da mesma forma, os cuidadores conversam com as crianças sobre os seus pais e sobre o seu retorno (Dugravier e Guedeney, 2006). Ao final da permanência na instituição, é entregue aos pais uma descrição detalhada do desenvolvimento da criança (Dugravier, 2006).

Em contexto diverso, na última década, pesquisadores como Smyke e Zeanah (Smyke *et al.*, 2002) têm se dedicado ao estudo do desenvolvimento de crianças institucionalizadas em decorrência da guerra no leste europeu. Primordialmente, os estudos centraram-se no objetivo de desenvolver ações promotoras de cuidados mais estáveis nas instituições que previnam o desenvolvimento de transtornos de apego reativo. Em uma investigação que procurou determinar a presença de sinais de transtornos do comportamento de apego em crianças institucionalizadas, Smyke *et al.* (2002) compararam três grupos de crianças. O primeiro grupo era composto por 32 crianças institucionalizadas; o segundo, por 29 crianças em uma unidade-piloto projetada para reduzir o impacto da institucionalização; e o terceiro, por 33 crianças que residiam em casa e que nunca haviam sido institucionalizadas. Foi identificada maior presença de comportamentos indicativos de transtornos de apego do tipo evitativo e indiscriminado nas crianças institucionalizadas, indicando que o desenvolvimento emocional dessas crianças deve ser estimulado, principalmente por meio da promoção de oportunidades de formação de relações de apego seletivas.

A mesma aproximação de cuidado com os vínculos estabelecidos com crianças institucionalizadas sustenta o trabalho de Rygaard (2008), psicólogo holandês que atua em prevenção e intervenções para o atendimento de crianças com transtorno de apego atípico. A proposta de Rygaard centra-se no desenvolvimento de um trabalho terapêutico com sujeitos diagnosticados com o Transtorno de Apego Reativo (TAR) e seus cuidadores/responsáveis com base na terapia ambiental. Ainda que se deva ter cuidado com o diagnóstico específico das crianças alvo de Rygaard (TAR), uma vez que ele somente poderá ser confirmado quando a criança contar com a idade de 7 anos, o autor propõe um trabalho preventivo, que busque amenizar a vivência de ruptura e privação das crianças que foram expostas a múltiplas situações traumáticas na infância. Desse modo, a *terapia ambiental* procura manter um ambiente capaz de oferecer funções psicológicas maduras, constantes e estáveis, que ajudem as crianças com TAR a se desenvolver de forma organizada e segura no seu dia a dia. Além disso, Rygaard refere a importância do contato físico, com base em estimulações calcadas nos cuidados básicos, ou seja, o banho, a alimentação e a troca de roupas. Esses momentos devem sempre ser acompanhados da verbalização do cuidador, ação fundamental para que os bebês possam, aos poucos, compreender o que acontece com eles.

Nesse sentido, Rygaard (2008) sugere que se trabalhe com os cuidadores, proporcionando um espaço para que possam refletir conscientemente sobre si, seus sentimentos pelas crianças e, principalmente, sobre a importância de seu trabalho, realizando uma supervisão mútua. Rygaard reforça a inclusão nesse espaço de experiências da primeira infância dos cuidadores, pois quanto mais conscientes de suas vivências, melhor eles poderão trabalhar e dar sentido à sua atividade, baseados nos aspectos que envolvem a trama da infância.

Ainda no que se refere ao bebê, Rygaard (2008) aconselha a criação do "diário do bebê", instrumento que pode ser visto como um complemento da história da criança, que contém suas informações e os possíveis dados da família. Esse recurso poderá servir para apoiar o frágil sentido de identidade da criança abrigada ou adotada. De fato, entrar em contato com a própria história, ou seja, ter a possibilidade de "saber-se" é essencial para a formação do sujeito (Eliacheff, 1995; Golse, 2003; Parreira e Justo, 2005; Zornig e Levy, 2006; Winnicott, 1984/2002).

A importância dada à continuidade da história pessoal, ao reconhecimento da criança e à nomeação de seus afetos e demandas já eram condições mencionadas no trabalho de Eliacheff (1995) em uma creche no subúrbio de Paris. Essa psicanalista seguidora dos passos de François Dolto acompanhou crianças com até 3 anos, confiadas à Assistência Social à Infância. Os bebês atendidos por ela passaram por rupturas mais ou menos graves e expressavam essas vivências por intermédio do corpo. Essa forma de comunicação era entendida como uma manifestação inconsciente, por meio de uma "linguagem orgânica". A psicanalista, então, narrava à criança sua história, incluindo os eventos traumáticos vividos de forma que esta pudesse simbolizar seu sofrimento, reorganizando suas vivências e garantindo sua identidade por meio do contato com sua origem.

De acordo com Golse (2003), por meio da relação entre o bebê e o cuidador poderá existir um espaço que estabelece uma história relacional única de cada dupla, chamada de narratividade. Ou seja, o adulto traz consigo sua história e representações infantis e o bebê, da mesma forma, traz consigo suas marcas e experiências afetivas. Nessa relação, um narra ao outro sua vivência, de forma inconsciente, por meio da transferência que se estabelece entre a dupla. Assim, abre-se espaço para a construção de uma nova história, observando-se que uma terceira história acontece por intermédio desse vínculo, favorecendo ao bebê a conquista de sua "identidade narrativa". Essa comunicação relacional pré-verbal ou verbal é um fator fundamental quando nos referimos à resiliência das crianças que sofreram graves feridas na infância (Cyrulnik, 2005).

Em todas as abordagens discutidas, a disponibilidade empática e sensível às demandas do bebê são movimentos fundamentais para a diminuição do impacto da institucionalização. Vimos, também, que o processo inclui o amparo do cuidador para que este possa atuar em seu trabalho, garantindo a continuidade psíquica da criança. Este último aspecto se refere à importância de manter a história da criança, mesmo que esta seja carregada de vivências difíceis. Entretanto, essa narrativa deve se organizar sob o vértice do respeito, do reconhecimento das potencialidades da criança e, principalmente, da validação de suas experiências pessoais.

CONSIDERAÇÕES FINAIS

Iniciamos este capitulo destacando a importância dos vínculos na primeira infância para a constituição psíquica da criança, indicando os prejuízos que o rompimento dessas relações iniciais, seguido do abrigamento precoce, poderão acarretar à criança. Portanto, nossa questão inicial – *Será que essas experiências podem ser diferentes?* – reflete a preocupação com o sofrimento e a desvitalização dos pequenos abrigados diante de cuidados alternativos distantes e funcionais.

No Brasil, os efeitos da falta de cuidados disponíveis e permanentes em ambientes institucionais já são bastante discutidos, tanto no meio acadêmico como no de políticas públicas voltadas para a criança e o adolescente em situações de vulnerabilidade. Apesar do ECA e do discurso de muitos profissionais que atuam nesse setor, nota-se que esta é uma temática que exige maior atenção tendo em vista a falta de alternativas reais que favoreçam o desenvolvimento infantil.

Com base nessas questões, observa-se que grande parte das medidas necessárias para transformar a experiência de abrigamento passa, principalmente, pela necessidade de implantação de trabalhos preventivos com cuidadores e demais técnicos responsáveis em nossa realidade. Este trabalho, que tem como foco o aspecto relacional entre o cuidador e a criança, se constitui no elemento nuclear de transformação da experiência da institucionalização. Especialmente, considerando o abrigamento precoce, reforçamos a importância do trabalho desenvolvido no Instituto Lóczi e a proposta interventiva de Rygaard (2008), que evidenciam a necessidade do reconhecimento do bebê como sujeito ativo, sendo fundamental a consideração do seu ritmo, as aquisições e a necessidade de um ambiente estável, práticas que favorecem a exploração segura do ambiente.

Todavia, algumas ações como o apoio emocional contínuo aos cuidadores são exemplos de estratégias necessárias para o êxito deste trabalho preventivo com bebês abrigados. Da mesma forma, o trabalho deve dirigir-se ao atendimento das famílias, proporcionando, dentro do possível, o resgate do vínculo rompido pela institucionalização. Essas ações são, sem dúvida, questões complexas que devem respeitar as necessidades das crianças e as possibilidades de inserção familiar. Contudo, por meio das experiências relatadas neste capítulo, verifica-se que o trabalho, tanto na dimensão do abrigo como na familiar são estratégias fundamentais para a garantia de um desenvolvimento infantil seguro. Assim, concordando com Anna Freud, "Os primeiros anos de vida são como os primeiros lances de uma partida de xadrez... enquanto não vem o xeque-mate, ainda há belas jogadas a serem feitas."

REFERÊNCIAS BIBLIOGRÁFICAS

ABREU, S. R. "Crianças e adolescentes em situação de risco no Brasil". *Revista Brasileira de Psiquiatria*, v. 24, n. 1, p. 1-2, 2002.

AINSWORTH, M. "Attachment: Retrospects and prospects". In: Parkes, C. M.; STEVENSON-HINDE, J. (org.).*The place of attachment in human behavior.* Nova York: Basic Books, 1982. p. 1-18.

ALEXANDRE, D. T.; VIEIRA, M. L. "Relação de apego entre crianças institucionalizadas que vivem em situação de abrigo". *Revista Psicologia em Estudo*, v. 9, n. 2, p. 207-17, 2004.

APPELL, G. "Que tipo de observação usar para acompanhar uma criança pequena em coletividade". In: LACROIX, M. B.; MONMAYRANT, M. (org.). *Os laços do encantamento: a observação de bebês, segundo Esther Bick, e suas aplicações.* Porto Alegre: Artes Médicas, 1997. p. 79-85.

BARROS, R. C.; FIAMENGHI, G. A. "Interações afetivas de crianças abrigadas: Um estudo etnográfico". *Ciência & Saúde Coletiva*, v. 12, p. 1267-76, 2007.

BICK, E. "The experience of the skin in early object relations". In: BRIGGS, A (org). *Surviving space: papers on infant observation.* Londres: Karnac, 2002, p. 55-9. (Original publicado em 1968.)

BOWLBY, J. *Apego:* a natureza do vínculo. Martins Fontes: São Paulo, 2002. (Original publicado em 1969.)

_____. *Cuidados maternos e saúde mental.* São Paulo: Martins Fontes, 2006. (Original publicado em 1976.)

_____. "Separação: angústia e raiva". In: BOWLBY, J. (org.). *Trilogia apego e perda.* São Paulo: Martins Fontes, v. 2. 2004. (Original publicado em 1973.)

BOWLBY, J.; AINSWORTH, M. "An ethological approach to personality development". *American Psychologist*, v. 46, n. 4, p. 333-41, 1991.

BRASIL. *Estatuto da Criança e do Adolescente.* São Paulo: Malheiros, 2008.

CAVALCANTE L. I. C. *et al.* "Abrigo para crianças de 0 a 6 anos: Um olhar sobre as diferentes concepções e suas interfaces". *Revista Mal-Estar e Subjetividade,* v. 7, n. 2, p. 329-52, 2007.

CECCONELLO, A. M.; KOLLER, S. H. "Competência social e empatia: um estudo sobre resiliência com crianças em situação de pobreza". *Revista Estudos de Psicologia (Natal)*, v. 5, n. 1, p. 73-93, 2000.

CYRULNIK, B. *O murmúrio dos fantasmas.* São Paulo: Martins Fontes, 2005.

DALBEM, D.; DELL´AGLIO, D. "Apego em adolescentes institucionalizadas: Processos de resiliência na formação de novos vínculos afetivos". *Psico*, v. 39, n. 1, p. 33-40, 2008.

DAVID, M.; APPELL, G. "Etude des facteurs de carence affective dans une pouponnière". *Psychiatrie de l´enfant*, v. 4, n. 2, p. 401-42, 1964.

_____. *Lóczi ou le maternage insolite.* Éditions érès, 2009.

DUGRAVIER, R. "Clinique, recherche et formation: Les trois axes du travail de Myrian David dans la prévention des carences institutionnelles". *Devenir*, v. 18, p. 125-38, 2006.

DUGRAVIER, R.; GUEDENEY, A. "Contribution de quatre pionnières à l´etude de la carence de soins maternels". *La psychiatrie de l´enfant*, v. 49, p. 405-42, 2006.

ELIACHEFF, C. *Corpos que gritam: A psicanálise com bebês.* São Paulo: Ática, 1995.

FONAGY, P. "Apegos patológicos y acción terapêutica". *Revista de Psicoanálisis*, v. 4, p. 1-12, 2000.

FREUD, S. "Além do princípio do prazer". In: STRACHEY, J. (org.). *Edição standard das obras psicológicas completas de Sigmund Freud,* Rio de Janeiro:

Imago, v. 18, p. 13-75, 1980. (Original publicado em 1920.)

_____. "Os instintos e suas vicissitudes". In: STRACHEY, J. (org.). *Edição standard das obras psicológicas completas de Sigmund Freud,* Rio de Janeiro: Imago, v. 14, p. 117-144, 1980. (Original publicado em 1915.)

_____. "Primeiras Publicações Psicanalíticas". In: STRACHEY, J. (org.). *Edição standard das obras psicológicas completas de Sigmund Freud,* Rio de Janeiro: Imago, v. 3, p. 141-55, 1980. (Original publicado em 1896.)

_____. "Três ensaios sobre a teoria da sexualidade". In: STRACHEY, J. (org.). *Edição standard das obras psicológicas completas de Sigmund Freud.* Rio de Janeiro: Imago, 1980, v. 7, p. 119-127. (Original publicado em 1905.)

GOLSE, B. *Sobre a psicoterapia pais-bebê: Narratividade, filiação e transmissão.* São Paulo: Casa do Psicólogo, 2003.

KATSURADA, E. "Attachment representation of institutionalized children in Japan". *School Psychology International,* v. 28, n. 3, p. 331-45, 2007.

KLEIN, M. *Amor, culpa e reparação e outros trabalhos 1921-1945.* Rio de Janeiro: Imago, 1996. (Original publicado em 1975.)

MAIN, M.; HESSE, E. "Parent's unresolved traumatic experiences are related to infant disorganized attachment status: Is frightened parental behavior the linking mechanism?" In: GREENBERG, M. *et al.* (org.). *Attachment in the preschool years: Theory, research and intervention.* Chicago: University Press, 1990, p. 161-82.

NOGUEIRA, P.; COSTA, L. F. "Mãe social: profissão? Função materna?" *Estilos da Clínica,* v. 10, n. 9, p. 162-81, 2005.

PARREIRA, S. M. C. P; JUSTO, J. S. "A criança abrigada: considerações acerca do sentido da filiação". *Revista Psicologia e Estudo,* v. 10, n. 2, p. 175-80, 2005.

PRESIDÊNCIA DA REPÚBLICA DO BRASIL. *Constituição da República Federativa do Brasil de 1988.* São Paulo: Saraiva, 1998.

PICCININI, C. A. *et al.* "Diferentes perspectivas na análise da interação pais--bebê-criança". *Psicologia: Reflexão e Crítica,* v. 14, n. 3, p. 1-19, 2001.

_____. "Interações diádicas e triádicas em famílias com crianças de um ano de idade". In: PICCININI, C. A.; SEIDI, M. L. (org.). *Observando a interação pais--bebê-criança.* São Paulo: Casa do Psicólogo, p. 177-212, 2007

RIBAS, A.; MOURA, M. "Responsividade materna e teoria do apego: Uma discussão crítica do papel de estudos transculturais". *Psicologia: Reflexão e Crítica,* v. 17, n. 3, p. 315-22, 2004.

RIZZINI, I. *et al. Acolhendo crianças e adolescentes: experiências de promoção do direito à convivência familiar e comunitária no Brasil.* São Paulo: Cortez, 2007.

ROBERTSON, J. "Some responses of young children to the loss of maternal care". *Nursing Times,* v. 18, p. 382-87, 1953.

RYGAARD, N. P. *El nino abandonado: guía para el tratamiento de los transtornos del apego.* Barcelona: Gedisa, 2008.

SIQUEIRA A.; DELL´AGLIO, D. "Retornando para a família de origem: fatores de risco e proteção no processo de reinserção de uma adolescente institucionalizada". *Revista Brasileira de Crescimento e Desenvolvimento Humano,* v. 17,

n. 3, p. 134-46, 2007.

SMYKE, A. T. *et al.* "Attachment disturbances in young children I: the continuum of caretaking causality". *Journal of the American Academy of Child and Adolescent Psychiatry*, v. 41, p. 972-82, 2002.

SPITZ, R. A. O *primeiro ano de vida: um estudo psicanalítico do desenvolvimento normal e anômalo das relações objetais.* São Paulo: Martins Fontes, 1979. (Original publicado em 1965.)

VECTORE, C.; CARVALHO, C. "Um olhar sobre o abrigamento: a importância dos vínculos em contexto de abrigo". *Psicologia Escolar e Educacional*, v. 12, n. 2, p. 1-14, 2008.

WEBER, L N. D. "Os filhos de ninguém: abandono e institucionalização de crianças no Brasil". *Conjuntura Social*, v. 4, p. 30-6, 2000.

WINNICOTT, D. *A família e o desenvolvimento individual.* São Paulo: Martins Fontes, 2001. (Original publicado em 1965.).

_____. *O brincar e a realidade.* Rio de Janeiro: Imago, 1975. (Original publicado em 1971.)

_____. *O ambiente e os processos de maturação: estudos sobre a teoria do desenvolvimento emocional.* Porto Alegre: Artmed, 2007. (Original publicado em 1979.)

_____. *Privação e delinquência.* São Paulo: Martins Fontes, 2002. (Original publicado em 1984.)

ZORNIG, S. A.; LEVY, L. "Uma criança em busca de uma janela: função materna e trauma". *Revista Estilos da Clínica*, v. 11, n. 20, p. 28-37, 2006.

8. Rompimento de vínculos, depressão em crianças e possibilidades de intervenção

VERA REGINA RÖHNELT RAMIRES
SORAIA SCHWAN

O OBJETIVO DESTE CAPÍTULO é apresentar e discutir uma possibilidade de intervenção psicoterápica utilizada com crianças que experimentaram o rompimento de vínculos afetivos familiares, demonstram indicadores de depressão e encontram-se em situação de acolhimento institucional. A discussão resulta dos estudos que vêm sendo desenvolvidos em um dos grupos de pesquisa do Mestrado em Psicologia Clínica da Unisinos, na linha de pesquisa "Clínica da Infância e da Adolescência". Esses estudos têm como foco os vínculos afetivos, a função reflexiva e a capacidade de mentalização em crianças e adolescentes que experimentaram alguma forma de maus tratos ou negligência.

Baseada na vertente psicanalítica da teoria do apego, a possibilidade de intervenção que será discutida aqui está alicerçada mais especificamente nas contribuições de pesquisadores que vêm trabalhando com os conceitos de função reflexiva e capacidade de mentalização, e o seu desenvolvimento na psicoterapia (Allen e Fonagy, 2006; Bateman e Fonagy, 2003, 2004 e 2006; Fonagy, 1999 e 2000; Fonagy e Bateman, 2006 e 2007). A experiência clínica mostra que crianças residentes em abrigos foram, muito comumente, vítimas de negligência, violência física e/ou psicológica. Essas crianças experimentaram importante rompimento vincular, pois foram afastadas de suas famílias ou cuidadores primários. Conforme observações clínicas, elas se mostram emocionalmente vulneráveis, principalmente no que diz respeito à resistência em aprender ou quando apresentam dificuldade em brincar, não conseguindo usar a imaginação e a criatividade. Também se desestruturam quando deparam com algo novo ou algum desafio e têm dificuldades no relacionamento com colegas e professores, além de apresentar, muitas vezes, sintomatologia depressiva, como distúrbios do sono, falta de apetite, medo, tristeza e isolamento (Calderaro e Carvalho, 2005).

Parte-se do pressuposto de que a situação de abrigamento produz um impacto sobre os vínculos afetivos e pode gerar dificuldades no desenvolvimento dessas crianças, o que remete à análise das condições em que foram afastadas de suas famílias. A literatura aponta que a maioria foi vitimada por maus-tratos e negligência (Parreira e Justo, 2005; Siqueira e Dell'Aglio, 2006). A situação socioeconômica da família, que muitas vezes não é condizente com suas necessidades de manutenção, e a orfandade caracterizam-se como fatores preponderantes para o abrigamento de crianças (Alexandre e Vieira, 2004; Wathier e Dell'Aglio, 2007).

O abrigamento de crianças é prática comum no Brasil desde os tempos mais remotos. Entretanto, esse tipo de atendimento à infância vem sofrendo modificações com o advento do Estatuto da Criança e do Adolescente (ECA), aprovado em 1990 (Siqueira e Dell'Aglio, 2006). Sua implementação contribuiu para a valorização do papel da família e para a atenção à saúde integral da criança, o que alterou o panorama do sistema de abrigamento, estimulando a atenção em pequenos grupos e fomentando a importância da promoção dos vínculos afetivos (Silva, 2004). Persistem, todavia, muitos problemas relacionados ao sistema de abrigamento, que vão desde a cultura assistencialista até as questões técnicas e estruturais, principalmente na articulação da rede de apoio social (Yunes *et al.*, 2002).

As crianças vitimadas por maus-tratos são afastadas do convívio familiar sob decisão judicial e passam a viver em abrigos, como medida de proteção social. Os abrigos públicos atendem crianças e jovens até 18 anos e são considerados lugares de passagem ou de permanência provisória (ECA, 1990). Uma pesquisa de levantamento acerca dos abrigos para crianças e adolescentes em âmbito nacional (Silva, 2004) encontrou cerca de 20 mil crianças e adolescentes vivendo em 589 abrigos no Brasil, das quais a maior parte está na região sudeste, que concentra 45% dos abrigados. São Paulo comporta um terço dessa população. Nas demais regiões do Brasil mantêm-se altos índices de abrigamento. O Nordeste, com 29,4% dos abrigados, apresenta o maior índice entre as demais regiões. O Sul concentra 15,5% das crianças abrigadas; o Centro-Oeste e o Norte têm como porcentagem 8,2% e 1,9%, respectivamente. Apenas 10,7% dessas crianças estão judicialmente em condições de adoção (Silva, 2004). Estima-se que oito milhões de crianças no mundo estejam sob regime de abrigamento e que a maioria delas estaria afastada de seus lares por causa de violência e desintegração familiar, além das situações econômicas e sociais não adequadas (Wathier e Dell'Aglio, 2007).

Para Rutter (1997), crianças que se encontram em condições desfavoráveis, como abandono e maus-tratos, e vivem longe da convivência familiar apresentam maior vulnerabilidade a outras questões decorrentes da pobreza, ao envolvimento com drogas e ao desemprego. Sobretudo, crianças que tenham experimentado a falta de apoio familiar ou o rompimento dos vínculos afetivos demonstram maiores chances de desenvolver o distúrbio depressivo.

Diversos autores apontam o rompimento vincular como fator de risco para o desenvolvimento da depressão em crianças (Dell'Aglio, Borges e Santos, 2004; Dell'Aglio e Hutz, 2004; Herman-Stahl e Petersen, 1996; Lima, 1999; Mericangaas e Angst, 1995; Runyon, Faust e Orvaschel, 2002; Zavaschi et al., 2002). A situação de abrigamento pode, portanto, implicar duas vias de conflitos: o rompimento de vínculos, propriamente dito, com o afastamento da família, muitas vezes sentido pela criança como traumático, e o conflito relacionado à dificuldade de formar novos vínculos sadios. A depressão pode resultar do trauma sofrido pelo rompimento vincular familiar e dificultar o estabelecimento de novos vínculos.

Essas situações colocam para profissionais e pesquisadores da área o desafio de buscar estratégias de atendimento para essa população, que venham ao encontro de suas necessidades, possibilitando a superação de traumas e dificuldades, promovendo seu desenvolvimento e o restabelecimento ou a construção de novos vínculos afetivos. Nesse sentido, os estudos que vêm sendo empreendidos acerca dos conceitos de função reflexiva e capacidade de mentalização, bem como a psicoterapia baseada nessa abordagem teórica, oferecem uma possibilidade que pode ser promissora para essas crianças (Allen e Fonagy, 2006; Bateman e Fonagy, 2003, 2004, 2006; Fonagy e Bateman, 2006, 2007; Fonagy, *et al.*, 2002a). A psicoterapia baseada na mentalização tem sido explorada principalmente em relação aos transtornos de personalidade *borderline* em adultos (Allen e Fonagy, 2006; Bateman e Fonagy, 2004, 2006; Fonagy e Bateman, 2006). Ela não tem sido investigada no tratamento de crianças. Essa abordagem psicoterápica possui estreita articulação com o vínculo de apego (Bowlby, 1989, 1990, 1997), que proporcionaria o desenvolvimento da função reflexiva e a aquisição da capacidade de mentalização, para esses autores. Dessa maneira, estudos que explorem essa abordagem teórica na infância podem trazer importantes contribuições científicas.

A seguir, apresenta-se breve revisão da literatura sobre o problema da depressão em crianças, nela discutem-se os conceitos de função reflexiva e capacidade de mentalização e a psicoterapia baseada na mentalização.

DEPRESSÃO EM CRIANÇAS

A LITERATURA VEM RECONHECENDO a importância e a presença dos quadros depressivos na infância (Bahls, 2002; Bahls e

Bahls, 2003; Bandim, Sougey e Carvalho, 1995; Calderaro e Carvalho, 2005; Cruvinel e Boruchovitch, 2003; Dutra, 2001; Fensterseifer e Werlang, 2003). A relevância desse reconhecimento é evidente, se considerarmos a necessidade de intervenção adequada e de prevenção da cronificação e de problemas posteriores.

Na população em geral, estimativas apontam que de 0,4% a 3% das crianças apresentam características depressivas (Bahls, 2002). Em adolescentes, esse número varia de 3,3% a 12,4%, segundo a mesma autora, com fortes indicativos para desenvolver o problema em idade adulta. Autores como Dell'Aglio e Hutz (2004) e Wathier e Dell'Aglio (2007) apontam que a prevalência da depressão em crianças abrigadas, aquelas que sofreram conflitos e rompimentos de vínculos importantes, alcança um índice que varia entre 6% e 10%.

Alguns estudos apontam a depressão na infância como um problema crescente (Bandim, Sougey e Carvalho, 1995; Del Porto, 1999; Dell'Aglio e Hutz, 2004; Ramires *et al.*, 2009; Wathier e Dell'Aglio, 2007; Zavaschi *et al.*, 2002). Em geral, trata-se de estudos que buscam descrever características demográficas e a sintomatologia (Bahls, 1999; Bahls, 2002; Del Porto, 1999; Kessler, *et al.*, 2001; Wathier e Dell'Aglio, 2007). Os principais sintomas descritos pelos estudos são: transtorno por déficit de atenção e hiperatividade, baixa autoestima, medos, distúrbios do sono, enurese, tristeza, dores abdominais, culpa, fadiga, desinteresse por atividades de modo geral, ideação suicida (Calderaro e Carvalho, 2005) e problemas de aprendizagem (Cruvinel e Boruchovitch, 2003; Dell'Aglio e Hutz, 2004; Andriola e Cavalcante, 1999). As causas são relacionadas, na maioria dos estudos, aos aspectos psicossociais, ou seja, perda de vínculos afetivos, divórcio dos pais, violência física e psicológica, falta de apoio familiar, (Bahls, 2002; Calderaro e Carvalho, 2005; Dell'Aglio *et al.*, 2004; Lima, 2004; Ramires *et al.*, 2009; Ribeiro *et al.*, 2007).

A especificidade da semiologia da depressão em crianças é discutida na literatura (Espasa e Dufour, 1997, Marcelli e Cohen, 2009). Postula-se uma variedade da semiologia depressiva em função da idade da criança e das fases maturativas. Os seguintes sintomas são referidos pelos autores: distúrbio manifesto e durável do afeto (distúrbio do humor), sob a forma de tristeza ou de exaltação do humor para formas hipomaníacas; inibições mais ou menos acentuadas (retardo psicomotor, pobreza do jogo simbólico, dificuldades escolares) ou presença de um quadro de hiperatividade; manifestações negativas persistentes da autoestima, autodepreciação; diminuição da socialização; comportamento agressivo (agitação); queixas somáticas; transtornos do sono e do apetite.

O Manual Diagnóstico e Estatístico de Transtornos Mentais (American Psychiatric Association – APA, 2000) não diferencia os critérios diagnósticos dos transtornos depressivos para crianças, adolescentes ou adultos. Esses transtornos estão inseridos, nesse manual, no grupo dos transtornos do humor, assim como os transtornos bipolares. São descritos nos quadros de transtorno depressivo maior, transtorno distímico e transtorno depressivo sem outra especificação.

Os transtornos depressivos severos na infância costumam evoluir para distúrbios graves de personalidade na vida adulta, risco de suicídio, condutas antissociais e delinquentes (Espasa e Dufour, 1997; Marcelli e Cohen, 2009). Referidos transtornos ocorrem em geral no decurso de acontecimentos com valor de perda ou luto. Nesse sentido, Dell'Aglio, Borges e Santos (2004) investigaram a prevalência de depressão em crianças e adolescentes institucionalizados e concluíram que essa população reúne diversas características que corroboram a presença desse problema, uma vez que sofreram rompimentos de vínculos por terem sido negligenciados ou vitimados por violência física e psicológica. Assim, segundo as autoras, os índices de depressão em crianças em instituições de abrigo são significativos, e em meninas esse número é ainda maior. Esses resultados sinalizam a urgência de desenvolver pesquisas e intervenções que abordem essa problemática, uma vez que, nesses casos, as chances de crianças se tornarem adultos com importantes problemas e dificuldades é bastante grande.

Ramires, Benetti, Silva e Flores (2009), em um estudo de revisão da literatura brasileira sobre os problemas de saúde mental na infância, que abrange o período de 1995 a 2006, identificaram apenas 44 estudos que abordavam especificamente o tema da depressão em crianças. Desses estudos, a maioria focalizava aspectos relacionados à avaliação e ao diagnóstico (n = 10), seguidos pelos estudos que buscavam a compreensão de aspectos cognitivos associados a esse quadro (n = 6). Apenas quatro estudos focalizavam as possibilidades de intervenção psicoterápica perante essa população. O estudo de Bahls e Bahls (2003) corrobora a necessidade de adequar intervenções capazes de dar conta do problema da depressão na infância.

A literatura internacional também é restrita no que diz respeito à investigação de intervenções adequadas para o tratamento da depressão infantil. Os estudos têm privilegiado a abordagem de participantes adultos no que diz respeito ao levantamento da sintomatologia e às causas (Blatt-Eisengart *et al.*, 2009; Lakdawalla, Hankin, Mermelstein, 2007; Perera, 2008; Suveg, Hoffman e Thomassin, 2009; Wasliick, Schoenholz e Pizarro, 2003).

Fonagy *et al.* (2002b) apontam a depressão na infância e na adolescência não somente como um problema social, mas também como reflexo de problemas familiares e com os pais. Por outro lado, esses autores indicam que, em geral, os estudos sobre o tratamento desse quadro em crianças e adolescentes demonstram que ele é adaptado de modelos adultos, cuja maioria se refere ao uso de medicamentos ou situa as intervenções em propostas cognitivo-comportamentais. Entretanto, em que pese a eficácia dessa modalidade de intervenção nos quadros de depressão, Fonagy *et al.* apontam que a terapia cognitivo-comportamental é menos efetiva nos casos mais severos e naqueles em que há maiores distorções cognitivas.

Para Espasa e Dufour (1997), a depressão é apontada como obstáculo para a elaboração das perdas significativas na infância. Para os mesmos autores, a depressão em crianças pequenas é consequência da separação de um objeto significativo de seu meio. Quanto maior a criança, mais frequentemente os aspectos internos da perda assumem importância. Esses autores evidenciam tanto a importância da perda externa (real) quanto seu correlato de perda interna (intrapsíquica) para o desencadeamento do episódio depressivo.

Freud (1938/1975) assinalou que a relação primitiva estabelecida entre a mãe e o bebê é o protótipo para todas as outras relações que se constroem ao longo do desenvolvimento. Diante da ameaça de perda do objeto amado, ou seja, com a separação da mãe, o bebê responde com ansiedade e diante da perda real do objeto, o bebê vivencia a dor do luto. Inúmeros autores, na literatura psicanalítica, constataram essas observações de Freud, entre os quais Klein (1982), Lebovici (1987), Winnicott (1978, 1982), apenas para citar alguns.

Fonagy (1999, 2000), Fonagy *et al.* (2002a) e Fonagy e Bateman (2003) postulam que o rompimento dos vínculos produz falha parcial na função reflexiva e na capacidade de mentalização. Isso se deve ao fato de o apego (que proporciona segurança para a criança e continência para suas necessidades) ser interrompido de maneira traumática, ocasionando o temor e a ameaça de perda do objeto. Com isso, a criança poderá apresentar os sintomas da depressão. Esses fatores nos remetem à importância dos vínculos afetivos para a saúde mental do indivíduo e aos conceitos de função reflexiva e capacidade de mentalização.

FORMAÇÃO E ROMPIMENTO DE VÍNCULOS

FUNÇÃO REFLEXIVA E CAPACIDADE DE MENTALIZAÇÃO

A FUNÇÃO REFLEXIVA e a capacidade de mentalização são conceitos que vêm sendo elaborados com base na vertente psicanalítica da teoria do apego, nas contribuições de alguns teóricos das relações objetais, especialmente Bion e Winnicott e na psicologia cognitiva (Allen e Fonagy, 2006; Bateman e Fonagy, 2004, 2006; Fonagy, 1999, 2000; Fonagy e Bateman, 2003, 2006, 2007). Trata-se de capacidades que se desenvolvem no contexto de relações de apego seguro e se mostram prejudicadas em pacientes que apresentam, por exemplo, transtornos de personalidade *borderline* e/ou que experimentaram alguma forma de rompimento de vínculos.

Os conceitos de função reflexiva e de capacidade de mentalização vêm sendo desenvolvidos especialmente com relação a pacientes diagnosticados com transtorno de personalidade *borderline* (Allen e Fonagy, 2006; Bateman e Fonagy, 2004, 2006; Fonagy e Bateman, 2003). Os autores citados desenvolveram uma modalidade psicoterápica para esses pacientes, psicanaliticamente orientada, mas com foco no desenvolvimento da capacidade de mentalização. Pesquisas voltadas para a análise desse processo em crianças ainda não são comuns e Fonagy (Fonagy e Bateman, 2003) assinala sua importância e necessidade.

A função reflexiva e a capacidade de mentalização são fundamentais para a organização do *self* (personalidade) e a regulação do afeto. Referidas capacidades são adquiridas no contexto dos relacionamentos sociais primitivos da criança e estão associadas à qualidade do afeto na comunicação mãe-bebê (Fonagy, 1999, 2000, 2006; Fonagy e Target, 1997; Fonagy *et al.*, 2002a).

Função reflexiva é uma aquisição do desenvolvimento que permite à criança não apenas responder ao comportamento de outra pessoa como também possibilita conceituações infantis sobre crenças, sentimentos, atitudes, desejos, esperanças, conhecimento, imaginação, simulação, falsidade, intenções, planos e assim por diante, do que se passa pela mente das outras pessoas

(Fonagy *et al.*, 2002a). Ao fazer isso, as crianças dão significado ao comportamento do outro. Essa função envolve uma capacidade psicológica intimamente relacionada à representação do *self*. Consiste também em uma capacidade de autorreflexão e em um componente interpessoal que supre o indivíduo, idealmente, com uma capacidade bem desenvolvida para distinguir a realidade interna da externa (Fonagy e Target, 1997; Fonagy *et al.*, 2002a).

A função reflexiva dos pais é importante para dar suporte ao estado mental da criança (Slade, 2005). Fonagy e Bateman (2003) salientam que uma função reflexiva afetiva do cuidador permite representações do *self* coerentes e integradas e que serão internalizadas pela criança. Para essa internalização, duas condições são necessárias: a contingência e a discriminação. A contingência significa que a resposta acurada do cuidador deve combinar com o estado interno do bebê. A discriminação implica a capacidade do cuidador de expressar, nas suas respostas, os sentimentos do bebê e não os próprios sentimentos.

O termo função reflexiva, portanto, refere-se à *"operacionalização dos processos psicológicos subjacentes à capacidade de mentalizar – um conceito que tem sido descrito tanto na literatura psicanalítica como na cognitiva"* (Fonagy *et al.*, 2002a, p. 24-25). Esse conceito diz respeito à capacidade para compreender e interpretar o comportamento humano, levando em conta os estados mentais subjacentes (Fonagy e Bateman, 2003). Já a capacidade de mentalização se desenvolve por meio do processo de haver experimentado a si mesmo na mente de um outro durante a infância, em um contexto de apego seguro, o qual seria condição para seu amadurecimento.

Holmes (2006), analisando o conceito de mentalização sob uma perspectiva psicanalítica, sintetiza suas origens conceituais em quatro raízes distintas. Uma delas é a teoria da mente, que implica a noção de que os outros têm mentes similares, mas não idênticas à nossa, noção que se desenvolve nos cinco primeiros anos de vida. Uma criança de 5 anos sabe que uma pessoa pode ver o mundo de modo diferente de outra, dependendo da informação que ela tem à sua disposição. Desse ponto até a mentalização haveria apenas um passo: quando a criança adquire a visão de que o mundo é sempre filtrado por uma mente em perspectiva, que pode ser mais ou menos acurada em sua apreciação da realidade.

A segunda raiz do conceito descrita por Holmes (2006) reside nas contribuições de Bion. Esse autor (1962/1997; 1967/1994) diferenciou o pensamento do "aparelho para pensar os pensamentos". Chamou a capacidade de pensar os pensamentos de função alfa; função que transforma os "elementos beta" (pensamentos sem um pensador, primitivos, muitas vezes terríficos) em "elementos alfa", os quais estão disponíveis então para ser pensados, isto é, mentalizados. Bion acreditava que uma mãe continente seria necessária para esse desenvolvimento. Na sua ausência, ou havendo pouca habilidade para tolerar frustração por fatores genéticos, o resultado seria identificação projetiva excessiva, a qual dissemina as sementes da psicopatologia na vida posterior, incluindo um déficit na capacidade de mentalização.

A psicanálise francesa, especialmente no que diz respeito aos estudos sobre as desordens psicossomáticas, também estaria na raiz do conceito (Holmes, 2006). Segundo Holmes, Marty concebeu as desordens psicossomáticas em termos de pensamento operatório (que seria o equivalente francês da noção anglo-saxônica de alexitimia), isto é, a incapacidade ou inabilidade de colocar sentimentos em palavras. Nessa perspectiva, a mentalização seria a antítese do pensamento operatório ou do *acting out* (impulso disruptivo). A mentalização envolve a capacidade de transformar impulsos em sentimentos e representar, simbolizar, sublimar, abstrair, refletir e extrair significado deles.

Os psicanalistas franceses, diferentemente dos anglo-saxões, aderiram muito mais às primeiras ideias de Freud. Holmes (2006) salienta que, ao abordar a mentalização, eles partem da ideia (contida no manuscrito *Projecto*, escrito por Freud em 1895) de que o pensamento emerge da ligação de energias de impulsos soltas (não ligadas). Na ausência dessa ligação, a energia psíquica é descarregada por meio da ação ou desviada para processos somáticos – emergindo clinicamente como *acting out* ou somatização. Haveria uma classificação hierárquica sofisticada de graus de mentalização, proposta por Lecours e Bouchard, citados por Holmes (2006). Em um extremo repousariam as excitações libidinais não mentalizadas, que emergiriam caoticamente como somatizações, comportamento violento e automutilações. No outro, estaria um estágio reflexivo abstrato.

A quarta raiz do conceito de mentalização descrita por Holmes (2006) está relacionada à *psicopatologia do desenvolvimento* e é representada por Fonagy e seus colaboradores. O pensamento desses pesquisadores está alicerçado no ponto de vista empiricista britânico e também no ponto de vista interpessoal winnicottiano. Na noção de espaço transicional de Winnicott (1975), a barreira de contato entre consciente/inconsciente é expandida para uma zona na qual realidade e fantasia se justapõem. Nesse espaço, pensamentos e sentimentos podem ser jogados como se fossem reais, enquanto a realidade pode ser desconstruída enquanto fantasia.

Um senso de *self* organizado e a capacidade de operar no mundo interpessoal resultam de processos intensamente interativos entre o cuidador e a criança nos primeiros anos de vida (Fonagy *et al.*, 2002a; Fonagy, 2006). A criança aprende quem ela é e o que são seus sentimentos por meio da capacidade do cuidador de refletir seus gestos, suas manifestações. Começa a construir um quadro acerca de onde começa e onde termina a realidade interna e externa. Isso tudo a habilita a dimensionar a contribuição dos seus sentimentos na sua apreciação do mundo – em outras palavras, na sua capacidade de mentalização.

Por outro lado, quando ocorrem dificuldades, conflitos, problemas que comprometam o equilíbrio ou a saúde mental dos cuidadores, maus-tratos ou outras situações traumáticas, esses cuidadores podem apresentar dificuldades na função reflexiva e na possibilidade de oferecer uma base segura para suas crianças, deixando-as expostas e vulneráveis. Fonagy e Bateman (2003) sugerem que falhas na capacidade de oferecer respostas contingentes dos pais tendem a estabelecer estruturas narcisistas e de falso *self*, uma vez que o estado interno infantil não corresponde em nada ao mundo real.

Os problemas de mentalização e as desordens na infância começaram a ser explorados há pouco tempo. Sharp (2006) discute os estudos que os identificaram no autismo e nas desordens de conduta, salientando que existem elementos distintos da mentalização que implicam diferentes prejuízos para vários grupos e subtipos de psicopatologia infantil. Enfatiza que não se trata de um conceito unitário, não sendo possível estabelecer uma relação linear entre mentalização e ausência de psicopatologia. "Futuras pesquisas deveriam reconhecer não somente a heterogeneidade das desordens da infância, mas também a heterogeneidade do constructo da mentalização", afirma Sharp (2006, p. 114), sublinhando a importância da aplicação do conceito de mentalização no tratamento das desordens da infância e da adolescência como uma área de pesquisa potencial.

Fonagy (2000) afirma que a psicoterapia, qualquer que seja sua forma, trata da reativação da mentalização. Isso acontece porque ela busca estabelecer uma relação de apego seguro com o paciente, tenta utilizar essa relação para criar um contexto interpessoal em que a compreensão dos estados mentais se converta em um foco e tente possibilitar a reorganização do *self*.

PSICOTERAPIA BASEADA NA MENTALIZAÇÃO

A ESTRATÉGIA PSICOTERÁPICA que toma como alvo a mentalização discutida aqui busca estabilizar a estrutura do *self* por meio do desenvolvimento de representações internas estáveis. Busca também capacitar o paciente a estabelecer relacionamentos mais seguros e auxiliá-lo a identificar e expressar apropriadamente o afeto – porque a estrutura do *self* é desestabilizada no contexto da desordem e da agitação emocional vivenciadas em contextos caracterizados por altos níveis de conflito (Allen e Fonagy, 2006; Bateman e Fonagy, 2004; 2006; Fonagy e Bateman, 2003; 2006).

Para que isso seja possível, são necessárias a clareza da proposta e dos objetivos terapêuticos, a proximidade mental – produzida por intervenções contingentes e discriminatórias – e a aceitação de aspectos do *self* alienado do paciente (Bateman e Fonagy, 2004; 2006; Fonagy e Bateman, 2003). As intervenções devem ser simples e curtas, com foco na mente do paciente, e não em seu comportamento. O foco prioritário das intervenções deve ser os afetos e elas devem estar relacionadas a eventos ou atividades atuais – realidade mental – e também o conteúdo consciente e pré-consciente. Interpretações de conteúdo inconsciente só serão possíveis e recomendadas após a exploração dos processos psicológicos, na medida em que o paciente começa a identificar mais acuradamente seus afetos e estados mentais.

Há uma lacuna entre as experiências afetivas primárias do paciente e suas representações simbólicas, quando falha a capacidade de mentalização. Essa lacuna precisa ser preenchida na psicoterapia (Fonagy e Bateman, 2003). Para isso, o terapeuta necessita não somente ajudar o paciente a compreender e identificar os estados mentais, mas também a situar esses estados emocionais no contexto presente, com uma narrativa articulada ao passado recente e remoto. Isso requer que o terapeuta mantenha uma postura mentalizadora, o que significa a habilidade de continuamente questionar que estados mentais, tanto do paciente como dele mesmo, podem explicar o que está acontecendo aqui e agora (Bateman e Fonagy, 2004; 2006; Fonagy e Bateman, 2003). O terapeuta necessita também manter proximidade mental, ou seja, representar acuradamente o estado afetivo do pacien-

FORMAÇÃO E ROMPIMENTO DE VÍNCULOS

te e sua correspondente representação interna, para distinguir estado da mente do próprio *self* e do outro e para demonstrar essa distinção para o paciente. Essa acurácia deve ser apenas "suficientemente boa", parafraseando Winnicott (1978).

Na psicoterapia baseada na mentalização, a transferência é vista como uma força terapêutica positiva. Não simplesmente como uma representação do passado que, se interpretado, pode levar ao *insight*, mas como uma prova utilizada pelo indivíduo para estimular ou provocar respostas do terapeuta ou de outros que são essenciais para uma representação estável do *self* (Bateman e Fonagy, 2004; Bateman e Fonagy, 2006; Fonagy e Bateman, 2003). A transferência é vista como um processo interativo, que permite ao paciente responder a aspectos selecionados da situação de tratamento, essas respostas contêm a sensibilidade da experiência passada (Fonagy e Bateman, 2003). Os autores alertam para o fato de que interpretações insistentes sobre a situação transferencial e contratransferencial são propensas a ser prejudiciais para pacientes traumatizados, porque eles poderiam experimentá-las como se o terapeuta estivesse repetindo o comportamento do objeto primário autocentrado, sempre demandando ser o foco da atenção do paciente.

Enfim, as distorções do *self* não são irreversíveis (Bateman e Fonagy, 2003). A aquisição da capacidade de criar uma narrativa dos próprios pensamentos e sentimentos – capacidade de mentalizar –, pode superar falhas na organização do *self* que resultaram da desorganização do apego precoce e/ou de experiências conflitivas, estressantes, de experiências de perdas e rompimento de vínculos. Dessa forma, diante de danos e prejuízos causados na organização do *self* pelas vivências que resultaram em transtornos depressivos na infância, torna-se importante discutir estratégias de prevenção e de intervenção clínica sobre essas situações. Parte-se do pressuposto de que a psicoterapia pode ser um meio de prevenção do desfecho negativo sobre a organização da personalidade e dos vínculos da criança. É importante examinar as possibilidades dessa intervenção psicoterápica que focaliza a função reflexiva da criança no contexto dos quadros depressivos e busca promover o desenvolvimento da capacidade de mentalização durante o processo psicoterápico.

SOBRE A PSICOTERAPIA

O FOCO NAS SESSÕES dessa modalidade psicoterápica segue alguns princípios. Um dos pressupostos é o de que a capacidade de mentalização somente se desenvolve por meio do processo de haver experimentado a si mesmo na mente de um outro durante a infância, dentro de um contexto de apego, e somente se amadurece adequadamente no contexto do apego seguro (Allen e Fonagy, 2006; Bateman e Fonagy, 2004; Fonagy e Bateman, 2003; 2006).

Quando isso falha, conduzindo a diversos sintomas e situações clínicas, uma possibilidade é promover esse processo no contexto psicoterápico. As metas globais do tratamento, para Fonagy e Bateman (2003) são: capacitar o paciente para o estabelecimento de relacionamentos seguros; estabilizar a estrutura do *self* por meio do desenvolvimento de representações internas estáveis; formar um senso coerente de *self*; identificar e expressar apropriadamente os afetos (uma vez que a estrutura do *self* é desestabilizada no contexto da desordem e da agitação emocional).

Para atingir essas metas, os autores recomendam algumas táticas-chaves: clareza da proposta e dos objetivos terapêuticos; compreensão (clarificação), interpretação e outras intervenções precisam estar baseadas na consideração de como o paciente está estabilizando sua estrutura do *self*; proximidade mental, produzida por intervenções que são **contingentes** e **discriminatórias**; aceitação de aspectos do "*self* alienado" (projeção, contratransferência, *splitting*); enunciados breves, focados no "aqui e agora", reconhecendo a ausência de representação simbólica.

A tarefa seria mover o paciente em direção a um apego mais seguro (Fonagy e Bateman, 2003). Isso porque o indivíduo seguro é capaz de interpretar a informação interpessoal suficientemente bem para se sentir seguro quando está próximo dos outros, e é capaz de reter uma distinção clara entre o estado subjetivo do *self* e de um outro.

Fonagy e Bateman (2003) enfatizam a importância da habilidade do terapeuta de continuamente questionar que estados mentais internos, tanto no paciente como nele mesmo, podem explicar o que está acontecendo. É importante buscar compreender o que está confuso para o paciente e como isso pode fazer sentido, clarificando seus elementos. Essa postura capacita o paciente e o terapeuta a desenvolver uma linguagem que adequadamente enquadra e expressa a complexidade de relacionamentos e estados internos.

Nessa abordagem, está implícito o foco nos **processos psicológicos** e no "aqui e agora", mais do que no **conteúdo mental** no presente e no passado (Allen e Fonagy, 2006; Bateman e Fonagy, 2004; Fonagy e Bateman, 2003; 2006). Os pacientes precisam estar conscientes dos próprios sentimentos e representações concomitantes, descrevê-los pouco a pouco e construir um contexto no qual eles possam fazer sentido e ser reconhecidos como próprios. Há uma lacuna entre as experiências afetivas primárias do paciente e suas representações simbólicas e essa lacuna deve ser preenchida na terapia, na medida em que o processo reflexivo se desenvolve tendo em vista o fortalecimento do sistema representacional secundário. Além disso, o terapeuta necessita ajudar o paciente a não somente identificar e compreender os estados emocionais, mas também a situar esses estados emocionais no contexto presente, com uma narrativa articulada ao passado recente e remoto. A lacuna entre a experiência interna e sua representação pode engendrar os afetos depressivos, a baixa autoestima e os demais sintomas dos transtornos depressivos. Para tentar dar conta disso, o terapeuta necessita criar um ambiente terapêutico no qual as experiências do paciente possam ser transformadas, gerando novos significados, especialmente em termos da representação do *self* e da compreensão interpessoal.

Nessa perspectiva terapêutica, a transferência se transforma em um conceito muito mais abrangente, que envolve o interjogo entre paciente e terapeuta, representando os conflitos da mente e refletindo as interações das representações objetais internas (Fonagy e Bateman, 2003). A transferência também é vista como um processo interativo e sua dinâmica está no presente. Interpretações insistentes sobre a situação imediata de transferência não são recomendadas. Os autores colocam-se em uma postura de "investigadores da transferência". Paciente e terapeuta devem partir de uma posição de "não saber", mas tentando compreender. Não há lugar para colocações complexas que impliquem uma verdade absoluta, conforme vista pelo terapeuta.

Salienta-se, ainda, a importância de manter proximidade mental, o que implica representar acuradamente o estado afetivo do paciente e sua correspondente representação interna (Fonagy e Bateman, 2003). Isso possibilita que se faça a distinção entre estado da mente do *self* e do outro, e que se demonstre essa distinção para o paciente.

Em síntese, é possível esquematizar o modo de condução das sessões de psicoterapia da seguinte forma (conforme os princípios e as orientações extraídos do livro de Bateman e Fonagy (2006), *Mentalization-based treatment for borderline personality disorder: a practical guide):*

Características gerais das intervenções: devem ser simples e curtas; centradas no afeto (amor, desejos, mágoas...); focalizadas na mente do paciente (não no comportamento); relacionadas a eventos ou atividades atuais – realidade mental; ênfase no conteúdo pré-consciente e consciente, mais do que no inconsciente no período inicial do processo.

Diretrizes clínicas para as intervenções (gradativamente): identificar o afeto, mais do que o comportamento; explorar o contexto emocional; discriminar o contexto interpessoal atual; examinar o tema interpessoal principal no tratamento; explorar o contexto específico (transferência).

Espectro de intervenções: apoio, suporte e empatia; clarificação, confrontação e elaboração; intervenções voltadas para identificação de sentimentos e pensamentos (os próprios e os alheios); e interpretações (uso com cuidado).

CONSIDERAÇÕES FINAIS

A LITERATURA REVISADA evidencia a escassez de estudos voltados para as abordagens terapêuticas das desordens da infância, em especial da depressão. Entre os estudos identificados, há uma tendência em priorizar tratamentos mais breves e aqueles que exploram a utilização de psicofármacos. Entretanto, abordagens psicanaliticamente orientadas, ou que explorem a análise dos estados emocionais da criança, suas experiências significativas, traumáticas e suas repercussões sobre os vínculos afetivos são menos comuns.

Por outro lado, o tratamento psicanalítico tradicional nem sempre surte o efeito esperado, ou então nem sempre será viável, dado o contexto e as demandas da vida contemporânea. No que diz respeito às crianças que se encontram em situação de abrigamento que, em regra, enfrentaram rompimento de vínculos importantes e têm de lidar com os efeitos dessas experiências, incluindo a depressão, urge a investigação de alternativas de intervenção que venham ao encontro das suas demandas.

Os conceitos de função reflexiva e mentalização, bem como a abordagem psicoterápica que busca promover essas capacidades parecem oferecer uma alternativa que pode ser promissora em alguma medida, diante das demandas clínicas atuais, as quais são caracterizadas, muitas vezes, por situações limítrofes que implicam repercussões importantes na organização do *self* e no mundo representacional do indivíduo.

As características do sofrimento psíquico e das suas formas de expressão exigem dos clínicos e dos pesquisadores mobilização diante do desafio de compreendê-lo e superá-lo. No caso de crianças que vivenciaram uma história traumática, tiveram vínculos significativos rompidos e se encontram em estado de depressão, torna-se importante que esforços para a produção de novos avanços teórico-clínicos sejam empreendidos. Não é possível modificarmos sua história passada de traumas e de rupturas, mas talvez seja possível oferecer-lhes uma oportunidade para repensar e ressignificar seu mundo representacional e sua forma de compreender e lidar com os estados emocionais, o próprio e o dos outros. Possibilitando, dessa maneira, o estabelecimento de novos vínculos seguros e a reescrita de sua história, sob um novo prisma de compreensão e significados.

Neste capítulo, buscou-se apresentar uma proposta psicoterápica que começa a ser explorada em relação a crianças e adolescentes que apresentam dificuldades que os colocam, algumas vezes, no espectro dos transtornos limítrofes da personalidade. Esboçou-se uma breve apresentação dos seus fundamentos principais e das suas características enquanto processo terapêutico. Novas elaborações e produções devem apresentar o relato de experiências clínicas com esse foco, suas características e seus resultados.

REFERÊNCIAS BIBLIOGRÁFICAS

ALEXANDRE, D., T.; VIEIRA, M. L. "Relação de apego entre crianças institucionalizadas que vivem em situação de abrigo". *Revista Psicologia em Estudo*, Maringá, v. 9, n. 2, p. 207-17, mai/ago, 2004.

ALLEN, J. G.; FONAGY, P. *Handbook of Mentalization-Based Treatment*. West Sussex: John Wiley & Sons, 2006.

AMERICAN PSYCHIATRIC ASSOCIATION (APA). *Manual Diagnóstico e Estatístico dos Transtornos Mentais (DSM-IV)*. Porto Alegre: Artmed, 2000.

ANDRIOLA, W. B.; CAVALCANTE, L. R. "Avaliação da depressão infantil em alunos da pré-escola". *Psicologia: Reflexão e Crítica*, v. 12, p. 419-28, 1999.

BAHLS, S. C. "Depressão: uma breve revisão dos fundamentos biológicos e cognitivos". *Revista Interação*, Curitiba, v. 3, p. 49-60, 1999.

_____. "Aspectos clínicos da depressão em crianças e adolescentes". *Jornal de Pediatria*, Rio de Janeiro, v. 78, n. 5, p. 359-66, 2002.

BAHLS, S. C.; BAHLS, F. R. "Psicoterapias da depressão na infância e na adolescência". *Revista Estudos de Psicologia*, Campinas, v. 20, n. 2, p. 25-34, 2003.

BANDIM, J. M.; SOUGEY, E. B.; CARVALHO, T. F. R. "Depressão em crianças: características demográficas e sintomatologia". *Jornal Brasileiro de Psiquiatria*, Rio de Janeiro, v. 1, n. 44, , p. 27-32, 1995.

BATEMAN, A.; FONAGY, P. "The development of an attachment-based treatment program for borderline personality disorder". *Bulletin of the Menninger Clinic*, Londres, v. 67, n. 3, p. 187-211, 2003.

_____. *Psychotherapy of borderline personality disorder: mentalization-based treatment*. Nova York/Oxford: Oxford University Press, 2004.

_____. *Mentalization-based treatment for borderline personality disorder: a practical guide*. Nova York/Oxford: Oxford University Press, 2006.

BION, W. R. *Aprendiendo de la experiencia*. Barcelona: Paidós, 1997. (Original publicado em 1962).

_____. *Estudos psicanalíticos revisados (Second thoughts)*. Rio de Janeiro: Imago, 1994. (Original publicado em 1967).

BLATT-EISENGART, I. *et al.* "Sex differences in the longitudinal relations among family risk factors and childhood externalizing symptoms". *Developmental Psychology*, v. 45, n. 2, p. 491-502, mar. 2009.

BOWLBY, J. *Uma base segura:* aplicações clínicas da teoria do apego. Porto Alegre: Artes Médicas, 1989.

_____. "Apego e perda". *Apego: a natureza do vínculo*. 2. ed. São Paulo: Martins Fontes, 1990. v. 1.

_____. *Formação e rompimento dos laços afetivos*. 3. ed. São Paulo: Martins Fontes,1997.

CALDERARO, R. S. S.; CARVALHO, C. V. "Depressão na infância: um estudo exploratório". *Psicologia em Estudo*, Maringá, v. 10, n. 2, p.181-89, 2005.

CRUVINEL, M.; BORUCHOVITCH, E. "Depressão infantil: uma contribuição para a prática educacional". *Psicologia escolar e educacional*, Maringá, v. 7, n. 1, p. 77-84, jan/jun., 2003.

DEL PORTO, J. A. "Conceito e diagnóstico". *Revista Brasileira de Psiquiatria*, São Paulo, v. 21, n. 1, p. 6-11, 1999.

DELL'AGLIO, D. D.; BORGES, J. L.; SANTOS, S. S. "Eventos estressores e depressão em adolescentes do sexo feminino". *Psico*, v. 35, n. 1, p. 43-50, 2004.

DELL'AGLIO, D. D.; HUTZ, C. S. "Depressão e desempenho escolar em crianças e adolescentes institucionalizados". *Psicologia: Reflexão e Crítica*, Porto Alegre, v. 17, p. 351-7, 2004.

DUTRA, E. M. "Depressão e suicídio em crianças e adolescentes". *Mudanças*, São Paulo, v. 9, n. 15, p. 27-35, jan/jun. 2001.

ESPASA, F. P.; DUFOUR, R. *Diagnóstico estrutural na infância*. Porto Alegre: Artes Médicas, 1997.

FENSTERSEIFER, L.; WERLANG, B. S. "Suicídio na infância: será a perda da inocência?" *Psicologia Argumento,* Curitiba, v. 21, n. 35, p. 39-46, 2003.

FONAGY, P. "The research agenda: the vital need for empirical research in child psychotherapy". *Journal of Child Psychotherapy,* v. 29, n. 20, p. 129-36, 2003.

_____. "The mentalization-focused approach to social development". In: ALLEN, J. G.; FONAGY, P. *The handbook of mentalisation based treatment.* West Sussex: John Wiley & Sons, 2006.

_____. "Persistências transgeneracionales del apego: uma nova teoria". *Revista de Psicoanalisis, Aperturas Psicoanalíticas,* v. 3. Disponível em: http://www.aperturas.org/23fonagy.gtml, 1999. Acesso em: 29 de nov. 2007.

_____. "Apegos patológicos y acción terapéutica". *Revista de Psicoanalisis, Aperturas Psicoanalíticas,* v. 4. 2000 Disponível em: <http://www.aperturas.org/4fonagy.html>. Acesso em: 29 de nov. 2008.

FONAGY, P.; BATEMAN, A. W. "The development of an attachment-based treatment program for borderline personality disorder". *Bulletin of the Menninger Clinic,* Londres, v. 63, n. 4, p. 187-211, 2003.

_____. "Mechanisms of change in mentalization-based treatment of BPD". *Journal of Clinical Psychology,* Londres, v. 62, p. 411-30, 2006.

_____. "Mentalizing and borderline personality disorder". *Journal of Mental Health, Nova York,* v. 16, n. 1, p. 83-101, 2007.

FONAGY, P.; TARGET, M. "Attachment and reflexive function: Their role in self organization". *Development and Psychopathology,* Londres, v. 9, p. 679-700, 1997.

FONAGY, P. et al. *Affect regulation, mentalization and the development of the self.* Nova York: Other Press, 2002a.

_____. *What Works, for Whom?* Nova York: The Guilford Press, 2002b.

_____. *What Works for Whom? A critical review of Treatments for Children and Adolescents.* Nova York: Guilford Press, 2002c.

FREUD, S. "Esboço de Psicanálise". *Obras Psicológicas Completas.* Rio de Janeiro: Imago, 1975. (Original publicado em 1938.)

_____. "The project of scientific psychology". The standard edition of the complete psychological works, Hogarth Press, Londres, v. 1, p. 281-397, 1895.

HERMAN-STAHL, M; PETERSEN, A. C. "The protective role of coping and social resources for depressive symptoms among young adolescents". *Journal of Youth and Adolescence,* v. 25, p. 733-53, 1996.

HOLMES, J. "Mentalizing from a psychoanalytic perspective: What's new?" In: ALLEN, J. G.; FONAGY, P. *The handbook of mentalisation based treatment.* West Sussex: John Wiley & Sons, 2006.

KESSLER, R. C; AVENEVOLI S; RIES MERIKANGAS K. "Mood disorders in children and adolescents: an epidemiologic perspective". *Biol. Psychiatry,* n. 49, p. 1002-14, 2001.

KLEIN, M. *Os progressos da psicanálise.* Rio de Janeiro: Zahar, 1982.

FORMAÇÃO E ROMPIMENTO DE VÍNCULOS

LAKDAWALLA, Z.; HANKIN, B. L.; MERMELSTEIN, R. "Cognitive theories of depression in children and adolescents: a conceptual and quantitative review". *Clin. Child. Fam. Psychol.*, v. 10, n. 1, p. 1-24, mar, 2007.

LEBOVICI, S. *O bebê, a mãe e o psicanalista*. Porto Alegre: Artes Médicas, 1987.

LIMA, D. "Depressão e doença bipolar na infância e adolescência". *J. Pediatr.*, v. 80, n. 2, p. 11-20, 2004.

LIMA, M. S. "Epidemiologia e impacto social". *Revista Brasileira de Psiquiatria*, n. 21, p. 1-5, 1999.

MARCELLI, D.; COHEN, D. *Infância e psicopatologia*. 7. ed. Porto Alegre: Artmed, 2009.

MERICANGAAS, K. R.; ANGST, J. "The challenge of depressive disorders in adolescence". In: RUTTER M. (org.), *Psychosocial disturbances in young people* (p. 3-6). Londres: Cambridge University Press, 1995.

PARREIRA, S. M. C. P.; JUSTO, J. S. "A criança abrigada: considerações acerca do sentido da filiação". *Psicol. Estud.*, v. 10, n. 2, p. 175-80, 2005.

PERERA, H. "Depression in children and adolescents". *Ceylon Med. J. v.* 53, n. 2, p. 65-7, 2008.

PRESIDÊNCIA DA REPÚBLICA DO BRASIL. Estatuto da Criança e do Adolescente (ECA). Diário Oficial da União. Lei nº 8.069, de 13 de julho de 1990. Brasília: Palácio do Planalto, 1990.

RAMIRES, V. R. R *et al.* Saúde mental de crianças no Brasil: uma revisão de literatura. *Interação em Psicologia*, 2009. (No prelo.)

_____. Fatores de risco e problemas de saúde mental em crianças. *Arquivos Brasileiros de Psicologia*, 2009. (No prelo.)

RIBEIRO, K. C. S *et al.* Representações sociais da depressão no contexto escolar. *Paideia*, v. 17, n. 38, p. 417-430, 2007.

RUNYON, M. K.; FAUST, J.; OVASCHEL, H. "Differential symptom pattern of post-traumatic stress disorder in maltreated children with and without concurrent depression". *Child Abuse e Neglect*, n. 26, p. 39-53, 2002.

RUTTER, M. "Psychosocial resilience and protective mechanisms". *American Journal Orthopsychiatry*, v. 57, p. 316-31, 1997.

SHARP, C. "Mentalizing problems in childhood disorderes". In: ALLEN, J. G.; FONAGY, P. *The handbook of mentalisation based treatment*. West Sussex: John Wiley & Sons, 2006.

SILVA, E. R. *O direito à convivência familiar e comunitária*: os abrigos para crianças e adolescentes no Brasil. Brasília: Ipea/Conanda, 2004.

SIQUEIRA, A. C.; DELL'AGLIO, D. D. "O impacto da institucionalização na infância e na adolescência: uma revisão de literatura". *Psicol. Soc.*, v. 18, n. 1, p. 71-80, 2006.

SLADE, A. "Parental reflexive functioning: an introduction". *Attachment & Human Developement*, v. 7, p. 269-81, 2005.

SUVEG, C.; HOFFMAN, B.; THOMASSIN, K. "Common and specific emotion-related predictors of anxious and depressive symptoms in youth". *Child Psychiatry Hum. Dev.*, v. 40, n. 2, p. 223-39, 2009.

VERA REGINA RÖHNELT RAMIRES • SORAIA SCHWAN

YUNES, M. A. M et al. *A história das instituições de abrigo às crianças & concepções de desenvolvimento infantil*. In: XXXII Reunião Anual da Sociedade Brasileira de Psicologia, Florianópolis, Santa Catarina, 2002.

WASLIICK, B.; SCHOENHOLZ, D.; PIZARRO, R. "Diagnosis and treatment of chronic depression in children and adolescents". *J. Psychiatr. Pract.*, v. 9, n. 5, p. 345-66, 2003.

WATHIER, J. L.; DELL'AGLIO D. D. "Sintomas depressivos e eventos estressores em crianças e adolescentes no contexto de institucionalização". *Revista de Psiquiatria do Rio Grande do Sul*, v. 29, n. 3, p. 305-14, 2007.

WINNICOTT, D. *O brincar e a realidade*. Rio de Janeiro: Imago, 1975.

_____. *Da pediatria à psicanálise*. Rio de Janeiro: Francisco Alves, 1978.

_____. *O ambiente e os processos de maturação*. Porto Alegre: Artes Médicas, 1982.

ZAVASCHI, M. L. S et al. "Associação entre trauma por perda na infância e depressão na vida adulta". *Rev. Bras. Psiquiatr.*, v. 24, n. 4, p. 189-95, 2002.

9. A preservação dos vínculos parentais no contexto da guarda compartilhada

MARIA LUCIA CAVALCANTI DE MELLO E SILVA
MARIA CRISTINA LOPES DE ALMEIDA AMAZONAS

CONSTRUÇÃO DOS VÍNCULOS PARENTAIS

O NASCIMENTO PSICOLÓGICO de uma criança não coincide com seu nascimento biológico. Ocorre em conformidade com o desenvolvimento físico e psíquico e, essencialmente, com o fato de ela poder ocupar um lugar como sujeito em uma família, independentemente de sua configuração: nuclear, extensa, adotiva, monoparental, homoafetiva, recasada, com filhos programados para salvar um irmão portador de doença grave ("bebês-remédio"), filhos oriundos da reprodução assistida ou do útero emprestado por outra mulher.

A construção dos vínculos parentais diz respeito às dimensões intersubjetiva e intrapsíquica dos pais, que projetam nos filhos as imagos parentais. Esse processo de parentalização envolve a criança imaginada que ambos possuem como registro. Lebovici (2004) a conceitua como fruto da história transgeracional dos pais e definirá o mandato do destino da criança. O autor enfatiza que esse mandato não pode ser muito rígido a fim de permitir que a criança se expanda, integre-se à sociedade e estabeleça laços de parentalização suficientemente saudáveis ou pouco conflituosos. A parentalidade é, portanto, fruto do desejo de ter um filho, assume contornos mais nítidos durante a gravidez e continua a ser vivenciada pelos pais após o nascimento da criança.

Em 1956, Winnicott (1988) desenvolveu a tese sobre a condição psicológica da mãe no final da gravidez e algumas semanas após o nascimento do bebê, que denominou *preocupação materna primária*. Braga e Amazonas (2006), partindo de uma visão winnicottiana, afirmam que, nas relações primárias entre pais e filhos, o primeiro momento da relação de objeto é o *objeto subjetivo*. O bebê é o objeto, não se identifica com ele. O comportamento da mãe nessa fase é um prenúncio de como a parentalidade vai ser construída e sedimentada. Por meio desse estado de sensibilização exacerbada, a mãe regride sadiamente ao registro do bebê para interpretar suas demandas satisfatoriamente. Segundo Winnicott (1988), há mulheres que não conseguem atingir este estado de "doença normal", pois é necessário que sejam saudáveis o bastante para desenvolver esse estado que lhes permite se adaptar com delicadeza e sensibilidade àquilo que o bebê requer e, depois, curar-se dessa doença, quando não for mais necessário tamanho desvelo. A partir daí, será instalada a tríade pai-mãe-bebê e os vínculos parentais vão sendo firmados.

A vinculação entre pais e filhos pode ser constituída de múltiplas formas e, algumas vezes, de modo diverso para cada filho. Ocorre conforme o contexto psicológico, socioeconômico e conjugal vivenciado pelos pais. Assim, determinado filho poderá não ser parentalizado, a despeito de outros filhos passarem pelo processo de forma adequada. Além disso, há questões outras que podem interferir na construção desse vínculo parental, como: se o filho foi desejado, se a criança é portadora de alguma síndrome ou enfermidade grave, se foi especialmente idealizado com determinadas características e isso não se confirmou, se foi um bebê trabalhoso, se foi concebido por pais adolescentes e imaturos, se nasceu à época do falecimento de um dos pais ou de seus avós. Houzel (2004) analisa o processo de transição para chegar à parentalidade e destaca a necessidade de se tornar em pais, além de serem genitores ou designados como pais. O caminho para isso é um processo complexo, em níveis conscientes e inconscientes.

Quando os laços parentais não são adequadamente constituídos ou são rompidos, a criança pode sofrer sérios danos psicológicos, pois o exercício da parentalidade diz respeito ao estabelecimento dos interditos que estruturam o funcionamento psíquico do indivíduo. Felizmente, na maioria dos casos, em razão da dimensão simbólica da parentalidade e da filiação, a criança é levada a superar, de alguma forma, determinadas falhas apresentadas por seus pais no desempenho das funções parentais. Braga e Amazonas (2006), inspirando-se em Winnicott, afirmam que os bebês são mais que produtos de suas mães e de seus pais, eles são organizações subjetivas em processo e trazem o desejo de continuar vivos e se desenvolvendo, cabendo aos pais propiciar um abiente adequado a esse desenvolvimento.

Ochoa-Torres e Lelong (2004) enumeram quatro funções parentais: asseguradora, estimuladora, socializadora e de transmissão de valores.

A despeito de terem sido estabelecidos de maneira adequada, os vínculos parentais necessitam de atualizações, de *up grades*, conforme a fase vivenciada pelos filhos, e isso ocorre por meio da presença calorosa e contínua dos pais na vida das crianças e dos adolescentes, especialmente após a quebra do vínculo conjugal, quando eles deveriam ter como objetivo prioritário a manutenção do exercício da parentalidade. Isso pressupõe a compreensão de que essa atitude é fundamental para o equilíbrio psicológico de seus filhos

SEPARAÇÃO CONJUGAL E SUAS REPERCUSSÕES SOBRE OS VÍNCULOS ENTRE PAIS E FILHOS

O TÉRMINO DE UMA RELAÇÃO AFETIVA, consolidada por anos de convivência, é sempre uma experiência complexa, que envolve aspectos conscientes e inconscientes de ambos os integrantes do casal, acarreta sofrimento e pode fazer eclodir atitudes descabidas e por vezes bizarras. A despeito do significativo número de separações, em casamentos e uniões estáveis, essas rupturas são quase sempre vivenciadas como uma grande perda; e essa condição, necessariamente, implica a elaboração de lutos.

O casal, agora não mais amoroso ou conjugal, transmuta-se em casal parental, passando a lidar com situações novas, como: mudança de moradia, da rotina dos filhos, queda do padrão econômico-financeiro, entre outras. Essa fase pode ainda ser dificultada por frequentes sentimentos de baixa autoestima, culpa, frustração, fracasso, raiva, tristeza e ímpetos de retaliação contra o cônjuge que tomou a iniciativa da separação.

Quando o laço conjugal é desatado, o casal deve procurar manter intactas, ou preservadas em sua essência, suas relações parentais. O termo *parentalidade* foi idealizado pelo psiquiatra e psicanalista Paul-Claude Recamier, em 1961, surgido da união dos vocábulos maternalidade e paternalidade (Solis-Ponton, 2004). Essa denominação tem sido muito empregada nos dias atuais, mas ainda é bastante ligada à acepção de parentesco, de laços consanguíneos ou de vínculos decorrentes de casamento.

Cerveny (2006) acredita que todas as pessoas possuem projetos para suas vidas, expectativas quanto ao casamento ou às uniões, e quando ocorre ruptura da conjugalidade necessitam rever seus projetos e elaborar planos para o futuro. Um dos grandes desafios da parentalidade, em divórcios e separações, é o impasse que os casais vivenciam por não poderem mais ser pai ou mãe no âmbito da família idealizada e se sentirem inseguros sobre como vão exercer as funções parentais fora do contexto familiar sonhado e em que tanto investiram. A autora considera também que a separação de um casal que tenha filhos pequenos, de até 5, 6 anos, é bem mais traumática, porque o tempo de parentalidade compartilhada foi pequeno e essa condição propicia muitas perdas para pais e filhos.

Muitos casais ainda se encontram presos à ideia de que o casamento representa o *locus* da estabilidade, segurança e felicidade; acreditam na última frase dos contos de fada: "casaram-se e foram felizes para sempre..." De repente, se dão conta de que a estabilidade era apenas um simulacro. A felicidade de muitos casais que festejam bodas de prata e de ouro também parece ser algo ficcional. Percebemos, em casais rotulados como bem casados, por meio da fala e do brincar de seu filho nas sessões de psicoterapia, que a paz que eles propagam ter na relação conjugal, nada mais é do que a chamada paz armada ou aquela paz monitorada todo o tempo, que demanda de um dos integrantes do casal muito sacrifício, dor e silêncio, pois remete ao preço da submissão ao desejo do outro.

Importa ressaltar a necessidade de serem desfeitos vários estereótipos em relação à separação e aos filhos de pais separados, como foram transformados os relativos à mulher desquitada que, na época era vista como uma provável promíscua, denominada mulher sem dono, um risco para as amigas casadas, que temiam o envolvimento dela com seus maridos. Do mesmo modo, os filhos de pais separados eram motivo de pena ou de discriminação. Apreciando esse aspecto, Cruz (2009) afirma que nem sempre filhos de pais separados são infelizes. Se tiverem uma vida serena, com pais presentes, poderão construir adequadamente sua subjetividade, sedimentar valores éticos, morais e a capacidade de enfrentar as vicissitudes da vida. A autora avalia que a situação de pais casados que vivem em eterno conflito acarreta sérios danos para os filhos.

No momento da separação, ou mesmo antes de ela se concretizar formalmente, já podem ser observadas determinadas repercussões em relação aos filhos que pressentem algo diferente no âmbito da conjugalidade de seus pais. Na clínica, com adolescentes e crianças, ouvimos: "Eu já pensava que eles fossem se divorciar." "Eu não tinha certeza, mas achava que eles iam se separar e ficava com medo." "Eles primeiro acabaram com as brigas, só depois é que me contaram que iam se separar." "Eles me disseram que nada ia mudar (com a separação), mas meu pai não ia mais morar com a gente."

Mesmo nas separações amigáveis, em que existe consenso entre os cônjuges, pode haver repercussões no tocante aos vínculos entre pais e filhos, principalmente se a guarda for atribuída a um dos pais. Em geral, o que se observa é a guarda concedida à mãe, independentemente de ser levado em conta seu desejo, disponibilidade de tempo, condições psicológicas, econômico-financeiras ou de saúde física. Essa prevalência, que sempre priorizou a importância da mãe em relação aos cuidados com os filhos, sedimentou e ainda tem influenciado decisões judiciais e extrajudiciais no tocante à guarda exclusiva da mãe. Os vínculos com os filhos ficam mais fortalecidos em razão da coabitação com a mãe. O pai, em geral, adquire o *status* de visitante, com direito a ficar com os filhos a cada 15 dias; até são denominados *pais recreadores* ou *pais de fim de semana*.

Os vínculos com os pais sofrem alterações e, na maioria das vezes, se enfraquecem. Ademais, o sentimento de culpa que muitos pais/homens experimentam em virtude da separação os torna excessivamente benevolentes e tolerantes com seus filhos, o que dificulta a imposição de limites, quando é necessário. Em consequência, crianças e adolescentes aprendem a manipular os pais com o objetivo de obter produtos veiculados na mídia, como brinquedos, roupas, tênis, telefones celulares modernos, equipamentos de informática. Grande número de pais se sente injustiçado por não participar do cotidiano dos filhos, sentimento que é potencializado pelo fato de as ex-mulheres terem o privilégio da guarda unilateral e se considerarem donas dos filhos.

Em decorrência desses fenômenos e das mudanças nos papéis e nas relações entre gêneros, que ocorreram nas últimas décadas, surgiram várias organizações de pais com a proposta de lutar pela quebra da guarda unilateral das mães ou por maior participação na vida dos filhos, como o Movimento Guarda Compartilhada Já!, a Associação Pais para Sempre, a Associação de Pais e Mães Separados (Apase) e outras. Groeninga (2009, p. 154) assinala que esses movimentos emergiram graças "[...] a uma legítima reivindicação dos homens que descobriram a realização em exercer a parentalidade e a necessidade das mulheres em ter tempo para investir na realização profissional".

Pesquisa recente (Grzybowsky, 2007) evidenciou que as mães detentoras da guarda podem se sentir satisfeitas e não apenas sobrecarregadas, pois há prazer em ter o domínio e o controle maior dos filhos, com práticas educativas independentes e rejeitando experiências educativas da casa dos pais.

Quando um casal se separa, a parentalidade deve ser preservada, valorizada e estimulada, perpetuando os vínculos afetivos em suas múltiplas expressões. Uma nova cultura deve ser criada nesse sentido, na qual os vínculos e a responsabilização parental não demandem número tão grande de processos judiciais de pensão alimentícia, guarda unilateral de filhos, investigação de paternidade ou indenizações por abandono afetivo.

Apesar da separação ou do divórcio do casal, a família permanece subjacente; há uma suprafamília que transcende o vazio deixado pela ausência de conjugalidade; ela permanece (ou deveria permanecer) viva para realizar suas funções de proteção física e psíquica dos filhos: a parentalidade.

GUARDA DOS FILHOS E QUESTÕES DE GÊNERO

EM PESQUISA REALIZADA a respeito da guarda compartilhada dos filhos, como requisito para o desenvolvimento da dissertação de mestrado de uma das autoras deste capítulo, foram ouvidos quatro casais completos (ex-marido e ex-mulher) e dois incompletos (somente o ex-marido, em um caso, e apenas a ex-mulher, em outro), perfazendo um total de dez participantes. Todos haviam escolhido a guarda compartilhada dos filhos na ocasião da separação conjugal. Tomaremos, para discutir neste e nos tópicos que se seguem, o que nos disseram alguns participantes da pesquisa, ressaltando que os nomes utilizados são fictícios.

Nas questões relativas à escolha do tipo de guarda dos filhos sempre emergem problemas de gênero em que são observados comportamentos e regras que denotam estereótipos e estigmas acerca dos papéis parentais. Brito (2004) ressalta que os primeiros estudos a respeito da relação materno-infantil indicavam que as mulheres seriam dotadas de instinto maternal e que os homens não tinham competência para cuidar dos filhos. Essa crença justificaria a concessão da guarda, em larga escala, às mães. Pode-se pensar que a norma da maior importância a ser cumprida é aquela que garanta a igualdade constitucional entre os gêneros. O princípio que se sobrepõe aos demais é o de proteção integral à criança e ao adolescente. Entretanto, não se pode admitir que a mãe seja hipervalorizada em todas as situações relativas à guarda de filhos ou que o pai seja desqualificado em seus cuidados com os filhos pelo simples fato de ser do sexo masculino.

O que se perpetuou ao longo do tempo, em virtude da tradição e da práxis do judiciário, foi o entendimento de que a guarda deveria sempre ser concedida à mãe. A crença na existência do instinto maternal ainda tem grande peso nas decisões sobre a guarda de filhos pelo consenso dos casais e dos juízes, que consolidaram a premissa de que é sempre melhor para o filho ficar com a mãe do que com o pai, a este cabendo zelar pela honra da família, fiscalizar a mãe nos cuidados com a prole, permanecendo afastado das tarefas domésticas.

Na sociedade ocidental, o instinto maternal constituiu um determinismo biológico que estabeleceu lugares e criou estereótipos, entre os quais a crença de que só o amor materno saberia dosar os cuidados necessários ao desenvolvimento infantil. Isso não corresponde a alguma natureza de homens ou mulheres, são papéis construídos ao longo da história.

Um dos pais entrevistados, Agostinho, ao falar sobre seus sentimentos em relação a uma possível separação da filha, em decorrência do rompimento do vínculo conjugal, demonstra que se sente tão capaz quanto a mãe de cuidar da filha e alerta para os danos que podem ser causados na criança se os vínculos com o pai não forem preservados o máximo possível.

> No começo da separação, eu sentia que precisava muito dela (a filha). Eu sentia muita vontade de voltar a fazer as coisas que eu fazia antes: dormir com ela [...] dar banho, fazer comida, assim, fazer as tarefas [...] qualquer que seja outra situação [que não seja a guarda compartilhada] sempre é pior. Sim, sim, porque eu acho que aquela história de dividir por dia, por período, cria mesmo uma cisão na vida da criança [...] (Agostinho, 42 anos, publicitário, separado há seis anos, pai de Maria, de 8 anos).

O conceito de gênero engloba atitudes e comportamentos de homens e mulheres que precisam ser desmistificados em relação à atribuição de papéis, à hierarquia e ao exercício do poder. O gênero não é só uma identidade aprendida na infância; é um sistema institucionalizado de práticas sociais que classificam as pessoas em duas categorias: homem e mulher. Infelizmente, esse sistema operacionaliza relações sociais desiguais com base nessa diferença, o que acarreta inúmeras situações de arbitrariedade e injustiça.

> O mesmo direito que a mãe tem, o pai tem. Às vezes a gente não tem essa noção, não é? Mas o pai é tão importante, tão responsável quanto a mãe. Mas, às vezes, a gente como mãe se acha mais importante. Eu tive muito receio no começo, mas hoje em dia eu vejo como foi importante essa presença dele na vida delas e como ele conseguiu manter o afeto delas e a admiração que elas têm por ele (Amanda, 36 anos, fisioterapeuta, divorciada há quatro anos, mãe de Gabriela, de 12 anos, e de Vanessa, de 8 anos).

É essencial liberar o gênero do binarismo que o prende e impede, talvez, a emergência e a visibilidade das possíveis fugas às normas. Breitman e Strey (2006, p. 66) reiteram que o gênero é uma construção cultural relativa ao modo de ser homem e mulher "e não apenas um cabide-corpo, no qual são jogados artefatos culturais". Hoje, são inúmeros os casais que fogem aos padrões culturais tradicionais no que se refere a ser pai e ser mãe.

> Ela [a ex-mulher] faz a parte boa, fica mais nos finais de semana, compra presentes, agora mesmo ela comprou um computadorzinho para ela [a filha]. Eu faço a parte mais pesada, até a questão de levar pra médico, só não levo pra ginecologista, eu peço que minha mãe leve, entendeu? Eu chego em casa de noite e vou ter que cozinhar, fazer arroz, fazer feijão, tudinho [...] Vou preparar uma coisa mais gostosa, porque ela é chata pra comer! (Carlos, 45 anos, formado em Direito, servidor público federal, divorciado há quatro anos, pai de Camila, de 12 anos).

Não é suficiente dizer que os gêneros são construídos; gênero é uma categoria criada e aplicada aos humanos e a construção dos humanos implica complexas operações que ao mesmo tempo em que os diferenciam, excluem os diferentes (Butler, 2001).

> Minha esposa não podia, ela é artista plástica, leva outro tipo de vida e não podia ficar com a guarda exclusiva [...] A mãe não é muito presente por causa das atividades dela, ela viaja e tudo. Aí ficamos com a guarda compartilhada, é menos traumático [...] Ela [a filha] mora comigo, na verdade ela [a ex-esposa] quis que ficasse comigo (Carlos, 45 anos, formado em Direito, servidor público federal, divorciado há quatro anos, pai de Camila, de 12 anos).

É possível que uma mulher, ao se separar e dar a preferência da guarda dos filhos ao marido, seja excluída socialmente da categoria *boa mãe*, isto é, mãe amorosa, inteiramente dedicada aos filhos.

Badinter (1985) ressalta que ao término do século XVIII surge um novo conceito, o amor materno. A partir daí, a imagem da mãe e seus papéis passaram por profundas transformações. Diversas publicações daquela época recomendavam que as mães cuidassem pessoalmente de seus filhos e também determinavam que os amamentassem. A autora afirma que o amor materno passou a ser exaltado como um valor simultaneamente natural e social. Como decorrência desse processo, houve a associação das palavras amor e materno, conferindo a esse sentimento um valor muito especial, e as mulheres passaram a ser extremamente valorizadas ao se tornarem mães. O enfoque desse momento histórico desprendeu-se da autoridade do pai para a ênfase no amor materno, fato que, com o decorrer do tempo, esmaeceu a figura paterna, excluindo os homens não apenas dos papéis de cuidadores dos filhos, mas também da condição de pais amorosos e capazes de qualquer sacrifício por eles. A fala de um dos nossos participantes, Sérgio, contraria essa crença.

> Elas estão em primeiro lugar e até quando elas tão com a mãe [...] isso aí já aconteceu várias vezes, de estar com a mãe e eu ser chamado pelo colégio e pegá-las e levar pra médico [...] é [...] até como eu te falei da minha vocação grande que eu tenho de pai [...] assim... é o meu jeito, então, eu diria, eu participo até muito intensamente também nos dias da mãe, porque é o meu perfil, eu gosto, eu sinto falta! (Sérgio, 42 anos, empresário, divorciado há quatro anos, pai de Gabriela, de 12 anos, e de Vanessa, de 8 anos).

Na construção do mito do amor materno, os pais foram diferenciados das mães quanto à capacidade de amar e de cuidar, o que implicou também uma exclusão: se precisamos escolher quem deve ficar com a guarda de uma criança no caso da separação de um casal, a crença que decorre do mito é a de que a mãe é a pessoa mais apropriada.

Desse modo, papéis foram estabelecidos para as funções parentais, levando-se em consideração o gênero. A mulher estaria destinada aos cuidados dos filhos, do marido e das atividades domésticas. O marido seria o provedor da família e o chefe da casa. A mulher permaneceu submetida a uma série de regras que só vieram a ser fortemente questionadas e alteradas no advento da Revolução Industrial, com sua entrada no mercado de trabalho, com o surgimento da pílula anticoncepcional e com as primeiras manifestações do movimento feminista.

GUARDA COMPARTILHADA COMO FORMA DE MANUTENÇÃO DOS VÍNCULOS PARENTAIS

Segundo Lima (2006), a expressão coparentalidade foi criada pelo Direito francês, denominada *coparentalité,* que designa a possibilidade de os pais exercerem, em caráter de igualdade, a autoridade parental, conservando, assim, a parentalidade após o divórcio ou a separação. Isso seria propiciado por meio da guarda compartilhada.

O substantivo guarda é definido como ato ou efeito de guardar; vigilância, cuidado, guardamento; também, como proteção, amparo, favor e benevolência, entre outros significados que dizem respeito a determinadas profissões. Compartilhar (de com + partilhar) é o ato de ter ou tomar parte em; participar de; partilhar, compartir (Ferreira, 2004).

A partir da segunda metade do século XX, ocorreram grandes mudanças de comportamento, especialmente no tocante à família, às formas alternativas de união e à necessidade de assegurar o pleno exercício da parentalidade, quando a conjugalidade não mais existir. Os pais começaram a tomar consciência de que deveriam cuidar de seus filhos de forma a propiciar a manutenção da corresponsabilidade que havia quando estavam casados ou juntos, em união estável.

Diante do consenso de que é essencial garantir à criança a melhor qualidade de suas relações com ambos os pais, juristas, psicólogos e sociólogos buscaram uma nova forma de comunicação entre esses sujeitos, que privilegiasse o exercício compartido da autoridade parental. Essa nova abordagem parte de uma premissa essencial que considera a criança sujeito de direitos civis, humanos e sociais. Mencionados direitos eram anteriormente conferidos com exclusividade às pessoas adultas.

Os pressupostos essenciais à guarda compartilhada começaram a ser estabelecidos pelo direito inglês, no século XIX, quando o parlamento alterou a regra vigente de que o pai era

FORMAÇÃO E ROMPIMENTO DE VÍNCULOS

proprietário de seus filhos e, portanto, nas situações de conflito ou separação do casal, a guarda sempre lhe era conferida. Com a mudança na legislação, a guarda dos filhos passou a ser atribuída unilateralmente à mãe, ou seja, houve apenas uma inversão de polos. Diante desse contexto de animosidades, visando minimizar os efeitos causados pela guarda unilateral conferida à mãe, os tribunais passaram a expedir a *split order*, uma ordem de fracionamento ou de divisão do exercício da guarda de filhos. A forma dessa divisão consistia em destinar à mãe os cuidados diários com os filhos e devolver ao pai o poder de gerir a vida da criança. Esse foi o primeiro modelo de compartilhamento da guarda de filhos. Ele passou a ser adotado por outras cortes de justiça, cujas decisões priorizavam o maior interesse dos filhos e a igualdade parental (Grisard Filho, 2002).

Leite (2003) descreve a evolução histórica firmada pelas principais decisões sobre guarda compartilhada nos tribunais da Inglaterra: a primeira ocorreu em 1964 e é considerada um marco na jurisprudência inglesa, foi sucedida por outras não menos importantes, a de 1972 reconheceu o valor da guarda conjunta e outra, em 1980, manifestou-se expressamente contra a concentração da autoridade parental em um dos genitores da criança.

A partir daí, a guarda compartilhada foi adotada no Canadá e depois chegou aos Estados Unidos, onde é utilizada até hoje pela maioria dos estados. Nesse país, ela é objeto de debates e pesquisas, graças à crescente preocupação com a preservação da parentalidade e com os cuidados dos filhos. Segundo Grisard Filho (2002), lá foi criado um comitê especial para desenvolver estudos sobre a guarda de crianças e adolescentes, o *Child Custody Committee*.

Na França, desde 1976, a jurisprudência já se posicionava contra o monopólio da autoridade parental que, em geral, era concedida à mãe. Uma nova legislação foi adotada em 1987 e alterou vários dispositivos do código civil francês nas questões relacionadas à guarda e, em especial, à compartilhada (Rabelo, 2007). Em Portugal, o exercício conjunto da parentalidade foi legalizado em 1995, quando o código civil foi alterado para possibilitar aos pais a escolha da guarda compartilhada (Lima, 2006).

Na atualidade, a guarda compartilhada é adotada por muitos países, como Alemanha, Espanha, Itália, Argentina, Suécia, Dinamarca, Inglaterra, Estados Unidos e França, que a consideram a mais adequada forma de cuidar de filhos depois da separação (Grisard Filho, 2002).

A partir da Declaração Universal dos Direitos da Criança, em novembro de 1959, já se podia vislumbrar, de forma implícita, as bases da guarda compartilhada, por meio das importantes mudanças ocorridas na valorização do afeto e dos cuidados que devem ser dispensados à criança. A Convenção sobre os Direitos da Criança, de 1989, acatada pelo Brasil em 1990, reiterou a necessidade de um ambiente familiar feliz, amoroso e compreensivo, para que a criança se desenvolva harmoniosamente. Esses documentos internacionais impõem aos países que os ratificaram a obediência aos princípios do melhor interesse da criança, da convivência familiar, da continuidade das relações familiares e, fundamentalmente, da proteção integral da criança. O Brasil é signatário dessa convenção, bem como da Declaração Universal dos Direitos da Criança. Por essas razões, a Constituição Federal de 1988, denominada Constituição Cidadã por vários autores, conferiu em seu texto validade a esses princípios. Albuquerque (2005) assinala, nesse viés, a importância do princípio da igualdade entre os cônjuges:

> A inserção do princípio, em sede constitucional, constituiu uma quebra total de paradigmas entre o modelo patriarcal e hierarquizado, cuja configuração revelava a desigualdade entre os cônjuges, e a nova moldura jurídica da família, lastreada em bases principiológicas, em particular na igualdade de direitos e deveres dos cônjuges (Albuquerque, 2005, p. 27).

Acorde com esse entendimento, Grisard Filho (2002) acrescenta que o novo modelo de interação entre pais e filhos seria fruto da falência do antigo paradigma patriarcal centrado na coerção e na falta de diálogo. Então, a guarda compartilhada deve ser adotada prioritariamente, sempre que possível, para não correr o risco de recorrer às opções tradicionais e imutáveis: guarda unilateral conferida à mãe e dever de alimentos e visitas quinzenais, ao pai. Isso, com o passar dos anos, vai se transformando em uma obrigação da qual o pai quer se isentar, tornando os contatos mais céleres ou mesmo esporádicos. Os filhos sentem, de modo consciente ou inconsciente, a falta de disponibilidade e de entrega afetiva do pai. Passam, então, a criar ou optar por outras programações, como reuniões de estudo e de preparo de trabalhos escolares, ou ir para a casa de amigos, buscando minar os finais de semana destinados a ficar com o pai.

Pereira e Franco (2009) asseveram que, no exercício da guarda, em especial a compartilhada, o cuidado com os filhos deve envolver maior preocupação com a qualidade do tempo desse cuidar. Nesses encontros, deve haver diálogo, escuta, carinho, respeito à privacidade, dedicação, paciência e limites como forma de proteção. As autoras afirmam, respaldadas na psicologia e na legislação vigente, que o cuidado é um direito fundamental da criança e do adolescente.

A recepção pelo direito dos aspectos psicológicos que envolvem a guarda compartilhada representa, por si, grande legado à ciência jurídica. Abandona-se a postura clássica e tradicional, adotando-se uma visão não excludente, afeita à complementariedade dos saberes, fato que aprofunda, engrandece e abrilhanta a compreensão de questões relativas à família. Nesse viés, ocorreu importante conquista para nosso país, quando o Congresso Nacional aprovou, em 13 de junho de 2008, a Lei nº 11.698/2008, que institui e regulamenta a guarda compartilhada. Antes disso, esse modelo de guarda era pouco conhecido e raramente utilizado, quando sugerido por juízes, advogados ou proposto por casais esclarecidos e cientes da igualdade de direitos e deveres entre homens e mulheres no exercício de suas funções parentais.

Entretanto, independentemente do tipo de guarda escolhido no divórcio ou separação, o que deve prevalecer é o denominado princípio do melhor interesse da criança e do adolescente, pois eles passaram a ser considerados sujeitos de direito, antes da Constituição Federal de 1988 e do Estatuto da Criança e do Adolescente (1990). A partir de então, os direitos das crianças e dos adolescentes devem sempre estar acima dos interesses dos pais.

A guarda compartilhada precisa ser conhecida. Quase sempre é confundida com a guarda alternada, em que os filhos passam um lapso de tempo com cada um dos pais: pode ser de uma semana, um mês, um semestre e até um ano. Os pais vão alternando os períodos entre si, eles vão sendo invertidos, e quem estiver com a posse física dos filhos naquele espaço de tempo é detentor da guarda unilateralmente, com todas as implicações psicológicas e jurídicas. Na guarda compartilhada, é definida a residência onde os filhos vão morar (residência principal) e se estabelece o compartilhamento de responsabilidades. Geralmente, a escolha recai na casa da mãe, mas os filhos continuam tendo livre acesso à casa do pai.

Com o decorrer do tempo, a guarda compartilhada deverá ser mais bem conhecida e a tendência é que venha a ser a modalidade preferida, isso porque tem como objetivo a manutenção dos vínculos parentais. Uma cultura deve ser formada nesse sentido, até para os pais em litígio, que não sendo grave, pode caminhar para uma situação de consenso em função do bem-estar dos filhos. O ideal é que os pais estabeleçam um acordo prévio sobre todos os detalhes do compartilhamento de responsabilidades, uma espécie de pacto de parentalidade, que pode ser realizado com o auxílio de um mediador, preferencialmente da área de psicologia, para melhor entender o momento e a dinâmica de funcionamento do casal, captando o discurso latente de cada integrante. Ao final, o advogado formalizaria o contrato nos termos legais.

A guarda compartilhada pode ser atribuída judicial ou informalmente (por meio de acordo verbal) a ambos os pais, mantendo-os na condição de casal parental em todos os aspectos da vida do filho, a despeito da quebra do vínculo conjugal.

A guarda compartilhada, segundo Zimerman (2009), possibilita à criança conviver com ambos os pais de modo mais próximo, permitindo que ela se sinta mais segura quanto ao amor deles por ela. Importa salientar que a guarda compartilhada pode ser exercida por casais que eram unidos formalmente pelo casamento civil, pelos que viviam em união estável e por aqueles que tiveram filhos sem o vínculo conjugal. Nesse caso, eles optam por vivenciar a parentalidade com os filhos pelo compartilhamento do poder familiar, que é intrínseco a essa modalidade de guarda. Infere-se, então, que o pleno desempenho da parentalidade só pode ser concebido por meio da mutualidade de ações que se entrelaçam no objetivo de permitir a presença efetiva dos pais na vida dos filhos.

Segundo Zulliani (2006), a guarda compartilhada ou conjunta é a melhor escolha quando se pensa nos filhos e se pressupõe que os pais sejam solidários na divisão de deveres e direitos do poder parental. O autor enfatiza que os pais, na condição de guardadores em tempo integral, devem combinar entre si que os filhos tenham livre trânsito em suas casas, e que circulem nos dois espaços com ampla liberdade, para não haver distanciamento entre eles e os pais.

> Nós também tratamos de manter uma estrutura nas duas casas, para não ficar com malas pra lá e pra cá, para as crianças terem o mesmo conforto num ambiente e no outro; então a experiência foi ótima, eu acho que foi porque minhas filhas conseguiram ficar com o conforto do pai e da mãe [...] esse convívio, e eu acho que isso foi legal pra elas (Sérgio, 42 anos, empresário, divorciado há quatro anos, pai de Gabriela, de 12 anos, e de Vanessa, de 8 anos).

O padrão cultural que determina ser a mãe a natural detentora da guarda dos filhos apresenta limites e contradições. Pode ser vista como uma alternativa emancipatória para a mulher que, não se colocando no lugar de única responsável pelos filhos, poderá se dedicar, também, à realização profissional.

> Hoje em dia eu sou independente, ele também, os dois trabalhamos, temos uma carga grande de trabalho; então não existe mais aquela avaliação de disponibilidade, não é? Quem tem mais disponibilidade pra ser pai ou mãe, até porque eu acho que isso nem vale no assunto maternidade/ paternidade. Independente da disponibilidade de cada um, é um dever dos pais, e que deve ser assumido pelos dois (Maria Paula, 31 anos, administradora de empresas, divorciada há cinco anos, mãe de Beatriz, de 10 anos).

Por outro lado, é uma prática justa para com os homens, que não serão privados do convívio continuado com os filhos, o que, sem dúvida, causa grande sofrimento psíquico.

> Eu não queria ser um pai visitante; eu não ia aguentar porque eu sou muito apaixonado por minha filha (Carlos, 45 anos, formado em Direito, servidor público federal, divorciado há quatro anos, pai de Camila, de 12 anos).

A capacidade de estabelecer uma relação respeitosa e amigável com o ex-cônjuge, abandonando possíveis ressentimentos do passado conjugal, é uma atitude salutar para manter os vínculos parentais. Em sua fala, Agostinho ressalta a importância da amizade com a ex-mulher, que se constituiu em um elemento facilitador da divisão das atribuições relativas à guarda da filha Maria:

> Uma coisa que facilitou muito é que a gente é amigo [...] A experiência de já ter filhos [reporta-se aos filhos do primeiro casamento de ambos] já dava um pouquinho de bagagem pra saber como lidar com Maria, que pra mim é a melhor coisa do mundo [...] a amizade com a mãe dela facilita a administração da cabecinha de Maria e da vida dela (Agostinho, 42 anos, publicitário, separado há seis anos, pai de Maria, de 8 anos).

Nos primeiros tempos da separação, a comunicação do casal parental pode não ser muito fácil, demandando esforços, especialmente para aquele/aquela que não desejava a separação ou para quem se sente culpado, lesado, magoado ou com sentimentos de baixa autoestima.

A entrevistada Luísa ressalta a importância do diálogo entre ela e o ex-marido, para viabilizar a guarda compartilhada e preservar os laços entre pais e filhos:

A gente erra muito, eu erro, ele erra também [refere-se ao ex-marido], mas um conversa com o outro, um liga pro outro na hora, porque a gente educa junto, visando lá na frente o bem-estar dela. Mas é difícil, sabe? (Luísa, 37 anos, formada em Engenharia, divorciada há quatro anos, mãe de Nicole, de 7 anos).

Depreende-se, portanto, que problemas de comunicação entre os pais repercutem negativamente nos procedimentos peculiares à guarda compartilhada e constituem obstáculo à manutenção dos laços parentais. Se um dos ex-cônjuges já tem a convicção de que não vai haver uma conversa frutífera, e sim inócua, e que ambos vão se ferir, certamente o diálogo tenderá a ser evitado ou diminuído a patamares pouco expressivos, fato que repercutirá negativamente na guarda conjunta dos filhos.

Maria Paula diz:

[...] cabe muito aos pais uma conversa, um diálogo, toda vez que tiver alguma coisa em prejuízo para a criança, alguma coisa faltando. Eu acho que a gente [refere-se a ela e ao ex-marido] tem que buscar conversar melhor, porque nem sempre a conversa é boa, às vezes quando eu vou cobrar alguma coisa, uma participação mais ativa de Danilo: "Você tá faltando aqui, tá faltando ali, falta um pouco de cuidado," vêm as discussões, aí prejudica o processo (Maria Paula, 31 anos, administradora de empresas, divorciada há cinco anos, mãe de Beatriz, de 10 anos).

Com base na análise dessas e das demais falas, verificamos que os fatores que facilitam a manutenção da parentalidade estão interligados àquele considerado de maior relevância por ocasião da escolha pela guarda compartilhada: priorizar o bem-estar dos filhos. Esse pressuposto vai sedimentar os pactos firmados pelo casal rumo à preservação da parentalidade.

As divergências quanto à forma de educar os filhos podem dificultar a dinâmica de compartilhamento da guarda, principalmente com a celeridade das mudanças comportamentais. Às vezes um dos pais é mais aberto à adoção de novos padrões, enquanto o outro resiste em se desapegar de suas crenças e convicções anacrônicas. Esse processo de discussão e consenso torna-se mais complexo porque os pais não moram mais juntos ou pode ser dificultado quando o diálogo entre eles não é tão aberto e franco para conduzir a uma resolução mais rápida e eficaz.

Danilo expressa em sua fala as dificuldades de compatibilizar com a ex-mulher a forma de educar a filha:

> [...] eu acredito que a educação tem que ser bem determinada, mas não adianta, um sempre abre mais, não é? Normalmente Maria Paula é bem mais acessível do que eu, muito, bem mais. Eu sou mais duro, quando tem que ser brabo e bater, eu chego a [...]eu chego a bater. É muito importante mesmo ela [reporta-se à filha, Beatriz] saber que existe alguém que manda realmente, que não tem boquinha, não [...] (Danilo, 35 anos, formado em Agronomia, divorciado há cinco anos, pai de Beatriz, de 10 anos).

A competição entre os pais também é algo que prejudica a preservação dos laços parentais. Welter (2009) entende que a forma pela qual os pais administram o tempo de contato com os filhos, em termos de quantidade, também estimula a competição parental. Algumas dessas situações podem fomentar o desejo insaciável de consumo dos filhos, de barganha por presentes, viagens, ou mesmo acarretar um clima de competitividade bastante nocivo entre os ex-cônjuges.

Na entrevista, Raquel diz:

> O pai deles comprou televisão de plasma, comprou videogame da melhor qualidade, o mais atual, fita, DVD e colocou tudo isso no quarto deles, tá entendendo? No quarto deles. Isso foi o que aconteceu. Se eu comprava um livro para os meninos, eles adoram livros, às vezes, saíam comigo e diziam: "Mãe, vamos comprar um livro?" Eu dizia: "bora!" Comprava um livro para cada um. No outro dia, o pai comprava quatro para cada um, para dizer que ele podia muito mais do que eu [...] (Raquel, 41 anos, pedagoga, divorciada há cinco anos e meio, mãe de Eduardo, de 12 anos, e de Pedro, de 9 anos).

O participante João Antônio fala da preocupação com a questão da partilha do tempo sob outro ângulo: do comportamento dos filhos:

> As crianças, hoje superinteligentes, começam a utilizar o tempo que ficam com os pais como moeda de troca com os próprios pais. A criança começa a querer ficar mais momentos com aquele que está oferecendo mais vantagens (João Antônio, 39 anos, odontólogo, divorciado há quatro anos, pai de Nicole, de 7 anos).

Um dos fatores mais importantes para a manutenção da parentalidade na experiência de compartilhamento da guarda é o respeito à pessoa do ex-cônjuge. A participante Luísa demonstra o quanto é cuidadosa com a imagem do pai de sua filha e que consegue discriminar a conjugalidade da parentalidade:

> [...] eu nunca cheguei e falei mal dele pra ela, nunca, nunca. Nunca cheguei pra ela [a filha] e disse: "seu pai é isso, seu pai é aquilo", nunca! Tinha meus problemas com ele, só que isso eram problemas meus e dele, não tinham nada a ver com ela, por isso nós optamos pela guarda compartilhada, por conta disso; e a gente tem uma boa relação. Nós não tínhamos uma boa relação marido e mulher, mas temos uma boa relação de amigo, sabe? (Luísa, 37 anos, formada em Engenharia, divorciada há quatro anos, mãe de Nicole, de 7 anos).

CONSIDERAÇÕES FINAIS

A GUARDA COMPARTILHADA surgiu e foi sancionada como lei em decorrência de consenso da sociedade para preservar os vínculos que uma criança desenvolve com os pais. É no melhor interesse da criança que se pensa quando se investe na manutenção e na qualidade desses vínculos. Neste capítulo, foram analisados os aspectos fundamentais ao exercício da parentalidade na guarda compartilhada dos filhos. Algumas respostas dos participantes expressaram a existência de um novo padrão, no tocante à divisão das responsabilidades parentais, diferente do consagrado há algumas décadas. Os pais/homens se apresentaram participativos, reivindicadores de seu espaço com os filhos e houve esforços de ambos os pais no intuito de efetivar os ajustes essenciais à acomodação à nova rotina da vida, adaptando-a ao cotidiano das crianças. Alguns desses pais com maior disponibilidade, outros com algumas dificuldades de ordem pessoal, mas, no cômputo geral, a cooperação recíproca predominou na prática parental.

No que diz respeito à apreciação dos fatores que favorecem ou dificultam a manutenção dos laços parentais, observamos que priorizar os filhos, pelo respeito ao seu melhor interesse, oferecendo-lhes assistência e cuidados, pode ser considerado o fator de maior relevância para a preservação da parentalidade. Outro fator favorável que aparece na pesquisa diz respeito à capacidade de o casal distinguir a conjugalidade da parentalidade. Esses fatores podem ser considerados como salvaguardas dos vínculos parentais e foram encontrados em todos os casais entrevistados. Outras atitudes apresentadas por alguns casais também fomentam as práticas parentais: o respeito recíproco entre os ex-cônjuges e a existência de um canal de livre comunicação entre eles, que possibilita compatibilizar as regras educacionais para os filhos.

Entre os fatores que dificultam a preservação dos laços parentais na guarda compartilhada, vislumbramos: divisão assimétrica das atribuições do cotidiano dos filhos, dificuldades de comunicação entre os pais, propostas educacionais divergentes ou antagônicas e a competição entre os ex-cônjuges. Outro elemento, como possibilidade de dificultar o exercício da parentalidade nesse tipo de guarda, foi uma acentuação da fantasia que os filhos nutrem em torno da reconciliação dos pais, uma vez que os veem sempre juntos e em uma relação amigável.

⌐⌐

REFERÊNCIAS BIBLIOGRÁFICAS

ALBUQUERQUE, F. S. As perspectivas e o exercício da guarda compartilhada consensual e litigiosa. *Revista Brasileira de Direito de Família*, 7(31), p. 19-30, 2005.

BADINTER, E. *Um amor conquistado: o mito do amor materno.* Rio de Janeiro: Nova Fronteira. 1985.

BRAGA, M. G. R.; AMAZONAS, M. C. L. A. Reprodução assistida e subjetivação infantil. *Psychê*, Ano X (19), p. 129-148, 2006.

BRASIL. *Constituição da República Federativa do Brasil promulgada em 1988.*

_____. *Estatuto da Criança e do Adolescente.* São Paulo: Atlas, 2002.

BREITMAN, S. G.; STREY, M. N. Gênero e mediação familiar: uma interface teórica. *Revista Brasileira de Direito de Família*, 2006, v. 36, n. 8, p. 52-70.

BRITO, L. M. T. Guarda conjunta: conceitos, preconceitos e prática no consenso e no litígio. In: PEREIRA, R. C. (org.), *Afeto, ética, família e o novo código civil.* Belo Horizonte: Del Rey, 2004. p. 355-67.

BUTLER, J. Corpos que pesam: sobre os limites discursivos do "sexo". In: LOURO, G.L. (org.). *O corpo educado: pedagogias da sexualidade* Belo Horizonte: Autêntica, 2001. p. 151-72.

CERVENY, C. M. DE O. Família e filhos no divórcio. In: C. M. O. Cerveny (org.), *Família e...* São Paulo: Casa do Psicólogo, 2006. p. 83-95.

CRUZ, M. L. P. Guarda compartilhada: visão em razão dos princípios fundamentais do direito. In: DELGADO, M.; COLTRO, M. (orgs.), *Guarda compartilhada.* Rio de Janeiro: Forense; São Paulo: Método, 2009. p. 219-28.

FERREIRA, A. B. H. *Novo dicionário Aurélio da língua portuguesa.* 3. ed. Curitiba: Positivo, 2004.

GRISARD FILHO, W. *Guarda compartilhada: um novo modelo de responsabilidade parental.* São Paulo: Revista do Tribunal, 2002.

GROENINGA, G. C. Guarda compartilhada: a efetividade do poder familiar. In: DELGADO, M.; COLTRO, M. (orgs.). *Guarda compartilhada.* Rio de Janeiro: Forense; São Paulo: Método, 2009. p. 149-78.

GRZYBOWSKY, L. S. *Parentalidade em tempo de mudanças:* desvelando o envolvimento parental após o fim do casamento. 2007. 102 f. Tese (Doutorado em Psicologia) – Pontifícia Universidade Católica do Rio Grande Sul (PUCRS), Porto Alegre, 2007.

HOUZEL, D. As implicações da parentalidade. In: SOLIS-PONTON, L. (org.), *Ser pai, ser mãe, parentalidade: um desafio para o terceiro milênio.* São Paulo: Casa do Psicólogo, 2004. p. 47-51.

LEBOVICI, S. "Diálogo Letícia Solis-Ponton e Serge Lebovici". In: SOLIS-PONTON, L. (org.). *Ser pai, ser mãe, parentalidade:* um desafio para o terceiro milênio. São Paulo: Casa do Psicólogo, p. 21-7, 2004.

LEITE, E. O. *Famílias monoparentais: a situação de pais e mães solteiros, de pais e mães separados e dos filhos da ruptura da vida conjugal.* São Paulo: Revista dos Tribunais, 2003.

LIMA, S. B. V. Guarda compartilhada: *aspectos teóricos e práticos. Revista CEJ - Centro de Estudos Judiciários.* Ano X, n. 34. São Paulo, CEJ, p. 22-6, 2006.

OCHOA-TORRES C.; LELONG I. "A função parental: uma abordagem a partir da teoria do apego". In: SOLIS-PONTON, L. (org.). *Ser pai, ser mãe, parentalidade: um desafio para o terceiro milênio.* São Paulo: Casa do Psicólogo, 2004. p. 123-31.

PEREIRA, T. S.; FRANCO, N. S. "O direito fundamental à convivência familiar e à guarda compartilhada". In: DELGADO, M.; COLTRO, M. (orgs.) Guarda compartilhada Rio de Janeiro: Forense; São Paulo: Método, 2009. p.343-58.

PINTO, A. L. T.; CÉSPEDES, M. C. V. S. (cols.). 42. ed. São Paulo: Revista do Tribunal. 2009.

RABELO, S. M. *Definição de guarda compartilhada.* 2007. Disponível em: <http:// www.paisparasempre.org.br>. Acesso em: 16 de mar. 2008.

SOLIS-PONTON, L. A construção da parentalidade. In: SOLIS-PONTON, L. (org.), *Ser pai, ser mãe, parentalidade: um desafio para o terceiro milênio.* São Paulo: Casa do Psicólogo, 2004. p. 29-40.

WELTER, B. P. "Guarda compartilhada: um jeito de conviver e de ser-em-famíla". In: DELGADO, M.; COLTRO, M. (orgs.). *Guarda compartilhada.* Rio de Janeiro: Forense; São Paulo: Método, 2009. p. 49-69.

WINNICOTT, D. W. *Textos selecionados: da pediatria à psicanálise.* Rio de Janeiro: F. Alves, 1988.

ZIMERMAN, D. "Aspectos psicológicos da guarda compartilhada". In: DELGADO, M.; COLTRO, M. (orgs.). *Guarda compartilhada.* Rio de Janeiro: Forense; São Paulo: Método, 2009. p. 103-12.

ZULLIANI, E. S.. Guarda de filhos. *Revista Jurídica,* Porto Alegre, 54 (349), p. 33-52, 2006,

10. Eu e os filhos da minha mulher: uma relação tão delicada...

ROSANE MANTILLA DE SOUZA
MARIA THEREZA DE ALENCAR LIMA

O DESENVOLVIMENTO de um bom relacionamento entre o homem que se casa com uma mulher que já tem filhos de outra união conjugal e estas crianças ou adolescentes talvez seja o maior desafio enfrentado pelas famílias contemporâneas. Por se tratar de um sistema familiar no qual existem dois adultos de sexo diferente, aparentemente, não se expressam os riscos associados às diferentes monoparentalidades nem à homofobia vividos pelas famílias em que o casal é homossexual. No entanto, mesmo que frequentemente a sociedade as perceba como famílias de tipo "tradicional" e o próprio casal busque, na maior parte das vezes, comportar-se como se assim o fosse, o fato é que a complexidade das relações de moradia e cuidado da prole exige longo processo de desenvolvimento e negociação, nem sempre atingido, e expresso, muitas vezes, em conflitos constantes e em novos rompimentos conjugais. Ou seja, em altas doses de sofrimento para todos os envolvidos.

No Brasil, o divórcio é um fenômeno mais frequente entre casais com filhos menores. Considerando-se que em quase 90% dos casos a guarda é materna (IBGE, 2009), quando ocorre o casamento de uma mulher divorciada, a qualidade do relacionamento entre o homem e os filhos dela mostra-se central para uma transição familiar bem-sucedida, para a qualidade do relacionamento conjugal e familiar, bem como para o ajustamento das crianças e dos adolescentes. No entanto, são muitas as agruras e os desafios que o padrasto vivencia e são discrepantes as expectativas acerca de seu papel entre todos os envolvidos.

Na literatura psicológica e no cotidiano, por muito tempo, o pai foi uma figura menos importante que a mãe. O padrasto é alguém quase invisível. Seu nome nem lhe é adequado, à medida que o termo evoluiu das relações de orfandade e, portanto, da ausência física do pai biológico. As madrastas, ao menos, têm seu lugar de destaque na literatura infantil como, ciumentas, perversas, "má-drastas". E suas contrapartes masculinas? Alguém se lembra, por exemplo, que Jesus não foi criado por seu pai biológico?

Neste capítulo buscaremos trazer alguma visibilidade à delicada relação entre o homem e os filhos de sua companheira, estabelecendo um diálogo entre os resultados de pesquisas realizadas no Programa de Pós-graduação em Psicologia Clínica da PUC-SP que permitam compreender as particularidades na formação de vínculos nessas famílias, o que consideramos fundamental para orientar o desenvolvimento de estratégias de promoção da saúde familiar.

A MULHER QUE EU ESCOLHI

> Eu não sabia por que, mas já estava vinculado a ela. Gostei dela, do toque dela, da imagem dela, do olhar [...] era absolutamente inexplicável, uma coisa amorosa, intuitiva. Para mim, ela é uma mulher atraente, mas num nível de atração que transcende a beleza, um conjunto de coisas, um sentido absolutamente contrário à razão.

ESSE EXCERTO, extraído da entrevista de um homem de 41 anos, participante da tese de doutorado de Lima (2003) nos traz a imagem do apaixonado, provavelmente igual a muitos outros. Tanto nessa pesquisa quanto na que lhe é antecedente (Lima, Souza e David, 2001), buscamos compreender a experiência de homens que viviam conjugalmente com mulheres que tinham filhos menores, na qual se destaca que a decisão pela união, por parte do homem, é romântica e definitiva. O desejo não é só em relação à mulher. Trata-se da companheira que os mobiliza a transformar o "sonho" de família em projeto, na realidade, quer já tenham vivido um relacionamento conjugal ou não.

O estar apaixonado, no caso de homens e mulheres que já viveram outros encontros conjugais, traz consigo os lutos relativos ao divórcio emocional. Se a paixão é indiferenciada, o vínculo com o novo par exigirá que ambos ultrapassem as projeções iniciais do apaixonamento, o que é dificultado quando os aspectos positivos e negativos dos rompimentos anteriores ainda não tenham sido elaborados. Todavia, nesse caso, a relação anterior implica os filhos dela, e talvez também os dele, embora essa complexidade seja quase totalmente desconsiderada pelos casais.

O sentimento amoroso, expresso em muitos momentos de maneira que maximize o teor idealizado do amor (paixão, intensidade, sorte, coisa espiritual, sentido contrário à razão), tem o poder de sobrepor-se ou de camuflar o que poderiam ser consideradas dificuldades, idiossincrasias da relação ou impedimentos: a existência de um ex-marido, a presença das crianças, a não aceitação da união pelas famílias de origem. O homem parece não escolher a mulher com filhos, mas sim o que representa aquela mulher que, *por acaso*, tem filhos.

O amor parece proteger momentaneamente esses apaixonados contra a previsão de entraves do dia a dia. A invasão de sentimentos, a euforia da paixão, alimenta o desejo de constituir uma família perfeita, ou agora perfeita, ao mesmo tempo em que empalidece a capacidade de pensar no que estará envolvido ao responsabilizar-se por ela. A ideia do casamento para esses homens, da escolha da mulher para constituir família, envelhecer juntos e, eventualmente, gerar os próprios filhos, não perpassa pelo *conviver com as crianças*. E quando os entrevistados contemplam em suas falas, ainda que vagamente, a existência desses filhos, dessa circunstância especial, incluem-nos em seu discurso por serem *parte dela* – da mulher escolhida. Assim, como extensões indiferenciadas do objeto amoroso pleno de projeções, essas crianças e esses adolescentes não são considerados impedimentos para que a relação amorosa se concretize em união. Eles são a bagagem que ela traz, "e quem não tem bagagem, nestes tempos de pós-modernidade?" Contudo, o que percebemos é que, frequentemente e de modo rápido, os filhos podem se tornar "malas sem alça"!

Há muitos estudos ao redor do mundo que têm mostrado as diferenças de gênero na escolha amorosa. O que encontramos não foge à regra: a urgência relativa ao apaixonamento ressalta uma gramática amorosa masculina. Assim, a despeito de, tradicionalmente, a racionalidade ser um dos atributos definidores do masculino (Maciel Jr., 2006), o encontro da parceira desejada leva o homem à antítese do racional, o que é compensado pela expressão de outros atributos, também esperados na masculinidade, a saber: a intensidade, a prontidão de ação e a possibilidade de salvar/proteger (a parceira).

Costa (1999) e Kernberg (1995), sobre o gostar sem planejamento, o gostar sem regras, compartilham a argumentação de que existem determinantes inconscientes no processo de escolha de parceiro, mas que escolher a pessoa que se ama e com quem se quer viver também envolve ideais, julgamentos de valor e objetivos que vão além da satisfação da necessidade de amor e de intimidade: "O amor não circula a esmo, no vácuo de intenções e propósitos" (Costa, 1999, p. 18). Na medida em que a pessoa escolhida corresponde a um ideal pelo qual lutar, se estabelece um compromisso com determinado estilo de vida, representado por aquilo que a relação com a pessoa poderá vir a ser. Ou seja, o amor tem "endereço certo" (*idem*). O que temos verificado em nossos estudos e na prática clínica, porém, é que quando os apegos são inseguros, quer com as figuras parentais, quer quando de relações amorosas pregressas, passa-se por cima de tudo e o risco, ao longo do tempo, se reflete nas estatísticas de divórcio e no sofrimento de todos.

De fato, tanto a escolha da parceira quanto, posteriormente, a decisão pela união, é permeada por avisos sociais. Amigos e parentes previnem o homem (e também a mulher) sobre as dificuldades que enfrentarão. Gostar de uma mulher com filhos é "não partir do zero", os próprios homens assim o consideram. A urgência emocional repousa então na base de conflitos e inseguranças individuais e no grau de indiferenciação quanto à família de origem ou na pobre elaboração dos rompimentos pregressos. Embora os homens de nossos dois estudos (Lima, Souza e David, 2000; Lima, 2003) relatem que vivenciaram uma hesitação em assumir um compromisso sério com a parceira, ou, ainda, que tentaram avaliar racionalmente as implicações de uma união com uma mulher-mãe, o que acontece é que a emoção do enamoramento supera os eventuais sentimentos conflitantes: "Dionísio vence Apolo", segundo um entrevistado.

Assim, o que ocorre é que a oposição e os avisos de amigos e familiares de origem amplificam um sentido de masculinidade tradicional deflagrado pelo encontro da mulher mobilizadora. As dificuldades e os limites relativos ao namorar, resultantes de uma guarda materna, e a não identificação dos filhos como seres diferenciados da amada completam um quadro que impulsiona, e por vezes apressa, as decisões sobre a avaliação da "seriedade" do relacionamento, ir morar junto ou casar. Em síntese, regularizar uma situação com uma rapidez que é questionada posteriormente por mais da metade dos participantes de nossas pesquisas.

Entre aqueles que se propõem a avaliar a situação romântica, identificaram-se certezas como: ter maturidade para assumir um relacionamento familiar, o gostar de crianças, o resgate de valores próprios, o medo de não arriscar e perder um grande amor e o desejo de compromisso. Nos relatos, encontramos referências de que o que os auxilia a enfrentar os impasses iniciais é a concordância entre os próprios valores e aqueles que identificam nas atitudes e nos comportamentos da companheira em relação aos filhos dela: uma comunalidade de pensamentos e opiniões, que posteriormente não poderão ser expressos em comportamentos parentais como os imaginados ou só poderão condicionalmente. Por outro lado, os receios, que vão desde o medo de serem rejeitados pelas crianças – e, dessa forma, por quais dificuldades maiores passaria o relacionamento conjugal? – até o de intrusão na estrutura familiar já existente, se amortecem diante da crença de que sua presença auxiliará a vida da mulher e a dos filhos dela, beneficiando o "ninho desfalcado" da presença masculina. Com seu sentido de masculinidade inflada pelo enamoramento, e apoiados nessa ideia de suprir a falta do masculino, os homens se confrontam com os atores que não necessariamente concordam com isso: os filhos dela.

ELE: O NAMORADO DA MAMÃE

> A mulher é livre outra vez, tem direito de tentar novamente encontrar alguém que ela pode casar de novo, para ter outro marido ou namorado; o pai pode encontrar novamente uma pessoa para viver com ele, para ser feliz (depoimento de criança com 9 anos).

> [Os pais] Não podem namorar porque podem ficar juntos de novo (depoimento de criança com 6 anos).

EMBORA A OPOSIÇÃO aos novos parceiros dos pais, bem como a atitude de tornar suas vidas um inferno sejam bastante explorados nos filmes de cinema e televisão, quando investigamos (Souza, 1998, 1999) a concepção de família entre crianças de 5 a 10 anos e as experiências de divórcio e pós-divórcio entre adolescentes cujos pais se separaram na infância (Souza, 2000), somente a menor parte não reconhecia e valorizava a necessidade de, tanto o pai quanto a mãe, reorganizar sua vida afetiva por meio do relacionamento com novos parceiros, mesmo que uma parte deles privilegiasse o namoro mais que o casamento. A faixa etária, a história de vinculação e as consequências do processo de divórcio dos pais, são os fatores que mais contribuirão para a aceitação ou a rejeição do novo parceiro materno.

Para o homem, o cuidado ao entrar na vida familiar da mulher é entendido como cuidado com a relação amorosa. A fragilidade, ao mesmo tempo que a intensidade dos sentimentos, pode amplificar o receio de que uma nova separação venha a ocorrer. O medo de envolvimento com os filhos dela pode associar-se a alguma experiência de perda no passado individual, por exemplo: decorrentes de perdas dos pais na infância, morte ou falta de contato com os filhos, por causa do próprio divórcio, ou mesmo interrupção da convivência com os filhos de outra companheira após separação.

A superação das dúvidas iniciais e a condução desse processo de união podem ou não contar com o auxílio dos filhos dela. De acordo com alguns de nossos entrevistados, as crianças, principalmente as menores, podem surpreender e facilitar pela afetividade e pela simplicidade com que convivem com as situações novas, entre as quais se inclui a presença e a aceitação do novo companheiro.

Antes da mãe dela falar qualquer coisa, a menina [de 3 anos] perguntou: Mãe, ele é seu namorado? Ao que a mãe respondeu: Por que você está falando isso? Então ela disse: Ah, porque ele está o tempo inteiro com a gente.

Quando o conheci [menino de 5 anos], ele sentou no meu colo e a mãe ficou olhando. Ela queria saber se eu gostava dele. Então eu ia lá e brincava com ele, conversava [...] eu acho que quando um homem gosta de uma mulher, quer agradá-la e se relacionar bem com o filho dela é um ponto a favor no seu relacionamento. Não que você faça por obrigação, mas porque você gosta e te faz sentir bem dentro do relacionamento.

Nas situações em que os filhos dela não foram inicialmente receptivos, por outro lado, é o próprio homem quem se encarrega de explicar que sua falta de tato ou sua imaturidade não contribuíram para que os contatos acontecessem mais tranquilamente.

> Para mim, no começo, a primeira vez que eu tive contato com ele [7 anos], foi em um hotel fazenda. Então, chegando lá, eu queria me aproximar, mas ele mantinha certa distância. Eu, como também era muito novo, disse para ele: fica com sua mãe aí porque eu vou para a piscina, ficar com meus amigos. Então outra vez, na casa dele, eu não estou lembrado o que foi, eu só sei que ele me deu um tapa na cara. A gente estava sentado de frente, me subiu o sangue e eu falei: vou embora. A minha vontade era de não voltar mais. Aí acabou passando.

Desde o início do relacionamento do casal, quando aparece um potencial conflito, os homens se encarregam de esperar passar, não discutir, como meio de proteger o relacionamento amoroso. Entretanto, dizem: é "difícil amar incondicionalmente aquele marmanjo respondão (menino de 9 anos), quando você não o viu nascer, quando ele não parece mais aquela coisa fofinha do porta-retratos", chamando a atenção para a dificuldade de se vincular a crianças que já conheceram mais velhas ou, ao contrário, a maior facilidade de relacionamento quando elas são menores, sugerindo ainda que a pouca idade significa menor convívio com o pai biológico.

Realmente, se não viveram uma perda traumática, bebês e pré-escolares estão em condições desenvolvimentais mais favoráveis para organizar ou reorganizar suas estratégias de apego e podem ser capazes de se adaptar mais prontamente a um novo cuidador (Stovall e Dozier, 2000) e os cuidadores por aquisição (padrastos, madrastas, pais adotivos) identificam-se mais fácil e rapidamente com a função parental com as crianças menores. Os bebês, principalmente, possuem características físicas como olhos, pupilas e testa grandes, que aumentam sua atratividade e encorajam comportamentos de cuidado, inspirando maior satisfação no cuidador (Hildebrandt e Fitzgerald, 1983).

A maior parte dos novos cônjuges não tem a chance de começar um relacionamento com bebês ou crianças pequenas, pois a maioria dos divórcios ocorre com famílias com crianças com mais de 5 anos. Assim, padrasto e crianças perdem a oportunidade de mútuo desenvolvimento inicial. Além disso, a experiência de perda no divórcio pode alterar a habilidade de os filhos desenvolverem e manterem fortes vínculos afetivos. O conflito conjugal contínuo pode dilapidar a sensação de segurança de crianças e adolescentes (Toloi e Souza, 2009) ou, até mesmo, eles podem não se vincular temendo novas perdas (Souza, 2000).

Se no tópico anterior ressaltamos o fato de que o homem que se casa com uma mulher que já tem filhos se vê trazendo uma presença masculina ao ninho desfalcado, do ponto de vista dos filhos, ele é aquela pessoa do mesmo sexo que seu pai biológico, ou seja, sua presença traz a marca de uma ausência. E serão necessários muita habilidade, tempo e disponibilidade para se relacionar com eles como seres diferenciados da mulher amada, antes que um vínculo positivo possa se estabilizar.

ELE: O MARIDO DA MINHA MÃE

Ela morava aqui e eu vim para cá. Como toda rotina era deles, de repente eu cheguei, deu uma quebrada. Eu sinto que quebrou a rotina nesta parte de educar o menino, até um pouco radical, deu uma quebrada em algumas coisas que ela fala como: faz tempo que eu não faço isto com meu filho, não faço aquilo, todo mês eu comprava isto, comprava aquilo. Até que eu falo: poxa, mas eu não entrei aqui para quebrar a rotina de ninguém, se você fazia, continue fazendo. Agora, se eu estou atrapalhando, você me diz para a gente conversar, para a gente acertar de você conseguir fazer.

DIFERENTEMENTE DE UMA PRIMEIRA união conjugal, na qual os cônjuges têm algum tempo para se acostumarem às complexas mudanças que ela traz, no caso de um relacionamento que também envolve crianças ou adolescentes, as primeiras conversas acerca de unir-se também são as primeiras decisões em relação a eles. E, frequentemente, acrescida da negociação interna e silenciosa do homem com respeito a como ficará o relacionamento com os filhos que, porventura, já tenha de outros relacionamentos.

O novo casal confronta-se de imediato com exigências de mudanças a serem implementadas na vida pessoal, profissional, de moradia, afetivas e sociais, sem conhecerem um período de lua de mel, um momento privilegiado a dois, que favoreça a intimidade e a negociação de como ir arranjando o cotidiano. Em outras palavras, a vida conjugal se torna imediatamente vida parental.

Tipicamente, para evitar conflitos que possam embaçar a harmonia do apaixonamento, o casal, que pouco discutiu a melhor maneira de tornar mais fácil a recepção do homem na estrutura familiar, nem conversou sobre a abordagem desejável para as situações que envolvem as crianças e a família de origem de cada um, termina por se confrontar com discussões a respeito das demandas e das dificuldades da vida doméstica e as exigências da parentalidade se expressam. Esse contexto que o sentimento de intrusão em um lar com cujas regras não concorda, ou que não lhe são familiares, faz que o homem comece a conduzir a paixão para os limites da convivência e os filhos dela para uma realidade externalizada.

Pelo lado dos filhos, Hetherington (Hetherington e Kelly, 2003) verificou que entre os participantes do *Virginia Longitudinal Study,* o mais completo e abrangente estudo longitudinal que acompanhou a experiência de todos os membros de famílias em seus desdobramentos conjugais, ao longo de mais de 40 anos, as crianças mais novas na época do casamento da mãe mais facilmente estabeleciam um vínculo com o padrasto. Elas se beneficiavam mais de um relacionamento com ele, embora também vivessem maior risco, caso a separação houvesse sido conturbada.

O divórcio, com toda a carga de sofrimento que traz para todos, altera o equilíbrio e a divisão de poder na família. A vida em uma família monoparental feminina, após um período de ajustamento inicial, traz ganhos de autonomia e independência para os filhos, e principalmente as meninas tendem a ter aumentada a proximidade em relação à mãe. A entrada do cônjuge materno altera esse equilíbrio (Hetherington e Stanley-Hagan, 1999).

Scigliano (2006), em sua dissertação de mestrado, realizou estudo qualitativo com 10 crianças de 7 a 11 anos de idade, analisando a experiência vivida e as transições envolvidas na ocorrência de uma nova união conjugal de sua mãe, focalizando os significados de ações e interações durante o divórcio, nova união e adaptações subsequentes. Os resultados obtidos reafirmam o quanto o divórcio implica grandes mudanças na rotina afetiva e, quando da união materna, outras perdas e ajustes são necessários. Além de precisarem assimilar a entrada de um novo membro na família, o *marido da mamãe*, e, em alguns casos, também a chegada de um novo irmão, o cotidiano é novamente modificado de forma drástica. Algumas crianças expressam a perda da proximidade afirmando: "antes, eu e minha mãe, a gente saía pra onde a gente quisesse!" Outras são francas quanto ao ciúme em relação àquele intruso: "ah, eu fiquei muito assustada e eu fiquei com muito ciúme, porque ela só ficava fazendo as coisas gostosas (comidas) pra ele."; outras ainda o percebem como uma presença agradável: "eu achei legal [...] ele é legal porque ele é divertido." No entanto, todas concordam que os adultos não foram muito hábeis ao explicar o que aconteceria e como aconteceria: "eu cheguei em casa da escola e minha avó falou assim: 'Carla, a sua mãe já tá com uma aliança de casada'. Daí, eu tava deitada na cama, daí, eu falei assim: Mãe, quem vai namorar com você? Daí, ela falou: o Jorge, Carla. Amanhã ele vem te conhecer. Pra morar aqui. Foi assim."

Como afirmam todos os autores que pesquisam o divórcio no mundo, são pouco frequentes as mulheres que após a separação conseguem grande êxito econômico. Com muito mais frequência, o divórcio empobrece as mulheres e seus filhos. Então, a presença de um novo cônjuge, dificilmente não significará um ganho em bem-estar material, mas este só será percebido bem mais tarde, mas nem sempre será aceito ou valorizado pelos filhos delas. O ganho econômico pode melhorar a vida na casa dela, mas, frequentemente, será expresso em mudança de residência e bairro, de modo que acomode melhor a família; ou mesmo de cidade, para melhor viabilizar a carreira dele, considerando-se que as melhores condições de vida do casal derivam do poder econômico masculino. As consequências desse processo, interpretado como ganho pelos adultos, de fato significam perdas para os filhos. Os participantes do estudo de Scigliano (2006) retratam, então, as mesmas mudanças e perdas que encontráramos em estudo sobre a experiência do divórcio (Souza, 2000): a vida na casa se modifica, os sentimentos se intensificam e são acrescidos de mudanças de moradia, cidade, residência, escola, com significativo impacto na rede de apoio. Assim, embora no caso das crianças entrevistadas por Scigliano (2006) nenhuma tenha relatado sobreposição de transições entre o divórcio e o novo casamento, o que amplificaria o risco de dificuldades globais de desenvolvimento e relacionamento, todas foram unânimes em considerar que a transição foi muito rápida, as mudanças sentidas como muito intensas aconteceram sem muitos esclarecimentos.

Diferentes autores (Hetherington e Stanley-Hagan, 1999; Keshet, 1990; Féres-Carneiro, 1987; Bucher e Rodrigues, 1990; Anderson *et al.*, 1999) apontam a inexistência de modelos para as famílias que envolvem cônjuges divorciados, destacando que a vivência de seus membros ocorre sem muitos rituais ou normas sociais que as valide ou oriente, de modo que, a maioria dos adultos, tenta manter um funcionamento tradicional, ou seja, o da família de primeira união conjugal e com divisão tradicional de papéis (Bray e Berger, 1993a,b; Bray, 1999; Fine, Coleman e Ganong, 1998,1999). Esse funcionamento induz a aproximação entre o novo cônjuge e os filhos dela e se faz, em geral, à custa da relação com o pai biológico. Uma das meninas entrevistadas por

FORMAÇÃO E ROMPIMENTO DE VÍNCULOS

Scigliano (2006), ao lhe ser perguntado como sua mãe a havia informado que morariam com o namorado dela, respondeu: "ela falou que ele era legal [...] que ele ia substituir meu pai. E que eu tinha que aceitar ele."

Não é de estranhar que, sob essa explicação, potencializem-se a oposição ao novo parceiro e o conflito de lealdade, caso se venha a gostar dele. Na família biológica, o usual é que cada filho se sinta mais confortável com um dos pais do que com o outro, mas não se tem que escolher com quem compartilhar algo ou pedir autorização para um evento especial, nem passar o fim de semana aqui ou ali. Quando os pais não estão mais juntos, as lealdades se dividem, e o conflito aumenta quando outro adulto entra em cena. Quanto mais amigáveis as relações entre todos os adultos, menor o conflito de lealdade (Wallerstein e Kelly, 1996).

Se, da perspectiva tanto dos pré-escolares quanto dos escolares, os aspectos de cuidado instrumental dos padrastos tendem a ser gradativamente aceitos de modo positivo e o afeto vai se desenvolvendo (Souza, 1998; Souza e Ramires, 2006) em todas as idades, a lealdade ao pai biológico refere-se ao vínculo e à aceitação de limites e disciplina. O padrasto, normalmente, é confrontado e tem seu poder desautorizado, mesmo quando o parental biológico está totalmente ausente.

O relacionamento familiar aparece como ainda mais difícil quando envolve filhos adolescentes, pois estes destituem o padrasto de qualquer poder parental. Os temas associados à lealdade ao pai biológico são os que mais se destacam da dissertação de mestrado de David (2005), que pesquisou o papel social e real do padrasto (atributos, cognições e expectativas acerca do comportamento) em um grupo de 155 adolescentes de 12 a 20 anos, provenientes de diferentes composições familiares, entre as quais um subgrupo que vivia a experiência de morar com o cônjuge materno. *Ele, o marido de minha mãe*, como se denominou o trabalho, indica-nos como esses jovens expressam pouco interesse na proximidade afetiva com o padrasto, além de não esperarem ou desejarem comportamentos parentais por parte dele: nem apoio logístico (levar e trazer, ajudar nas lições), nem mesmo o suporte material. Embora caiba ressaltar que os adolescentes que não têm a experiência direta com a situação sejam mais flexíveis que aqueles que vivenciam essa composição familiar

Adolescentes também relatam que os conflitos de lealdade são particularmente estressantes (Souza, 2000). Quando um dos pais é afastado definitivamente e o outro se casa, o casamento pode ser visto como uma traição e, para o jovem, sentir-se próximo pode significar uma negação da qualidade da relação anterior, aumentando o conflito interno ou externo. Em geral, quanto mais velhos, mais viveram com a outra figura parental e maior o conflito (Wallerstein e Kelly, 1996).

De fato, a lealdade ao pai biológico enterra definitivamente a possibilidade de essas famílias atuarem segundo o modelo nuclear tradicional. Autores como Hurstel (1999), Lemaire (1988) e Fréjaville e N'Guyen (1987) insistem na necessidade de esclarecer o lugar que cada membro ocupa nas famílias complexas. Dizer qual é o lugar de cada um, distinguir quem é o pai legal e quem é o companheiro, é um dos primeiros passos recomendados para viabilizar uma adoção mútua entre um filho e o companheiro da mãe. Observaram os autores que explicar qual o lugar de cada um envolve sofrimento, desejos e também referenciais externos, fornecidos pelas leis que designam o pai e a filiação de uma criança. Conversando com os homens, tivemos a ocasião de dimensionar que eles consideram essas afirmativas pertinentes, principalmente porque não as seguiram e se arrependeram depois.

É interessante ressaltar que, na pesquisa de David (2005), os padrastos não foram descritos como exercendo um papel parental, o que mostra que há uma consonância entre as perspectivas sobre papel parental entre o padrasto e seus enteados. Contudo, se por um lado existe um risco menor de confronto decorrente da concordância entre as expectativas e o comportamento, por outro, há uma fonte potencial de risco para os jovens, no mo-

FORMAÇÃO E ROMPIMENTO DE VÍNCULOS

mento em que eles exaltam o papel de um pai biológico que, muitas vezes, não está presente em suas vidas como eles gostariam. E, se, ao longo do tempo, muitos adolescentes acabem avaliando positivamente o casamento de sua mãe, entre outras coisas porque diminuiu o superenvolvimento dela em sua vida, a consagração do pai biológico também pode aumentar os conflitos mãe-filhos, quando elas não concordam com a expectativa dos jovens acerca do papel do seu ex-cônjuge no círculo familiar, acrescido de mais oposição ao padrasto que está incondicionalmente apoiando a mulher (Souza, 2000).

Assim, analisando a situação pelo lado do padrasto e de seus enteados, confirma-se o que tem sido apontado em estudos ao redor do mundo: a melhor opção para o homem, e expressa por nossos entrevistados, é manter certa distância. Socialmente, o novo companheiro da mulher geralmente é descrito como menos envolvido com o lado emocional do cuidado com as crianças ou adolescentes, e a maioria deles, também assim se descreve, ou, então, inicia o relacionamento bastante envolvido e distancia-se aos poucos, podendo ou não desenvolver uma proximidade mais confortável posteriormente. O estudo realizado por Marsiglio (1992) já havia indicado, e nossos participantes confirmaram, que este homem sente-se satisfeito mostrando seu cuidado e sentimentos comprando bicicletas, conhecendo computadores e podendo falar de futebol. O comportamento parental só pode ser atingido gradualmente, ele nem sempre ocorre em todas as famílias. Alguns sustentam um relacionamento civilizado com seus enteados, com outros, a relação permanece tão conflituosa que uma das partes, ou o padrasto ou o enteado, acaba se afastando ou se retirando do círculo familiar; outros ainda se tornam uma nova base de segurança, como nos conta este jovem de 20 anos, que conviveu com seu padrasto desde os 7 anos:

a gente [ele e a irmã um pouco mais velha] aprontou, enfrentou, jogou ele contra minha mãe, atrapalhou, fez de tudo que um filme mostra, ou até um pouco mais. Mas ele nunca desistiu. Ele me ensinou isso: a não desistir se você acha que vale a pena. Mas, mais do que isso, ele me fez ver que EU valia a pena, EU valia o sacrifício.

O FILHO É DELA

Não pensei em nada. Isto está valendo como uma grande experiência para mim. Às vezes eu até falo comigo mesmo: se um dia eu sair, se um dia acontecer do meu relacionamento com ela não dar certo, aí eu não faço outra dessa não. Fico solteiro, mas não faço outra dessa não. Eu pensei que ia ser legal, ia ser diferente, ela tem um filho menino e tal. Eu não pensei nesta coisa que eu sinto de vez em quando, que eu estou sentindo, de começar a ver no filho dela um menino mimado. Talvez pela forma como eu fui criado, eu não fui mimado. Eu tenho um certo receio porque ela fala muito da gente ter um filho. Eu falei para ela vamos conversar, a gente vê. Mas eu não tenho esta vontade de ter filhos com ela porque eu sinto que a gente vai ter problemas nesta parte de educação. Eu acho que com o menino, até mesmo com a menina, com a criança, com um filho, independe do sexo, são malcriados, e se você não cortar até uma certa idade é um problema. E eu vejo que ela é muito de deixar [...] deixa, não sei o que, ela diz. Então eu fico com o pé atrás. E ela já percebeu. Algumas vezes eu tento conversar isto com ela e a coisa ia descambando para discussão, então aí eu digo, tá bom, tudo bem, deixa para lá, você tem razão nisto. Porque se der continuidade, a discussão fica feia.

Todavia, se por um lado o menor envolvimento pode preservar a relação com as crianças e os adolescentes, dando tempo para uma aproximação lenta, por outro, inaugura novo potencial de risco de conflitos entre o padrasto e a esposa. Na perspectiva das mulheres (Souza, 2002; Hime *et al.*, 2007), o cônjuge (padrasto) é usualmente descrito como menos envolvido no relacionamento familiar e a expectativa é de que se comporte como um apoio instrumental e/ou monetário. Em casa, a mulher é quem sinaliza como o homem deve atuar em relação aos cuidados com sua prole, dá as regras e autoriza ou não seu comportamento. No entanto, a situação é ambígua, pois homens e mulheres naturalizam a maternidade e a paternidade-masculinidade, mas têm dificuldade de conviver com os subprodutos dessa naturalização.

Os homens consideram as mulheres mais afetivas e amorosas. "Mães por natureza" têm nos filhos seu domínio de ação. Contudo, elas, e mesmo suas mães ou outras mulheres que diretamente cuidam dos filhos (babás, trabalhadoras domésticas), são vistas como excessivamente superprotetoras e indulgentes, sustentando a dependência das crianças e dos adolescentes. Precisariam da presença masculina para "botar ordem na casa", como expressam muitos homens. As esposas, por seu lado, definem como papéis masculinos o apoio e o sustento da casa. Valorizam e reconhecem os esforços dos homens modernos que dividem, em parte, maior ou menor, as tarefas domésticas e o cuidado instrumental da prole, mas não aceitam a prerrogativa masculina de autoridade disciplinadora em relação aos seus filhos.

Segundo Fine, Coleman e Ganong (1999) existe um consenso entre a literatura clínica e a teórica no sentido de que a maioria dos desafios, oportunidades e questões que envolvem os membros dessas famílias orbitam em torno do papel do homem em sua relação com os filhos da companheira, observando-se que a grande questão quanto ao cuidado se refere, de fato, à disciplina. Embora acabem não tendo muita clareza acerca de seu papel, os padrastos por nós entrevistados acreditam que deveriam cuidar dos filhos da companheira, pois esse cuidado é, para eles, sobretudo, um cuidado com a relação conjugal. Argumentam que deveriam ter as mesmas obrigações de um pai: pagar o que precisa para essas crianças que estão morando com ele, ajudar nos cuidados instrumentais do cotidiano e disciplinar seu comportamento.

Para o padrasto, é difícil atuar apenas nos cuidados instrumentais e não exercer a posição do poder disciplinador, e a situação se tornará ainda mais conflituosa, caso ele tenha filhos de outras uniões conjugais, quando as disputas de poder entrarão em escalada. De qualquer maneira, a autoridade e o poder de disciplinar aparecem como muito importantes para nossos participantes e o seu não exercício é encarado como um problema para si e como uma grande perda para as crianças, bem como para o sistema familiar como um todo, cujos filhos não estão sendo preparados para as agruras da vida lá fora.

Em geral, o casal não consegue resolver os conflitos decorrentes das diferentes percepções acerca do comportamento dos filhos, mas é possível compreender a dinâmica dessas divergências. Stern (1991) sugeriu que os pais biológicos frequentemente mostram o que ele denominou uma "distorção positiva" quando descrevem seus filhos. Ele sugere que as mães que demonstram alto nível de envolvimento emocional com a prole constroem uma representação positivamente enviesada de suas crianças. Essa "distorção positiva" expressa uma realidade subjetiva poderosa, que modela as crenças parentais, levando os pais a perceberem seus filhos como os seres mais lindos e fascinantes sobre a face da Terra. Essas crenças irreais, mas adaptativas, facilitam o desenvolvimento da capacidade de realizar os sacrifícios necessários enquanto os pais sustentam o longo percurso de desenvolvimento da prole. Na ausência de alto nível de investimento emocional, o cuidador terá uma experiência mais realista, e, neste contexto, o processo não pode ser conotado como positivo. Sem a distorção positiva que anos de cuidado poderão produzir e desinvestidos das fantasias iniciais que os tornavam parte positiva da amada, os filhos dela são, então, percebidos realisticamente como crianças ou adolescentes que demandam amor, cuidado e muita disciplina.

No entanto, o desacordo sobre ideais educacionais, aliado ao receio de ferir ou magoar a esposa com a exposição dos próprios sentimentos e ideias, faz aumentar o desencontro entre os cônjuges. Os homens relataram que poderiam atuar como disciplinadores, que teriam essa liberdade, mas não se sentem confortáveis para fazê-lo, pois significaria confrontar o poder feminino no que se refere à prole, o que produziria um conflito ainda maior. Acreditam que a mulher teme que eles sejam injustos ou agressivos com os filhos dela pelo fato de não haver vinculo biológico.

> Sobre a educação da filha dela, ela sempre falou: eu deixo com você. Mas, ela deixa comigo entre aspas. Porque, se eu falar para a filha dela "não faz isso" ou se eu dou uma bronca, ela vai lá e passa a mão na cabeça. Então, ela tem medo que eu esteja fazendo isso porque não é minha filha. Toda mulher tem esse problema. Ela fala: você está fazendo isso porque não é sua filha, porque não é seu filho.

O evitar confronto permanece, então, como o meio encontrado para preservar a relação conjugal, embora as mulheres, muitas vezes, interpretem esses comportamentos como um não comportamento, ou seja, como distanciamento, desinteresse e desinvestimento (Hime *et al.*, 2007). No entanto, quanto mais identificado com a perspectiva tradicional de masculinidade o homem estiver, mais difícil será controlar sua prerrogativa de poder disciplinador, considerada por ele como natural. Com isso, se amplifica a possibilidade de ruptura do sistema, quer por sua saída, quer pela do adolescente, o que é mais frequente (Crosbie-Burnett *et al.*, 2006).

Para os demais, o medo de perder o autocontrole, caso se dê muita liberdade de intervir, traduz a incômoda situação de quem não se sente plenamente autorizado. É, certamente, nesse quesito – disciplina – que as queixas dos homens se avolumam e se mostram mais evidenciadas. Os filhos dela são vistos como capazes de entender e de fazer o que elas acham que não podem e as situações de impasse de poder são descritas em tom de protesto, impotência ou dúvidas sobre como agir.

> Até o filho dela, por ser muito esperto, começou a perceber que eu não concordo com as atitudes da mãe dele, então chegou a um extremo de eu

falar as coisas para ele e ele gritar: Mãe, olha ele me enchendo o saco aqui. Então quer dizer, eu já estava perdendo o respeito. Aí eu comentei com minha mulher: olha, não tá legal, melhor você começar a colocar limites ou então você corta de vez porque senão eu não vou ter mais respeito nenhum, que é o que aconteceu. Só que quando eu vejo algumas coisas que não estão certas, eu penso: não vou falar nada, não vou falar nada.

Para Crosbie-Burnett e Giles-Sims (1994), construir um sentido de família leva tempo e, portanto, o desafio maior do casal é ter habilidade de construir uma realidade conjunta na qual os limites familiares sejam flexíveis o suficiente para acomodar todos os envolvidos. Os entrevistados confirmam que não é simples vencer o desafio de lidar com a complexidade familiar. Entretanto, os homens dificilmente consideram que esse processo possa ocorrer por meio da conversação. Privilegiam o diálogo interno, o que pode ser interpretado como desinteresse ou dificuldade de lidar com a proximidade mãe-filhos ou a rivalidade com as crianças.

Os padrastos entrevistados, realmente também denunciam alguma rivalidade quanto aos cuidados da esposa para com os filhos, ciúmes e competição, amainados pelos argumentos sobre a diferença entre a natureza da mulher e da mãe, esta última é única e superior em importância para os filhos, cabendo a eles se conformar com a "deslealdade" da disputa.

Filho está sempre em primeiro lugar. A mulher abre mão um pouco do filho para te cuidar se você estiver doente, se estiver com algum problema.

Poucos direitos, muitos deveres, obrigações, cobranças da companheira e cobranças sociais, as queixas dos homens parecem ocultar perguntas: quais são, afinal, seus direitos e seus deveres quanto à educação dos filhos dela? Como e quanto podem participar? Como nada disso está delimitado no início, e as crenças anteriores já não são efetivas, as decisões do cotidiano exigem dos homens um tipo de busca de equilíbrio que contemple os relacionamentos segundo dois tempos conjugais: o presente no qual estão envolvidos afetiva e financeiramente e se sentem angustiados, e o futuro melhor no qual projetam viver. O passado do enamoramento tem de ser suficientemente positivo para compensar a espera.

Apesar da ambivalência e dos conflitos identificados, a maioria dos homens que participaram de nossos estudos consideram-se satisfeitos com o produto de sua empreitada conjugal-familiar. Valorizam o relacionamento sexual, apontado como muito importante para manter o casal e veem na parceira a cúmplice e a companheira para o sexo, principalmente quando se consegue fugir do dia a dia familiar, conforme nos explica um deles, em tom de brincadeira:

> Minha esposa me acompanha nas minhas fantasias, é muito bom quando podemos viajar e ficar apenas os dois. Sexo "fora de casa" é muito melhor!

UMA RELAÇÃO TÃO DELICADA

> A minha vantagem é minha mulher porque eu a amo apaixonadamente. Essa é a primeira. E a desvantagem é justamente essa parte de lidar com um filho agregado e ter que usar toda essa psicologia. Porque não somos psicólogos. Nós temos que manter toda essa paixão viva. Você tem que saber dosar todo esse lado do amor. Às vezes você tem vontade de falar um monte de coisa que não pode falar porque você vai colocar em jogo essa felicidade. Então, tudo isso compensa. A felicidade compensa essas questões.

Nossas pesquisas confirmam o que vem sendo destacado na literatura mundial, particularmente nos trabalhos de Crosbie-Burnett (1994) e Hetherington (Hetherington e Kelly, 2003) que têm se dedicado extensamente ao estudo das famílias multinucleares, isto é, aquelas que envolvem o casamento de divorciados:

trata-se de configurações extremamente complexas, com grande porosidade de fronteiras entre os subsistemas, nas quais a importância relativa da relação marital *versus* relação parental na predição da felicidade familiar deve ser objeto de cuidado de todos.

A teoria e a prática do atendimento familiar adotam em geral a centralidade da relação conjugal para o funcionamento da família saudável, mas, a história e a estrutura das famílias multinucleares desafia essa hipótese. As pesquisas norte-americanas indicam, e nossos trabalhos nos guiam na mesma direção, confirmando que a relação parental pode ser mais central para a qualidade da vida familiar que a relação conjugal. Não é a simples presença dos filhos que estressa esses casamentos, mas é a relação parental insatisfatória que abala a família toda. Graças à ambiguidade das interações, não se pode confiar em expectativas culturais para definir as interações, cada uma delas deve ser inventada, ao longo do tempo, em processo longo de negociações múltiplas. Cônjuges mais habilidosos em colocar-se na perspectiva dos outros membros da família sedimentam um modelo familiar mais flexível, permeável, aberto às atitudes, aos valores e aos posicionamentos que venham a equilibrar essas instâncias sob tensão.

Os homens que entram em uma relação com a máxima urgência masculina de amor e posse do objeto amado, ao se casarem com mulheres que já têm filhos de outros relacionamentos, têm de viver anos de paciência, autocontrole e autolimitação. Sua condição é mais difícil que a de qualquer outro membro de sua família. As expectativas acerca de seu comportamento são divergentes e todos os dias eles têm de tomar decisões sobre como se comportar com os filhos dela, sendo sempre cautelosos e preocupando-se muito mais que qualquer outro membro do sistema.

Da articulação de nossas pesquisas, parece evidente que, a despeito de o que mobiliza os homens para a conjugalidade ser a escolha da parceira e a realização do sonho de relacionamento no qual romantismo, prazer sexual e companheirismo se combinem, a convivência com os filhos dela é uma relação muito deli-

FORMAÇÃO E ROMPIMENTO DE VÍNCULOS

cada, que gera conflitos internos e entre o casal, que, muitas vezes, podem transformar o sonho do encontro com o amor desejado em um pesadelo que emerge nas estatísticas de divórcio. Essa convivência familiar, que testa os limites do amor e da capacidade de sacrificar-se para sustentá-lo, que questiona a masculinidade, a capacidade de cuidado, a habilidade de lidar com conflitos e a centralidade dos próprios desejos em relação à possibilidade de satisfação de todos, também se traduz em múltiplas oportunidades para o homem se superar como companheiro, como pai e como masculino. Alguns enfrentam o desafio e se desenvolvem, acabando por se tornar "pais do coração" como nos descreveram seus filhos, que, se não são biológicos (Souza, 1998), os amam e os reconhecem profundamente.

REFERÊNCIAS BIBLIOGRÁFICAS

ANDERSON, E. R. *et al.* "The dynamics of parental remarriage: adolescent, parent, and sibling influences". In: HETHERINGTON, E. M. (org.). *Coping with divorce, single parenting and remarriage: a risk and resilience perspective*. Nova Jersey: Lawrence Erlbaum Associates, 1999. p. 295-323.

BRAY, J. H. "From marriage to remarriage and beyond findings from the developmental issues in stepfamilies research project." In: HETHERINGTON, E. M. (org.). *Coping with divorce, single parenting and remarriage: a risk and resilience perspective*. Nova Jersey: Lawrence Erlbaum Associates, 1999. p. 253-74.

BRAY, J. H.; BERGER, S. H. "Nonresidential family-child relationships following divorce and remarriage". In: DEPNER, C. E.; BRAY, J. H. (orgs.). *Noncustodial parents: new vistas in family living*. Newbury Park: Sage Publications, 1993a, p. 156-81.

_____. "Developmental issues in stepfamilies research project: family relationships and parent-child interactions". *Journal of Family Psychology*, v. 7, p. 76-80, 1993b.

BUCHER, J.; RODRIGUES, M. A. "Recasamento e recomposição familiar: questões metodológicas, de linguagem e das teorias". *Psicologia: teoria e pesquisa*, v. 6, n. 2, p. 155-69, 1990.

COSTA, J. F. *Sem fraude nem favor – estudos sobre o amor romântico*. Rio de Janeiro: Rocco, 1999.

ROSANE MANTILLA DE SOUZA • MARIA THEREZA DE ALENCAR LIMA

CROSBIE-BURNETT, M. "Remarriage and recoupling". In: McKENRY, P. C.; PRICE, S. J. (orgs.). *Families and change*. Londres: Sage, 1994, p. 23-37.

CROSBIE-BURNETT, M.; GILES-SIMS, J. "Adolescent adjustment and stepparenting styles". *Family Relations*, v. 43, p. 394-99, 1994.

CROSBIE-BURNETT, M., *et al.* "Advancing theory through research: the case of extrusion in stepfamilies". In: BENGTSON, V. *et al. Sourcebook of family theory and research*. Newbury Park: Sage, 2006, p. 213-38.

DAVID, P. C. *Ele, o marido da minha mãe: atributos do papel de padrasto entre adolescentes.* 2005. Dissertação (Mestrado em Psicologia Clínica) – Pontifícia Universidade Católica de São Paulo (PUC), São Paulo, São Paulo, 2005.

FÉRES-CARNEIRO, T. "Aliança e sexualidade no casamento e recasamento contemporâneo". *Psicologia: Teoria e Pesquisa*, v. 3, n. 3, p. 250-61, 1987.

FINE, M. A.; COLEMAN, M.; GANONG, L. H. "Consistency in the perceptions of the stepparent role among stepparents, biological parents and stepchildren". *Journal of Social and Personal Relationships*, v. 15, p. 811-29, 1998.

_____. "A social constructionist multi-method approach to understanding the stepparent role". In: HETHERINGTON, E. M. (org.). *Coping with divorce, single parenting and remarriage: a risk and resilience perspective.* Nova Jersey: Lawrence Erlbaum Associates, 1999. p. 273-94.

FRÉJAVILLE, A.; N'GUYEN, A. "Une approche institucionnelle spécifique pour familles agissantes et atypiques". *Dialogue*, v. 97, n. p. 121-39, 1987.

HETHERINGTON, E. M.; STANLEY-HAGAN, M. "Stepfamilies". In: LAMB, M. E. (org.). *Parenting and child development in "non traditional" families.* Nova Jersey: Lawrence Erlbaum, 1999. p. 137-61.

HETHERINGTON, E. M.; KELLY, J. *For better or for worse*: divorce reconsidered. Nova York: W. W. Norton & Company, 2003.

HILDEBRANDT K.; FITZGERALD, H. "The infant's physical attractiveness: its effects on bonding and attachment". *Infants Mental Health Journal*, n. 4, p. 3-12, 1983.

HIME F. A. *et al.* "Perspectivas e demandas no relacionamento amoroso em diferentes grupos etários e condições conjugais". In: *Amor e sexo na contemporaneidade.* ANAIS DO XI CONGRESSO BRASILEIRO DE SEXUALIDADE HUMANA, out 15-17, Recife, p. 49 - 50, 2007.

HURSTEL, F. *As novas fronteiras da paternidade.* Campinas: Papirus, 1999.

INSTITUTO BRASILEIRO DE GEOGRAFIA E ESTATÍSTICAS (IBGE). *Estatísticas de Registro Civil* Disponível em: <http://www.sidra.ibge.gov.br/bda/regciv/default.asp?z=t&o=24&i=P> Acesso em: 20 de abr. 2009.

KERNBERG, O. F. *Psicopatologia das relações amorosas.* Porto Alegre: Artes Médicas, 1995.

KESHET, J. K. "Cognitive remodeling of the family: how remarried people view stepfamilies". *American Journal of Orthopsychiatric*, v. 60, n. 2, p. 196-203, 1990.

LEMAIRE, J. G. "Le nouvel ami de la mère peut-il faire un père?", *Revue Française des Affaires Sociales, Hors-série, Pères et paternité*, p. 103-8, 1988.

FORMAÇÃO E ROMPIMENTO DE VÍNCULOS

LIMA, M. T. A. *Ser ou não ser: a experiência do homem nos cuidados com os filhos da companheira*. 2003. Tese (Doutorado em Psicologia Clínica) – Pontifícia Universidade Católica de São Paulo (PUC-SP), São Paulo, São Paulo, 2003.

LIMA, M. T. A; SOUZA, R. M. "Les conflits masculins dans de familles recomposées". *Dialogue - recherches cliniques et sociologiques sur le couple et famille*, v. 172, n. 2, p. 133-41, 2006.

LIMA, M. T. A.; SOUZA, R. M.; DAVID, P. C. "Eu, minha mulher e os filhos dela". *Psicologia Revista*, v. 12, n. 2, p. 41-61, 2001.

MACIEL JR., P. DE A. *Tornar-se homem – o projeto masculino na perspectiva de gênero*. 2006. Tese (Doutorado em Psicologia Clínica) – Pontifícia Universidade Católica de São Paulo (PUC-SP), São Paulo, São Paulo, 2006.

MARSIGLIO, W. "Stepfathers with minor children living at home: parenting perceptions and relationship quality", *Journal of Family Issues*, n. 13, 195--214, 1992.

SCIGLIANO, F. M. *Mamãe casou:* a perspectiva infantil sobre os relacionamentos conjugais pós-divórcio. 2006. Dissertação (Mestrado em Psicologia Clínica) - Pontifícia Universidade Católica de São Paulo (PUC-SP), São Paulo, São Paulo, 2006.

SOUZA, R. M. "Família, minha família, a família do papai, uma família sem papai e outros desafios à compreensão infantil". *Psicologia Revista*, v. 6, n. 1, p. 54-76, 1998.

_____. "As crianças e suas ideias sobre o divórcio". *Psicologia Revista*, v. 9, n. 1, p. 103-20, 1999.

_____. "Depois que papai e mamãe se separaram: um relato dos filhos". *Psicologia: Teoria e Pesquisa*, v. 16, n. 3, p. 203-11, 2000.

_____. "Famílias monoparentais e multinucleares com chefia masculina e feminina". In: CONGRESSO INTERNACIONAL PESQUISANDO A FAMÍLIA. *Livro de Resumos*, Florianópolis, Brasil, p. 153-63, 2002.

SOUZA R. M.; RAMIRES, V. R. R. *Amor, casamento, família, divórcio... e depois, segundo as crianças*. São Paulo: Summus, 2006.

STOVALL K.; DOZIER, M. "The development of attachment in new relationships: single-subject analysis for 10 foster infants". *Developmental and Psychopathology*, v. 12, p. 133-56, 2000.

STERN, D. "Maternal representations: a clinical and subjective phenomenological view". *Infant Mental Health Journal*, v. 12, p. 174-86, 1991.

TOLOI, M. D.; SOUZA, R. M. "Conflitos familiares e conjugais na perspectiva dos filhos adolescentes". *Revista Brasileira de Psicodrama*, v. 17, p. 51-65, 2009.

WALLERSTEIN, J. S.; KELLY, J. B. *Surving the breakup: how children and parents cope with divorce*. Nova York: Basic Books, 1996.

11. O velho e o novo na transformação dos relacionamentos masculinos: *Don Juan de Marco*

DURVAL LUIZ DE FARIA

O UNIVERSO MASCULINO é um mundo quase desconhecido pela psicologia, embora nas últimas décadas tenha aumentado o número de pesquisas sobre o tema, especialmente no que diz respeito à paternidade. Essa foi a porta de entrada para uma compreensão mais aprofundada da masculinidade (Souza, 1994), pela qual começamos a entender melhor o mundo dos homens, suas motivações, sua natureza e sua diferença do mundo feminino.

Temos trabalhado e pesquisado a área da paternidade e a masculinidade desde o início da década de 1990, tendo como resultados várias de nossas pesquisas e de nossos orientandos. Essas pesquisas abrangem o fenômeno da paternidade atual (Faria, 2001; 2003), a influência do pai sobre a carreira de mulheres adultas jovens (Garcia, 2006), o ciúme patológico masculino (Centeville, 2008), as imagens do feminino na psique masculina (Faria, 2006), entre outros aspectos.

Neste capítulo, pretendemos refletir um pouco sobre os relacionamentos masculinos entre faixas etárias diferentes, focalizando o vínculo terapeuta-paciente e ressaltando a presença do arquétipo bipolar *Puer-Senex*, que embasa aspectos desse relacionamento. A reflexão que fizemos diz respeito ao vínculo pai-filho, especialmente entre pais no meio da vida e filhos adolescentes (Faria, 2001 e 2003), pretendendo, assim, trazer alguma luz sobre as características desse tipo de vínculo e sua relação com o arquétipo citado.

Tomaremos como exemplo a relação de um psiquiatra, Dr. John Mickler, um homem maduro, com um paciente, um adulto jovem, diagnosticado como psicótico ou em surto psicótico, personagens do filme *Don Juan de Marco* (1995), escrito e dirigido por Jeremy Leven. O filme é estrelado por Marlon Brando (Dr. Mickler), Johnny Depp (Don Juan de Marco) e Faye Dunaway (Marilyn Mickler).

A escolha de um filme se justifica, pois, segundo alguns teóricos da psicologia analítica (Beebe, 2001; Oliveira, 2007), os filmes tornaram-se um lugar privilegiado para analisarmos questões existenciais e arquétipos que se manifestam na atualidade, assim como questões culturais que revelam ansiedades prementes de nossa cultura.

Se no início da psicologia junguiana a ênfase recaía sobre os mitos e os contos de fada, na tendência atual privilegia-se a produção cultural e artística, em que os padrões mitológicos também aparecem.

No filme escolhido, podemos observar com profundidade o que ocorre no relacionamento entre dois homens, terapeuta e paciente, e a transformação dos dois, em suas subjetividades individuais.

OS VÍNCULOS MASCULINOS

Os vínculos masculinos podem ser classificados como simétricos e assimétricos. Os vínculos simétricos são aqueles em que não existe uma relação de poder associada ao relacionamento, como amigos, pares, companheiros, colegas.

Nos vínculos assimétricos encontramos, além do relacionamento e suas características afetivo-emocionais, uma hierarquia ou uma questão de poder, como na relação professor-aluno, médico-paciente, psicoterapeuta-paciente, pai-filho, chefe-subordinado, por exemplo. A origem da hierarquia pode ter diversas fontes, únicas ou múltiplas, como a hierarquia parental, a

FORMAÇÃO E ROMPIMENTO DE VÍNCULOS

hierarquia do cargo dentro da organização ou empresa, a hierarquia do conhecimento ou advinda de uma grande experiência.

Em todas as sociedades e culturas existem relações hierárquicas e, geralmente, entre os homens maduros e os mais jovens o vínculo é atravessado por questões de poder e hierarquia e, no mundo contemporâneo, por conflitos de gerações que possuem, em geral, culturas, interesses e valores diferentes (Hillman, 1999).

Nas culturas antigas e nas indígenas, regidas pela tradição, os pais da cidade ou os homens mais velhos das tribos submetiam os adolescentes aos rituais de iniciação. Os futuros homens passavam por situações ritualísticas, provas de coragem e de força, assim como de conhecimento. Os adolescentes também recebiam os ensinamentos da vida cotidiana, da convivência política e os espirituais (Neumann, 1995).

Embora hoje não existam, em geral, rituais de iniciação tão marcados para a sociedade como um todo nas sociedades complexas, onde inúmeros fatores atravessam os vínculos e os relacionamentos, ainda persistem cerimônias em que os jovens são recebidos e iniciados pelos mais velhos, como o batismo, o serviço militar, o ritual de formatura, que são, no entanto, mediados por instituições de caráter religioso, militar, educacional etc.

Nos vínculos dentro do âmbito da psicologia clínica, também podemos olhar o vínculo terapeuta-paciente, quer no âmbito da psicoterapia individual, grupal, em clínica privada, quer em instituições, em termos ritualísticos, em que uma mulher ou um homem mais amadurecido inicia o jovem ou a jovem no conhecimento de si mesmo, na percepção e na elaboração de situações vinculares ou de relacionamento.

O que gostaríamos também de apontar, no entanto, é que o *setting* terapêutico, onde terapeuta e paciente sentam-se frente a frente, constituindo um ritual repetitivo, mas também criativo de iniciação, pode ser um lugar de transformação do terapeuta, pois este também é afetado pelas questões trazidas pelo paciente: não há apenas transferência, mas também contratransferência.

Por meio do filme analisado neste capítulo, tentaremos trazer a ideia de como a vida do terapeuta e do paciente pode ser afetada e transformada em um encontro analítico-criativo, com foco na questão do velho e do novo, do *Senex* e do *Puer*, da tradição e da espontaneidade e criatividade.

O ARQUÉTIPO BIPOLAR *SENEX-PUER*

Segundo Jung (2001), arquétipos são estruturas virtuais que possibilitam o aparecimento de conteúdos inconscientes em determinadas situações típicas da vida, como o nascimento, a morte, o casamento, o apaixonamento.

A ideia básica é que não nascemos como uma tábula rasa, trazemos dentro de nós aquilo que é universal no humano, os instintos de um lado, no nível biológico, e os arquétipos do outro, que nos possibilitam a simbolização e a imaginação na vida psíquica. Nessa perspectiva, o inconsciente seria entendido como uma fonte de símbolos que nos auxiliam nas situações de vida. Esses símbolos proveem da fonte arquetípica, que tem como centro o *self*. O *self* pode ser entendido como a totalidade da vida psíquica (consciente e inconsciente) ou como o centro dirigente do processo de desenvolvimento, diferente do ego, centro da vida consciente.

A primeira metade da vida é entendida como uma etapa da individuação em que o ego se estrutura, ganha força e se adapta ao meio ambiente, saindo paulatinamente da dimensão inconsciente e ganhando o mundo. Ela é simbolizada como o nascer e o levantar do Sol, é a juventude, na qual se situa também o ciclo do adulto jovem (Jung, 1986).

A partir do meio da vida vai ocorrendo o ocaso do Sol, a maturidade se avizinha, assim como muda a perspectiva. Se antes tínhamos uma energia sem-fim para nos inserirmos no mundo, agora vislumbramos o envelhecimento e a morte, e nos damos conta de que não somos mais os heróis físicos, como

Hércules. A energia se espiritualiza e, diante da caminhada, nos questionamos a respeito de tudo o que não realizamos e elaboramos. Este é o momento da individuação propriamente dita, em que podemos deixar as velhas máscaras e buscar nossa essência mais verdadeira.

Assim, seguindo o ciclo vital, no início do desenvolvimento e na primeira metade da vida, identificamo-nos com o jovem, o *Puer*, o herói e, na segunda metade, com o maduro, o *Senex*, o velho.

Entretanto, esses arquétipos estão presentes em todas as idades e apresentam-se de forma bipolar, de modo que o *Senex* está presente mesmo no jovem, assim como o *Puer* pode estar presente no homem maduro. A questão é: quanto e como?

No mundo psíquico, o *Senex* pode ser entendido como um arquétipo que ao ser ativado produz em uma de suas polaridades a energia que proporciona estabilidade, temporalidade, identidade, continuidade, perfeição, ordem, limites. Na outra polaridade, no entanto, produz imutabilidade, peso, morte, frieza e rigidez (Hillman, 1999). O indivíduo identificado com o *Senex*, sem discriminá-lo em si, pode correr o perigo da rigidez e da imutabilidade ou ser possuído por sua sabedoria, usando-a de forma inconsciente, como um profeta (Bernardi, 2008).

O *Puer*, por sua vez, pode ser entendido como um aspecto espiritual da psique, que produz uma energia móvel que não se fixa, mas ascende, sem ficar preso à terra e ao tempo (Crono).

Ele vive na eternidade, e aquilo que é eterno não envelhece. Pode ser guerreiro, poeta, mensageiro, mas recusa-se à adaptação. Na mitologia o Puer voa, como Dédalo e Ganimedes, com sua propensão para cair, porque não aceita limites. Fecha-se em si mesmo, como Narciso, negando o objeto de amor, quando se sente ameaçado de aprisionamento; é volúvel como Don Juan, assim como é sedutor. Não se prende a nada e a ninguém, pois é capaz de atrair com promessas de amor e abandonar depois com a maior frieza. (Faria, 2003, p. 89)

Von Franz (1992) assinala a ligação incestuosa do homem que se identifica com o *Puer*, produzindo a estrutura do *Puer Aeternus*, o homem que permanece um eterno adolescente, um sonhador incorrigível, incapaz de realizar projetos, pois a empreitada, seja amorosa, seja profissional, representa sempre uma ameaça.

No entanto, o *Puer*, por trazer em sua figura a juventude, pode ser um símbolo do novo, da transformação, da espontaneidade e da criatividade.

O FILME *DON JUAN DE MARCO*

O FILME INICIA-SE COM A APRESENTAÇÃO de um jovem que se autodenomina Don Juan de Marco, filho de Don Antonio Garibaldi de Marco e de Doña Inez Santiago. Ele se considera o maior amante do mundo e se veste de negro, como um cavalheiro antigo do México do século XVII, e usa uma máscara. Na versão do jovem, diante de uma decepção amorosa, causada por Doña Ana, tenta o suicídio no topo de um prédio.

Chamado a intervir, o Dr. Mickler, um psiquiatra na faixa entre 50 e 60 anos do Hospital Woodhaven é alçado em um guindaste para tentar salvá-lo. O Dr. Mickler percebe que aquele jovem que se apresentava como Don Juan de Marco era especial. Então, ele entra no jogo imaginativo do jovem fazendo-se passar por Don Octavio Flores, amigo de sua família, e o convida a sair daquela situação, propondo recebê-lo em sua casa.

O jovem acede ao seu pedido e é levado para um hospital psiquiátrico (a imaginária residência do médico), com a finalidade de internação. Dr. Mickler, que está para se aposentar, pede que o rapaz seja o seu último paciente, mas o conselho hospitalar nega seu pedido e encaminha o caso para outro psiquiatra, Dr. Bill.

No entanto, este é um profissional mais tradicional e não consegue acessar a psique do jovem e o significado de sua fantasia, pois seu método de cura gira em torno da adaptação social e da medicação antipsicótica. Diante desse fracasso no tratamento, o paciente é encaminhado novamente para o Dr. Mickler – o Don Octavio Flores de sua imaginação.

DON JUAN E DON OCTAVIO

A cena inicial do filme já nos coloca em uma situação que nos faz perceber que o psiquiatra que atende o jovem Don Juan não é um psiquiatra tradicional, mas um homem que compreende a doença mental não apenas como um desequilíbrio, mas como um processo no qual o significado da fantasia é importante para a cura. Com sua sabedoria ditada pela experiência do *Senex*, ele entra no mundo do paciente, trazendo-o para o vínculo. O jovem representa para o Dr. Mickler um desafio, mas, como veremos adiante, ele também mobiliza sua psique intensamente.

A instituição psiquiátrica, por outro lado, por meio de seu diretor e da maioria de seus componentes, entende a doença do jovem como um distúrbio que deve ser eliminado por meio de seus medicamentos, levando o jovem para a adaptação social. Sua fantasia é encarada como patologia, não como símbolo de uma situação existencial conflitante. Representa a polaridade negativa do *Senex*, da rigidez das normas e dos procedimentos.

O jovem, em sua fantasia, é possuído pela figura de Don Juan, uma das formas do *Puer*, e, segundo Jung (2001), como um dos tipos de complexo materno que afeta o homem.

Segundo Jung (2001), o donjuanismo é uma forma de complexo materno, do homem que não se libertou da mãe e está preso a ela. Assim, ele procura a mãe em todas as mulheres e, como estas não estão de acordo com a idealização da figura feminina, ele as abandona. É capaz de seduzir, mas incapaz de amar.

Falta a Don Juan a postura do homem maduro, do *Senex* que o faria amadurecer, estabilizar-se, aspecto que Dr. Mickler possui. Este, por outro lado, apesar de ser um psiquiatra criativo, está no final de sua carreira e ultimamente bastante entediado – seu

Puer encontra-se um tanto desvitalizado. E a situação que se apresenta é boa para a ativação de novas possibilidades, tanto de um lado, como de outro.

A HISTÓRIA DE DON JUAN

Iniciando-se a análise, o jovem se apresenta como Don Juan de Marco e conta sua história. Nasceu no México, filho de uma bela jovem, Doña Inez, herdeira de uma fazenda no interior do país, e de um americano, funcionário de uma indústria farmacêutica, que, durante uma visita ao México, se apaixonara por ela.

Don Juan é fruto desse amor. Desde cedo, tinha um grande interesse pelas mulheres, deslumbrando-se com sua mãe, com as meninas com quem brincava e, mais tarde, na adolescência, com uma jovem senhora, Doña Julia, que foi sua preceptora, que lhe ensinava valores religiosos. Ela era casada com um cavalheiro do lugar, Don Alfonso, que tinha 50 anos. A fantasia com essa mulher se concretiza e eles passam a viver um romance, que é interrompido porque o marido descobre. Para se vingar do acontecido, Don Alfonso inventa que a mãe de Don Juan trai o pai com ele. Essa situação provoca um duelo entre seu pai e o cavalheiro. Depois de um feroz combate, seu pai é morto por Don Alfonso.

Desesperado, ele quer vingar seu pai e, em uma luta de espadas, assassina o cavalheiro. Sua mãe, amargurada, entra para um convento, onde pretende passar o resto de seus dias. Para esconder sua vergonha, Don Juan passa a usar uma máscara, prometendo nunca mais retirá-la.

Nesse momento da sessão, o jovem começa a revelar seu sofrimento, dizendo como é difícil perder o pai tão cedo. Dr. Mickler também relembra, por meio de fotos de família, sua relação com o pai e o seu passado. A ferida do jovem fez com que as velhas feridas do psiquiatra viessem à tona, para que ele pudesse enfrentá-las e curá-las.

Don Juan parte então para Cádiz, mas o navio é desviado da rota por bandidos e ele acaba vendido para um sultanato. No

FORMAÇÃO E ROMPIMENTO DE VÍNCULOS

domínio do sultão, ele se disfarça de mulher e tem um relacionamento com a sultana e com outras mulheres do harém. Contudo, o sultão, pensando tratar-se de uma mulher, é atraído por ele que, para sair dessa enrascada, parte, com ajuda da sultana. Seu barco, no entanto, naufraga e ele é levado pelo mar para a ilha de Eros, onde conhece Doña Inez, uma jovem de 17 anos. Loucamente apaixonados, prometem reciprocamente fidelidade e amor eternos, até o momento em que a jovem descobre os envolvimentos anteriores de seu amado. Decepcionada, ela vai embora.

Don Juan retorna e entra em frenética busca por mulheres, seduzindo-as e depois abandonando-as. Testa o seu poder de conquista e enreda as mulheres em sua trama. Percebe, no entanto, o vazio de sua vida, pois vive uma sexualidade indiscriminada, não se apegando a ninguém. Sentindo-se sozinho e desesperado, tenta o suicídio.

A HISTÓRIA DA AVÓ

Dr. Mickler é alertado pelo diretor da instituição sobre o perigo que o jovem corre, pois acredita que ele está delirando. O diretor fica sabendo que o jovem havia morado com sua avó por uns tempos e aconselha o Dr. Mickler a procurá-la.

No encontro com a avó, que mora em Nova York, no Queens, esta conta ao psiquiatra que o pai do jovem fora, na verdade, o maior dançarino do Astoria. Ele trabalhava em uma tinturaria na cidade de Phoenix, no Arizona. Sua mãe o traía com outros homens. Quando seu pai morreu vítima de um acidente, sua mãe, desesperada, procurou um convento para expiar sua culpa. O rapaz, angustiado e sem saber o que fazer, vestiu-se de Don Juan e se envolveu com uma artista de televisão, que ele vira em uma revista. A crise do rapaz se inicia no momento em que a procura e é repelido como um doente. Amargurado, tenta o suicídio. Na versão da avó, o jovem chamava-se John Arnold de Marco e se apaixonara pela artista Chelsea Stocker, chamada por ele de Doña Ana. Tratava-se, portanto, de um jovem com uma personalidade muito mal estruturada, com um ego frágil, sofrido, e que não estava preparado para encarar as dificuldades da vida.

O EFEITO DON JUAN NA VIDA DA INSTITUIÇÃO E DO DR. MICKLER

Por um momento, vamos deixar a análise da história de Don Juan para analisarmos os efeitos da ação desse personagem na vida da instituição e do Dr. Mickler.

Jung assinala que em todo contato terapêutico há risco de infecção psíquica, isto é, as feridas do terapeuta podem ser ativadas na situação analítica, para o bem e para o mal. Don Juan relaciona-se com todos na instituição, ele é o próprio Don Juan, uma versão do Eros grego, que flecha e comanda as paixões ligadas ao amor.

Eros é representado por uma criança, um *Puer,* e faz suas traquinagens. Filho de Afrodite, mas também um dos deuses primordiais do universo, Eros é responsável por ligações, conexões, vínculos. Ele aproxima as pessoas, não apenas no âmbito erótico, mas também na afetividade.

O paciente, vestido do *Puer* Don Juan, é possuído pela imagem arquetípica, uma imagem do inconsciente. Como sabemos, sempre que nos identificamos com uma imagem arquetípica (seja o herói, o pai, a sombra etc.), entramos em um estado de inflação, em uma identificação com um aspecto do *self.* Nesse estado, somos investidos de uma grande carga de energia, do numinoso, tal como coloca Jung.

Assim, a criança e o amor adormecidos das pessoas que trabalhavam na instituição (com exceção dos psiquiatras, que se identificavam com o *Senex* rígido) são despertados. As enfermeiras e as atendentes apaixonam-se pelo jovem, um dos enfermeiros dança no gramado, a instituição começa a se tornar mais humanizada.

Dr. Mickler não escapa dessa influência e da força de Don Juan. Começa a ver sua mulher de outra forma, torna-se mais próximo, interessa-se por ela, por sua vida, como se começasse a conhecê-la a partir daquele momento. Com base nas palavras de Don Juan começa a ver as mulheres de outra maneira.

Sua vida começa a ganhar cores, em uma proximidade com a natureza que há muito tempo não sentia. À medida que o trabalho psicológico prosseguia, Dr. Mickler começou a entrar em contato com seu lado sombrio e com seu lado feminino, que na psicologia junguiana entendemos como o trabalho com a sombra e a *anima*.

O CONFRONTO

Dr. Mickler percebe que há uma discrepância entre a fantasia delirante e a vida real do jovem Don Juan. Está na hora do confronto entre a história fantasiada e a história real, talvez dois lados da mesma moeda. Então, conta a ele o contato que teve com sua avó, a história de seu pai – a outra versão de sua vida.

O jovem então o questiona, dizendo que sua avó era louca e que sua versão era uma versão doente da vida de Don Juan. Em quem Dr. Mickler acreditava, quem tinha trazido alegria e despertado uma vida insuspeitada dentro dele, o jovem desajustado ou Don Juan?

O confronto continua quando a mãe de Don Juan, vestida de freira, visita o Dr. Mickler, corroborando a história de vida contada pelo paciente. Nesse momento, Dr. Mickler também questiona a mãe, perguntando sobre a história relatada pela avó: qual seria a verdade, uma vez que o futuro do jovem estava em jogo. A mulher, em lágrimas, afirma que a verdade está dentro de cada um. Aqui o filme deixa uma interrogação sobre a sanidade da mãe e o consequente comprometimento do filho.

Finalmente, na linha do confronto, Dr. Mickler, em sua última sessão, confronta novamente Don Juan, citando um exemplo fictício de um paciente muito jovem que ele havia atendido, e que era inseguro com as mulheres, tentando pôr fim à vida por essa razão. Tinha tido também um histórico de relações parentais comprometidas, um pai que havia morrido e uma mãe que traía o pai com outros homens. Don Juan tem uma reação muito forte ao ouvir isso e explode em violência, alegando que a situação dele era diferente. Contudo, percebemos aí que algo havia tocado o jovem em sua cisão.

A postura do terapeuta segue no sentido de reconhecer a realidade do jovem, sem, no entanto, descaracterizar sua fantasia, o significado simbólico que essa fantasia apresenta. Tanto que, quando pergunta se o Dr. Mickler acreditava que ele realmente era Don Juan, ele afirma que sim, pois não poderia negar a realidade da fantasia que havia mudado inclusive aspectos de sua vida.

Em troca, contudo, do reasseguramento de que o jovem pudesse se reconhecer como Don Juan, e premido pela pressão do corpo psiquiátrico, o paciente acede em tomar a medicação.

Quando o jovem, finalmente, é arguido pelo juiz psiquiátrico que referendaria sua cura, declara-se como um jovem de 21 anos, com essas características, e que havia tido um surto e agora estava adaptado para viver em sociedade. Essa declaração fez que ele ganhasse o direito de ficar em liberdade.

No final do filme, Dr. Micker, sua esposa e Don Juan partem em busca da ilha de Eros, onde o jovem fora tão feliz. Lá ele encontra sua amada, e, em uma dança a quatro, eles podem compartilhar uma felicidade há muito almejada.

UMA COMPREENSÃO SIMBÓLICA DO RELACIONAMENTO

Dr. Mickler e Don Juan podem ser percebidos como dois homens bastante diferentes – o primeiro, bem adaptado, com um casamento de muitos anos, solidificado em sua carreira e em vias de se aposentar. Don Juan como um jovem com inúmeros problemas, vindo de uma família disfuncional, que precisou se vestir de uma *persona* de conquistador para afirmar seu ego frágil e confuso. Veio de uma adolescência problemática e se sentiu perdido no início de sua vida adulta.

No entanto, cada um à sua maneira consegue se apropriar de uma criatividade e uma abertura diante da vida que poderá levá-los a uma transformação interior.

Inicialmente, podemos identificar Dr. Mickler como um *Senex* sábio, a figura que Jung denomina como o Velho Sábio, que acumulou muitos conhecimentos advindos de sua prática profissional. Em sua profissão, Dr. Mickler também conseguia lidar com a fantasia de seus pacientes, utilizava abordagens criativas que rompiam a rigidez dos procedimentos. E nesse ponto ele se aproximava dos aspectos positivos do *Puer*.

No entanto, em sua vida privada, Dr. Mickler mantinha-se em uma rotina repetitiva, em um casamento um tanto monótono, tradicional, no qual desconhecia as aspirações e os conflitos de sua esposa. Tinha pouco contato com a mulher, com o mundo feminino e com as emoções profundas dentro de si.

Podemos entender que o contato do psiquiatra com o jovem Don Juan de Marco despertou uma transformação em sua vida, na medida em que se deixou tocar pela energia de Eros – do amor. Dessa maneira, um relacionamento cristalizado pôde se transformar, assim como uma nova atitude perante a vida tornou-se possível.

Por parte de Don Juan, o contato com o Dr. Mickler e sua sabedoria de *Senex* puderam trazer o jovem paulatinamente para a realidade cotidiana e fizeram emergir aspectos de sua vida necessários à sua inserção na sociedade, mesmo conservando sua fantasia de Don Juan.

CONSIDERAÇÕES FINAIS

No FINAL DESTE CAPÍTULO, gostaríamos de lançar uma hipótese sobre a transformação do Dr. Mickler e do jovem Don Juan. Jung coloca que o processo de desenvolvimento e individuação masculinos ocorre à medida que o homem vai se desidentificando de sua roupagem e máscara social (*persona*), aproximando-se mais de seu si-mesmo, e vai percebendo aspectos seus que estão na sombra, como os aspectos do inconsciente pessoal e o feminino interior.

Acreditamos que o vínculo do terapeuta maduro e do paciente jovem, sonhador, possibilitou um relacionamento de crescimento, em que ambos puderam se conhecer melhor e integrar à personalidade de cada um uma nova consciência, adequada, evidentemente, à idade deles.

Entendemos a viagem do quarteto para a ilha como uma viagem simbólica, que para nós significa uma meta de integração. Jung (1982) coloca que a transformação masculina ocorre em uma imagem de quaternidade, na qual os aspectos da personalidade se colocam nas pontas do quadrado. Aqui adaptaremos o esquema de Jung (1982, p. 20) para as figuras do jovem Don Juan (Figura 1a e b) e do Dr. Mickler (Figura 2a e b).

FIGURA 1-A

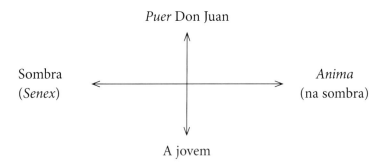

FIGURA 1-B

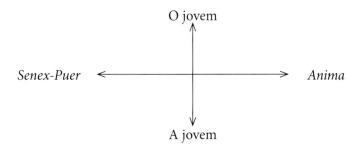

FIGURA 2-A

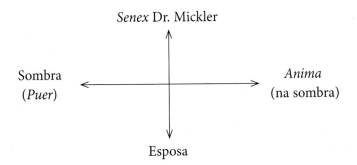

FIGURA 2-B

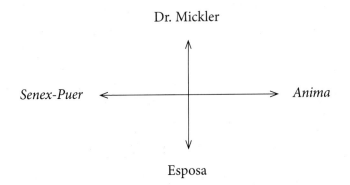

COMPREENDENDO AS FIGURAS

Na Figura 1-a, temos um tipo de quaternidade do jovem Don Juan, no início do filme e da terapia: o "eu" de Don Juan, identificado com o *Puer*, relaciona-se com a jovem (da ilha); a *anima* ainda está na sombra, assim como a mulher; provavelmente ele é dominado pelo complexo materno (complexo de Don Juan). Aspectos da sombra, como as relações parentais, inclusive seu aspecto *Senex* sábio, estão inconscientes. Por essa razão, a jovem não permanece com ele, pois Don Juan não consegue perceber o feminino e a mulher em sua alteridade.

Na Figura 1-b, a psique do jovem se transforma. O ego não está mais identificado com o *Puer*. Sua consciência se modificou, ele consegue se diferenciar do *Puer* e reconhecer a importância do homem maduro em si, possibilitando a conexão *Puer-Senex*. Por outro lado, a jovem pode ser reconhecida e escolhida, deixando para trás a figura de Don Juan e suas inúmeras mulheres. A *anima* começa a ser integrada.

O jovem só poderá realizar isso porque a figura do Dr. Mickler constelou em sua psique o *Senex*, na modalidade do Velho Sábio, o homem maduro. No final do processo, o *Senex*, que estava na sombra, agora faz parte de sua consciência e, dessa forma, o jovem pode iniciar seu relacionamento com uma mulher. O aprofundamento e o relacionamento terapêutico do homem maduro com o jovem possibilitaram a transformação da subjetividade deste.

Na Figura 2-a, podemos observar a psique do Dr. Mickler antes do processo terapêutico e do relacionamento com Don Juan; seu ego encontra-se parcialmente identificado com o *Senex*, enquanto aspectos do *Puer* estão na sombra. O relacionamento com a mulher ainda está sombreado, pois não há um reconhecimento de sua mulher em sua alteridade e do feminino em si mesmo.

Já na Figura 2-b, o ego se apresenta desidentificado do *Senex* e está livre para se relacionar com a mulher, em sua alteridade e com aspectos da *anima*, que são integrados. Por meio do contato com o jovem Don Juan, o Dr. Mickler pôde reconhecer algo que faltava em sua vida psíquica, o contato com Eros – o amor – e com as aspirações de sua *anima* e de sua esposa.

Concluindo, podemos perceber que no relacionamento de um homem maduro com um jovem, diferentes aspectos da psique de ambos componentes do vínculo são transformados, apontando que o processo de individuação não ocorre apenas dentro dos indivíduos, mas também na intersubjetividade.

FORMAÇÃO E ROMPIMENTO DE VÍNCULOS

REFERÊNCIAS BIBLIOGRÁFICAS

BEEBE, J. *et al.* "The anima in film." In: HAUCKE, C.; ALISTER, I. (org.). *Jung & Film.* Londres: Brunner Routledge, 2001.

BERNARDI, C. "Visão geral." In: MONTEIRO, D. M. R.(org.). *Puer-Senex dinâmicas relacionais.* Petrópolis: Vozes, 2008.

CENTEVILLE, V. Ciúme patológico masculino: reflexões sob a ótica jungiana. 2008. (Dissertação de Mestrado em Psicologia Clínica). Pontifícia Universidade Católica de São Paulo, São Paulo, São Paulo.

FARIA, D. L. *O pai possível: conflitos da paternidade contemporânea: uma pesquisa qualitativa num grupo de homens.* 2001. Tese (Doutorado em Psicologia Clínica) – Pontifícia Universidade Católica de São Paulo (PUC-SP), São Paulo, São Paulo.

_____. *O pai possível: conflitos da paternidade contemporânea.* São Paulo: Educ/Fapesp, 2003.

_____. *O homem e o encontro amoroso. Imagens da anima nas canções de Tom Jobim.* 2006. Monografia (Curso de Formação de Analista Junguiano) – Associação Junguiana do Brasil, São Paulo, São Paulo.

GARCIA, A. C. F. *De filha à profissional mulher.* 2006. Dissertação (Mestrado em Psicologia Clínica) – Pontifícia Universidade Católica de São Paulo (PUC-SP), São Paulo, São Paulo.

HILLMAN, J. *O livro do Puer.* São Paulo: Paulus, 1999.

JUNG, C. G. *Aion: estudos sobre o simbolismo do si-mesmo.* Petrópolis: Vozes, 1982.

_____. *A natureza da psique.* Petrópolis: Vozes, 1986.

_____. *Os arquétipos e o inconsciente coletivo.* Petrópolis: Vozes, 2001.

LEVEN, J. *Don Juan de Marco.* Los Angeles: New Line Cinema, 1995.

NEUMANN, E. *História da origem da consciência.* São Paulo: Cultrix, 1995.

OLIVEIRA, L. Coisas de menina. 2007. Dissertação (Mestrado em Psicologia Clínica) – Pontifícia Universidade Católica de São Paulo (PUC-SP), São Paulo, São Paulo.

SOUZA, R. M. *Paternidade em transformação: o pai singular e sua família.* 1994. Tese (Doutorado em Psicologia Clínica) – Pontifícia Universidade Católica de São Paulo (PUC-SP), São Paulo, São Paulo.

VON FRANZ, M. L. *Puer Aeternus.* São Paulo: Paulinas, 1992.

OS AUTORES

Geórgia Sibele Nogueira da Silva. Psicóloga, doutora em Medicina Preventiva pela Faculdade de Medicina da Universidade de São Paulo (FMUSP). Professora da Universidade Federal do Rio Grande do Norte, vinculada ao Programa de Pós-graduação em Psicologia, com interesse em Saúde Coletiva e Psicologia da Saúde. Sua produção abarca: tanatologia, psico-oncologia, ensino médico, humanização e cuidado nas práticas em saúde, aids, sexualidade e gênero, estratégia de saúde da família. É também membro do Grupo de Trabalho Formação e Rompimento de Vínculos da Associação Nacional de Pesquisa e Pós-graduação em Psicologia (Anpepp). E-mail: gsibele@uol.com.br

José Ricardo de Carvalho Mesquita Ayres. Professor titular na área de Medicina Preventiva e professor do Departamento de Medicina Preventiva da Faculdade de Medicina da Universidade de São Paulo (FMUSP). Sua área de interesse é: Saúde Coletiva, com ênfase na Atenção Primária em Saúde. Sua produção envolve os seguintes temas: ações e programas na atenção primária em saúde, prevenção e promoção da saúde, saúde do adolescente, HIV/aids, risco e vulnerabilidade, estratégia de saúde da família, desenvolvimento histórico-epistemológico das ciências da saúde (epidemiologia, integralidade e cuidado em saúde). E-mail: jrcayres@usp.br

Elizabeth Queiroz. Psicóloga, doutora em Psicologia pela Universidade de Brasília (UnB). Psicóloga da Rede Sarah de Hospitais, de junho de 1992 a outubro de 2003. É professora do Instituto de Psicologia da UnB, no Departamento de Psicologia Escolar e do Desenvolvimento (PED), orientadora de Mestrado no Programa de Pós-graduação em Processos de Desenvolvimento Humano e Saúde (PG-PDS). É também membro do Laboratório de Saúde e Desenvolvimento Humano (PED/IP) e do Grupo de Trabalho Formação e Rompimento de Vínculos da Associação Nacional de Pesquisa e Pós-graduação em Psicologia (Anpepp). E-mail: bethqueiroz@unb.br

Roberta Albuquerque Ferreira. Psicóloga pela Universidade de Brasília (UnB). Mestranda do Programa de Pós-graduação em Processos de Desenvolvimento Humano e Saúde (PG-PGPDS), do Instituto de Psicologia da UnB. Membro do grupo de pesquisa do Laboratório de Desenvolvimento em Condições Adversas, da UnB (Ladversa-UnB). Tem experiência em pesquisa na área de Psicologia da Saúde, com ênfase em Psico-oncologia Pediátrica e Cuidados Paliativos. Atualmente, desenvolve projeto na área de Cuidados Paliativos em unidade de onco-hematologia pediátrica, com o objetivo de sistematizar medidas de acompanhamento psicossocial. E-mail: robertaaferreira@gmail.com

Tereza Cristina Cavalcanti Ferreira de Araujo. Professora na Universidade de Brasília (UnB), coordenadora do Laboratório de Saúde e Desenvolvimento Humano (Labsaudes-UnB), pós-doutorada pela Unesco (Paris), doutora pela Université de Paris X-Nanterre, pesquisadora do CNPq, orientadora de Mestrado e Doutorado em Psicologia da Saúde (UnB). Tem experiência em pesquisa e intervenção no Hôpital Trousseau, Hôpital Necker-Enfants Malades, Hôpital Saint Louis, Hospital de Base de Brasília, Hospital Regional da Asa Sul, Hospital Universitário de Brasília e Centro de Saúde. É membro do Grupo de Trabalho Formação e Rompimento de Vínculos da Associação Nacional de Pesquisa e Pós-graduação em Psicologia (Anpepp). E-mail: araujotc@unb.br

Maíra Ribeiro de Oliveira Negromonte. Psicóloga pela Universidade Federal da Bahia (UBA), mestre em Psicologia da Saúde pelo Programa de Pós-graduação Processos de Desenvolvimento Humano e Saúde da Universidade de Brasília (UnB), integrante do Grupo de Pesquisa Saúde e Desenvolvimento Humano (CNPq). E-mail: oliveiramai@yahoo.com.br

Airle Miranda de Souza. Psicóloga, doutora em Ciências Médicas pela Universidade Estadual de Campinas (Unicamp) e professor adjunto da Faculdade de Psicologia, Universidade Federal do Pará, docente do Programa de Pós-graduação em Psicologia da UFPa, na Linha de Pesquisa Prevenção e Tratamento Psicológico, supervisora do Estágio de Psicologia das Organizações com ênfase em saúde no Hospital Universitário João de Barros Barreto. Coordenadora do Laboratório de Estudos do Luto e Saúde (LAELS) do HU João de Barros Barreto. Membro do Grupo de Trabalho Formação e Rompimento de Vínculos da Associação Nacional de Pesquisa e Pós-graduação em Psicologia (Anpepp). E-mail: airlemiranda@gmail.com

OS AUTORES

Danielle do Socorro Castro Moura. Psicóloga, mestre em Psicologia pela Universidade Federal do Pará (UFPa), especialista em Educação, Cultura e Organização pela UFPa, É também professora do Departamento de Psicologia da UFPa. E-mail: danismoura@yahoo.com.br

Janari da Silva Pedroso. Psicólogo, doutor em Ciências pela Universidade Federal do Pará (UFPa). Professor Adjunto da Faculdade de Psicologia e Docente do Programa de Pós-Graduação em Psicologia da UFPa, na Linha de Pesquisa Prevenção e Tratamento Psicológico. É também coordenador do Laboratório de Desenvolvimento e Saúde-LADS, além de membro da Sociedade Rorschach de São Paulo. E-mail: jsp@ufpa.br

Maria Cristina Lopes de Almeida Amazonas. Psicóloga com Doutorado pela Universidade de Deusto, Bilbao, Espanha, professora adjunta IV e coordenadora geral da Pós-graduação da Universidade Católica de Pernambuco, membro do Grupo de Pesquisa Família e Interação Social, registrado no CNPq. Tem experiência na área de Psicologia, com ênfase em Psicologia Social e atua principalmente nos seguintes temas: família, gênero, identidade e diferença, escola. É pesquisadora do CNPq, nível PQ II e membro do Grupo de Trabalho Formação e Rompimento de Vínculos da Associação Nacional de Pesquisa e Pós-graduação em Psicologia (Anpepp). E-mail: amazonas@unicap.br

Maria Lucia Cavalcanti de Mello e Silva. Psicóloga e bacharel em Direito. Tem especialização em Psicologia Jurídica, é mestre em Psicologia Clínica, linha de pesquisa: Família e Interação Social, pela Universidade Católica de Pernambuco (Unicap). Atua como psicóloga clínica, com ênfase em Clínica Infantil. E-mail: luciacavalcanti@hotmail.com

Vera Regina Röhnelt Ramires. Psicóloga, especialista em Psicoterapia Psicanalítica e doutora em Psicologia Clínica pela Pontifícia Universidade Católica de São Paulo (PUC-SP). Professora, pesquisadora e coordenadora do Programa de Pós--graduação em Psicologia da Universidade do Vale do Rio dos Sinos (Unisinos), Rio Grande do Sul. Desenvolve pesquisas vinculadas à linha de pesquisa Clínica da Infância e da Adolescência desse Programa. É membro do Grupo de Trabalho

Formação e Rompimento de Vínculos da Associação Nacional de Pesquisa e Pós-graduação em Psicologia (Anpepp). E-mail: vramires@unisinos.br

Soraia Schwan. Psicóloga, mestre em Psicologia Clínica pelo Programa de Pós-graduação da Universidade do Vale do Rio dos Sinos (Unisinos), Rio Grande do Sul, na linha de pesquisa: Clínica da Infância e da Adolescência. Psicóloga do Centro de Referência Especializado de Assistência Social (Creas), Rio Grande do Sul. E-mail: soraiaschwan@gmail.com

Maria Julia Kovács. Professora livre docente do Instituto de Psicologia da Universidade de São Paulo (USP). Coordenadora do Laboratório de Estudos sobre a Morte, pesquisadora com bolsa produtividade do CNPq, membro do Grupo de Trabalho Formação e Rompimento de Vínculos da Associação Nacional de Pesquisa e Pós-graduação em Psicologia (Anpepp). E-mail: mjkoarag@usp.br

Silvia Pereira da Cruz Benetti. Psicóloga, especialista em Psicoterapia Psicanalítica, doutora em Estudos da Família e da Criança, pela Universidade de Syracuse, Nova York, EUA. Professora da Universidade do Vale do Rio dos Sinos (Unisinos-RS), no Programa de Pós-graduação em Psicologia, linha da pesquisa: Infância e Adolescência, na Graduação em Psicologia e Especialização em Psicoterapia Psicanalítica na Infância e Adolescência. Seus interesses estão na identificação, compreensão e intervenção em saúde mental, especialmente situações de violência e trauma. Membro do Grupo de Trabalho Formação e Rompimento de Vínculos da Associação Nacional de Pesquisa e Pós-graduação em Psicologia (Anpepp). E-mail:sbenetti@unisinos.br

Gabriela Golin. Psicóloga, especialista em Psicologia Clínica pelo Instituto de Psicologia (Ipsi) de Novo Hamburgo, RS, e mestre em Psicologia Clínica pela Universidade do Vale do Rio dos Sinos (Unisinos-RS). Atua na área clínica e em atividades dirigidas à capacitação de cuidadores de crianças em acolhimento institucional na primeira infância. E-mail: gabrielagolin@terra.com.br

Rosane Mantilla de Souza. Psicóloga, mestre e doutora em Psicologia Clínica pela Pontifícia Universidade Católica de São Paulo (PUC-SP). Professora titular

OS AUTORES

e coordenadora do Programa de Estudos Pós-graduados em Psicologia Clínica da PUC-SP. Formada em mediação pelo New México Center for Dispute Resolution (EUA). Pesquisadora e orientadora de trabalhos de mestrado e doutorado nos temas: promoção de saúde, desenvolvimento humano, conflitos familiares, guarda, necessidades dos membros dos diferentes arranjos conjugais e familiares da atualidade, intervenções comunitárias. Também é membro do Grupo de Trabalho Formação e Rompimento de Vínculos da Associação Nacional de Pesquisa e Pós-graduação em Psicologia (Anpepp). E-mail: rosane@pucsp.br

Maria Thereza de Alencar Lima. Graduada em Psicologia pela Pontifícia Universidade Católica de São Paulo (PUC-SP), mestre em Diplome de Specialisation pela Université de Genève e doutora em Psicologia Clínica pela Pontifícia Universidade Católica de São Paulo (PUC-SP). Atualmente é professora do curso de Psicologia da Pontifícia Universidade Católica de São Paulo (PUC-SP), atua no Departamento de Psicologia do Desenvolvimento. Pesquisa e orienta principalmente os seguintes temas: novas uniões, filhos, parentalidade e recasamento. E-mail: mtal@bol.com.br

Durval Luiz de Faria. Psicólogo, mestre em Psicologia da Educação e doutor em Psicologia Clínica, pela Pontifícia Universidade Católica de São Paulo (PUC-SP). Professor do curso de Psicologia e do Programa de Estudos Pós-graduados em Psicologia Clínica da PUC-SP e coordenador do Curso de Especialização na Abordagem Junguiana, pela Coordenadoria Geral de Especialização, Aperfeiçoamento e Extensão (Cogeae-PUC-SP). Desenvolve pesquisas sobre masculinidade, feminilidade e conjugalidade, em uma abordagem junguiana. Analista junguiano pelo Instituto Junguiano de São Paulo, ligado à Associação Junguiana do Brasil e à International Analitical Psychology Association (Zurique). Membro do Grupo de Trabalho Formação e Rompimento de Vínculos da Associação Nacional de Pesquisa e Pós-graduação em Psicologia (Anpepp). E-mail: dlfaria@pucsp.br

Maria Helena Pereira Franco. Psicóloga, mestre e doutora em Psicologia Clínica pela Pontifícia Universidade Católica de São Paulo (PUC-SP), pós-doutorada pela University College London, Londres. Professora e orientadora

FORMAÇÃO E ROMPIMENTO DE VÍNCULOS

de pesquisas do curso de Psicologia e do Programa de Estudos Pós-graduados em Psicologia Clínica e coordenadora do Laboratório de Estudos e Intervenções sobre o Luto da Pontifícia Universidade Católica de São Paulo (PUC-SP). Idealizadora e cofundadora do "4 Estações Instituto de Psicologia", especializado em situações de perdas e luto. Coordenadora do grupo Intervenções Psicológicas em Emergências (IPE). Vice-presidente do International Work Group on Death, Dying and Bereavement. Seus interesses estão na área do luto, em situações de adoecimento e em crises e desastres, além de cuidados paliativos e psico-oncologia. E-mail: mhfranco@pucsp.br

www.gruposummus.com.br